MACHADO DE ASSIS
CORRESPONDÊNCIA

TOMO I | 1860~1869

MACHADO DE ASSIS
CORRESPONDÊNCIA

TOMO I | 1860~1869

COORDENAÇÃO E ORIENTAÇÃO DE SERGIO PAULO ROUANET

REUNIDA, ORGANIZADA E COMENTADA POR IRENE MOUTINHO E SÍLVIA ELEUTÉRIO

global
editora

Rio de Janeiro / São Paulo 2019

© Academia Brasileira de Letras, 2019
2ª Edição, Global Editora, São Paulo 2019

Jefferson L. Alves - **diretor editorial**
Gustavo Henrique Tuna - **gerente editorial**
Flávio Samuel - **gerente de produção**
Sandra Brazil - **coordenadora editorial**
Iracema Fantaguci e Fernanda Cristina Campos - **revisão**
Victor Burton - **capa**

ACADEMIA BRASILEIRA DE LETRAS

Marco Lucchesi - **presidente**
Merval Pereira - **secretário-geral**
Ana Maria Machado - **primeira-secretária**
Edmar Bacha - **segundo-secretário**
José Murilo de Carvalho - **tesoureiro**

Diretorias
Cícero Sandroni - **diretor da *Revista Brasileira***
Alberto Venancio Filho - **diretor das Bibliotecas**
José Murilo de Carvalho - **diretor do Arquivo**
Geraldo Holanda Cavalcanti - **diretor dos Anais da ABL**
Evaldo Cabral de Mello - **diretor da Comissão de Publicações**

Membros da Comissão de Publicações
Alfredo Bosi
Antonio Carlos Secchin
Evaldo Cabral de Mello

Coordenação das Publicações da ABL
Monique C. F. Mendes

CIP-BRASIL. CATALOGAÇÃO NA PUBLICAÇÃO
SINDICATO NACIONAL DOS EDITORES DE LIVROS, RJ

A866c
2. ed.
v. 1

Assis, Machado de
   Correspondência de Machado de Assis: tomo I - 1860-1869 / Machado de Assis ; coordenação e orientação Sergio Paulo Rouanet; reunida, organizada e comentada por Irene Moutinho, Sílvia Eleutério – 2. ed. – São Paulo : Global; Rio de Janeiro : Academia Brasileira de Letras, 2019.
   368 p. ; 21 cm.

   Inclui bibliografia
   ISBN 978-85-260-2485-4

   1. Cartas brasileiras. I. Rouanet, Sergio Paulo. II. Moutinho, Irene. III. Eleutério, Sílvia. IV. Título.

19-59573
CDD: 869.6
CDU: 82-6(81)

Vanessa Mafra Xavier Salgado - Bibliotecária - CRB-7/6644

global editora

Direitos Reservados

global editora e distribuidora ltda.
Rua Pirapitingui, 111 – Liberdade
CEP 01508-020 – São Paulo – SP
Tel.: (11) 3277-7999
e-mail: global@globaleditora.com.br
www.globaleditora.com.br

Colabore com a produção científica e cultural.
Proibida a reprodução total ou parcial desta obra sem a autorização do editor.

Nº de Catálogo: **4427**

Prefácio

Uma cartografia

Cada um de nós traz uma ideia de Machado. Ideia vaga, talvez, difusa, mas eminentemente sua, apaixonada e intransferível. Como se guardássemos um fino véu a se estender sobre a cidade do Rio de Janeiro.

Paisagem pela qual vamos fascinados e diante de cuja natureza suspiramos. Todo um rosário de ruas e de igrejas – Mata-Cavalos, Santa Luzia, Latoeiros e Candelária. Nomes-guias e sonoridades perdidas. Morros derrubados. Praias ausentes. Tudo o que perdemos move-se ainda nas páginas de uma cidade-livro. Cheia de árvores e de contradições, por vezes dolorosas. Chácaras e quintais compridos. Aqueles mesmos quintais que assistiram aos amores de Bentinho e Capitu e dentro de cuja educação sentimental nos formamos.

Machado nos vem desde a escola – com "A Cartomante" ou a "Missa do Galo" – até a revelação inesperada de Brás Cubas; quando já consideramos nossa aquela terra ficcional, totalmente nossa, legado de não poucas gerações. E assim aprendemos a ver as coisas que nos cercam.

Herdamos parte essencial de sua língua. O corte da frase. A espessura do substantivo. A parcimônia de atributos. Mas, acima de tudo, o modo de sondar a extensão de nosso abismo. Sabemos que o Cruzeiro do Sul está muito alto *para não discernir os risos e as lágrimas dos mortais*. Mas acreditamos que *alguma coisa escapa ao naufrágio das ilusões*. Esse fraseado lapidar salta dos livros e cria instrumentos de sentir. E não são apenas as frases. As personagens também se deslocam do papel e vagam incertas pelas ruas do Rio. Tal como as criaturas de Dostoiévski em São Petersburgo. Sabemos onde moram e para onde vão.

Mas há também seres de carne e osso, contemporâneos de Machado, que lhe habitam as páginas, adquirindo foros de eternidade ficcional, como o *ateniense* Francisco Otaviano. A longa tristeza de Alencar no Passeio Público. As mãos trêmulas de Monte Alverne, apalpando o espaço que não podia ver. As meias de seda preta e os calçados de fivela do porteiro do Senado.

Para Machado de Assis, a História podia ser comparada aos

[...] fios do tecido que a mão do tecelão vai compondo, para servir aos olhos vindouros; com os seus vários aspectos morais e políticos. Assim como os há sólidos e brilhantes, assim também os há frouxos e desmaiados, não contando a multidão deles que se perde nas cores de que é feito o fundo do quadro.

O centro e o fundo. As cores vivas e desmaiadas. A trama singular. Machado de Assis terá fixado o sentimento exato daqueles dias, que parecem ultrapassar o próprio tempo, como se fossem o patrimônio da memória coletiva e quase atemporal.

A fixação do sentimento daqueles dias adquire novo baricentro, com a edição monumental das cartas de Machado, organizada por Sergio Paulo Rouanet, subsidiado pelas pesquisadoras Irene Moutinho e Sílvia Eleutério. Trata-se de um marco fundamental na bibliografia machadiana, em regiões ainda fragmentadas, com vazios e fraturas quase insuperáveis e que, no entanto, em tanta parte se completam maravilhosamente agora.

O trabalho de exegese mostrou-se exemplar, não apenas na ampla expansão do *corpus*, como também na correção de rumos e lacunas, outrora incertas, as quais adquirem rosto, sobrenome e endereço ao longo destes volumes.

Uma pesquisa de alta qualidade, sob qualquer ângulo, do *close reading* aos mais fecundos panoramas, abrindo de par em par janelas de uma futura biografia de Machado. Nenhum arquivo ficou de fora e, não raro, boa parte corrigido na catalogação. Outros, foram descobertos, nas vísceras e labirintos das bibliotecas, além de novas doações, havidas em sincronicidade junguiana.

Igualmente modelar, a rede finíssima de notas, de ordem histórica e filológica, estética e filosófica, biográfica e poética, incisivas e iluminantes em sua delicada expressão. Poderiam subsistir independentes do rodapé, como um ente separado, tal a oportunidade e a força que cada fragmento oferece para a inteligência do processo textual, como se fossem breves monografias, em ato ou potenciais. Não sei o que mais apreciar, se a abundância das informações, se o refinamento metodológico, se as divagações oportunas de extração filosófica.

A cartografia inacabada do autor de *Dom Casmurro* sofre com esta edição um déficit expressivo. Desenha-se um Machado algo mais nítido, menos descontínuo, com larga diminuição de pontos cegos e temas suspensos. Mais que um ponto de chegada, temos um ponto de partida, desde uma base hermenêutica segura e estruturada.

A edição de Sergio Paulo Rouanet, com sua conhecida erudição e sensibilidade, percepção histórica e filosófica, empresta, devolve ou aprimora contorno e nitidez à vida/obra de Machado de Assis, ao completar 180 anos de nascimento. Com este gesto brilham os "fios do tecido que a mão do tecelão vai compondo, para servir aos olhos vindouros".

Uma estética do olhar, portanto, um convite que demanda a inserção multifocal de um vasto patrimônio da leitura e da memória em língua portuguesa.

MARCO LUCCHESI
Presidente da ABL no biênio 2018-2019
Rio de Janeiro, outubro de 2019

Apresentação

I

Em carta de 21 de abril de 1908, escrita meses antes de seu falecimento, Machado de Assis autorizava seu amigo José Veríssimo a recolher e publicar suas cartas, mas a permissão foi dada com um ceticismo tipicamente machadiano: "Não me parece que de tantas cartas que escrevi a amigos e a estranhos se possa apurar nada de interessante, salvo as recordações pessoais que conservarem para alguns... O tempo decorrido e a leitura que fizer da correspondência lhe mostrará que é melhor deixá-la esquecida e calada."

Tanto os contemporâneos de Machado quanto os pósteros discordaram dessa opinião.

A ABL, em todo caso, jamais duvidou da importância das cartas do seu primeiro presidente. Seis dias depois de sua morte, em sessão de 3 de outubro de 1908, presidida por Euclides da Cunha, a Academia ouvia de Rodrigo Octavio que Machado de Assis, em 27 de setembro, por declaração oral feita perante testemunhas, legara à Casa seus livros e papéis. Foi designada uma comissão para conversar sobre o assunto com os familiares de Machado. A questão era delicada, porque Machado instituíra sua herdeira universal a menina Laura Braga da Costa (1894--1988), sobrinha-neta de Carolina, mais tarde Laura Leitão de Carvalho. Não interessam aqui os pormenores dessas negociações. O fato é que na sessão de 30 de novembro, Veríssimo comunicava que papéis manuscritos de originais e de cartas já se encontravam na Academia. Das cartas que se encontravam em poder de Machado, muitas se perderam, ou foram furtadas juntamente com documentos e joias, quando Machado de Assis agonizava, abrindo-se na época inquérito para apurar a quem cabia a responsabilidade por esse crime. E parte da correspondência familiar permaneceu em mãos de D. Laura Leitão de Carvalho, até que algumas cartas fossem adquiridas pelo Museu da República e outras, por intervenção do então Ministro da Educação, Eduardo Portella, pela UFRJ, de onde foram repassadas à UNIRIO e finalmente cedidas, por comodato, à Academia Brasileira de Letras, em 1997.

Quanto à posteridade, seu interesse ficou patente com a publicação sucessiva de muitas cartas, ao longo dos anos, despertando sempre a curiosidade de leitores e biógrafos.

O trabalho pioneiro nessa área foi realizado, em 1929, pela própria Academia, que começou a publicar em sua *Revista* o "Epistolário Acadêmico", por iniciativa de Afrânio Peixoto, que contava com a pesquisa e dedicação do secretário Fernando Nery. Este reuniu, em volume, a primeira *Correspondência de Machado de Assis*, publicada pela editora Bedeschi (1932), contendo cartas trocadas entre Machado e alguns interlocutores selecionados, como Joaquim Nabuco, Salvador de Mendonça, José Veríssimo e Mário de Alencar. Em 1937, o editor W. M. Jackson lançou uma edição ampliada do livro de Nery, que se abre com uma "Nota" sobre novas cartas aí incluídas. Essa publicação continuou seguindo, na escolha das epístolas, um critério altamente seletivo, que deixava de fora muitos dos correspondentes. Em 1959, a editora José Aguilar reapresentou o epistolário machadiano, com importantes acréscimos, mas excluiu a correspondência passiva, o que tem a desvantagem de privar o fluxo epistolar de sua dimensão dialógica. Além desses epistolários gerais, foram também publicadas, em livros, jornais e revistas, cartas com interlocutores específicos, como Quintino Bocaiúva, Joaquim Nabuco, Salvador de Mendonça, Joaquim Serra, Miguel de Novais, Mário de Alencar e Magalhães de Azeredo. Mas é inegável que quando lemos as cartas do mesmo ano, mês e às vezes dia, a correspondência machadiana se revela sob aspectos mais variados que se lêssemos apenas o diálogo epistolar com um determinado missivista. Finalmente, várias cartas foram transcritas em biografias, como as de Lúcia Miguel Pereira, Luís Viana Filho, Jean-Michel Massa e R. Magalhães Júnior, o que tem o inconveniente de que as cartas passam a ser interpretadas segundo o enfoque específico do biógrafo, impedindo seus autores de falarem por si mesmos.

Por tudo isso, pareceu à Academia Brasileira de Letras que uma das melhores maneiras de homenagear Machado de Assis por ocasião do centenário de sua morte seria começar a publicação, por ordem cronológica, da correspondência completa do nosso maior escritor, tanto a ativa quanto a passiva, tanto a já publicada quanto a inédita.

Fui incumbido pela ABL de coordenar esse trabalho. Graças ao impulso inicial dado pelo antigo Presidente da ABL, Marcos Vinicios Vilaça, e com o apoio completo – intelectual, financeiro e administrativo – do atual Presidente, Cícero Sandroni, o projeto se iniciou sob os melhores auspícios. No essencial, o trabalho foi executado pelas duas melhores pesquisadoras com que poderia sonhar um coordenador, Irene Moutinho e Sílvia Eleutério. Partindo dos originais manuscritos arquivados na ABL, bem como das publicações mencionadas, elas encontraram mais cartas e teimaram em chegar às fontes primárias para transcrevê-las com a maior fidelidade e revelar detalhes em suas anotações. Fizeram descobertas, inúmeras descobertas, sempre saudadas com manifestações de desespero e de júbilo – júbilo porque encontrar uma carta ou uma referência que tivessem escapado à argúcia ou à erudição de nossos predecessores era uma fonte de exaltação narcísica, e desespero porque cada novo achado obrigava-as a remergulhar nas coleções originais ou microfilmadas de *O Futuro*, da *Imprensa Acadêmica*, do *Diário do Rio de Janeiro*, de outros periódicos e de edições *princeps*.

II

O trabalho pressupunha algumas decisões de princípio, que definissem a extensão do nosso *corpus*: que documentos deveriam ser incluídos no epistolário? Algumas decisões foram instantâneas. Seriam incluídas as cartas propriamente ditas, tanto as expedidas quanto as recebidas; os telegramas; os cartões-postais; e mesmo os cartões de visita, quando tivessem algum texto escrito.

Mais difícil era decidir se deveríamos incluir também as cartas abertas, publicadas em jornais, ou as cartas-prefácios, introduzindo livros. Depois de algum debate, deliberamos que deveríamos, sim, incluir esses documentos. Afinal, a privacidade não é o único elemento da relação epistolar. O outro é o caráter interpessoal, dialógico, que se manifesta na conversa por escrito entre dois interlocutores, e esse caráter é plenamente preservado na carta aberta e na carta-prefácio. A diferença é que nestas se intercala uma terceira instância entre o remetente e o destinatário, um *tertius* ausente mas pressuposto, a opinião pública, a *Öffentlichkeit* kantiana, testemunha muda que escuta e julga a interlocução, sem que ela deixe de ser bilateral, pois via de regra alude, como numa carta convencional, a episódios e reminiscências vividas privativamente pelos dois missivistas. Acresce que em muitos casos essas cartas têm um excepcional valor histórico e biográfico. Não teríamos o direito, por exemplo, por um simples escrúpulo técnico, de subtrair ao leitor a carta de José de Alencar a Machado de Assis, bem como a resposta deste, a propósito de Castro Alves, publicadas em fevereiro e março de 1868, e incluídas no epistolário da edição Jackson. Seria empobrecedor, igualmente, excluir a troca de cartas entre Machado de Assis e Quintino Bocaiúva, publicadas, à guisa de prefácio, no livro *Teatro de Machado de Assis*, de 1863, e também incluídas na Jackson.

Uma última decisão de princípio tinha a ver com o estatuto das cartas transcritas em crônicas. Deveriam ou não ser extraídas das crônicas, para que recuperassem sua condição original de cartas? A resposta foi um sim cauteloso. Quando a crônica revelava o nome real do missivista, correspondendo a uma pessoa identificável, não havia razão para não incluir a carta em nosso epistolário. A dificuldade surgia quando o cronista não indicava o nome do remetente. Nesse caso, a decisão teve que se fazer caso por caso. Resolvemos que só incluiríamos a carta depois que um exame atento sugerisse que o texto inserido não era um mero artifício literário do cronista, mas continha a transcrição de uma carta genuína, mandada por um interlocutor de carne e osso, e não por um fantasma criado pela imaginação do cronista. Essa condição foi preenchida, por exemplo, no caso do documento [11], uma carta dirigida por um certo S. a Machado de Assis, e por este transcrita em crônica de 1.º de maio de 1863, e do documento [13], contendo outra carta de S., transcrita por Machado em crônica de 15 de maio do mesmo ano. Por razões indicadas nas notas, a equipe considerou plausível a hipótese de que S. fosse Salvador de Mendonça, e não hesitou em incorporar as duas cartas. Do mesmo modo, a incrível erudição demonstrada pelo "Amigo da verdade" em história mexicana apontava, além de qualquer dúvida, para a realidade histórica desse personagem e para a autenticidade das cartas por ele enviadas a Machado de Assis, e por este transcritas em crônicas publicadas em 21 de março e 11 de abril de 1865. Por isso essas cartas estão reproduzidas em [35] e [38].

III

Definido o *corpus*, o trabalho substantivo desdobrou-se em três atividades principais: a coleta dos documentos; sua transcrição; e sua contextualização.

Na coleta dos documentos, a equipe faz questão de recorrer a fontes originais. Nossa base é o riquíssimo acervo guardado no Arquivo da Academia Brasileira de Letras, e que contém centenas de cartas manuscritas, muitas delas total ou parcialmente inéditas. Entre estas, há três missivas de Miguel de Novais a Machado, não incluídas no conjunto das 24 cartas publicadas por Pérola de Carvalho em 20 de junho de 1964, no suplemento literário do *Estado de São Paulo*. Nossas pesquisadoras fizeram também importantes achados nos acervos de outras instituições, sobretudo a Biblioteca Nacional, a Casa de Rui Barbosa, o CPDOC da Fundação Getúlio Vargas, o Instituto Histórico e Geográfico Brasileiro, o Ministério das Relações Exteriores, o Museu da República e o Real Gabinete Português de Leitura.

O trabalho de coleta foi facilitado pela colaboração de dirigentes das instituições acima citadas, bem como de vários particulares. Alguns deram informações valiosas, chamando-nos atenção para cartas existentes. Entre estes está o acadêmico Alberto Venancio Filho, que nos indicou várias cartas de Euclides da Cunha a Machado. Uma grata surpresa nos foi proporcionada pela Sra. Maria Theresa Sombra, sobrinha-trineta de Carolina, que nos informou que as duas famosas cartas de Machado à sua noiva, de 2 de março de 1869, estavam depositadas no Arquivo Histórico do Museu da República, e às quais tivemos acesso graças à generosidade da Sra. Magaly Cabral, Diretora daquela instituição. Nosso agradecimento especial à Diretora Executiva da Fundação Biblioteca Nacional, Sra. Célia Portella, assim como à equipe da Fundação Casa de Rui Barbosa, que nos deu acesso à inestimável biblioteca de Plínio Doyle.

Outros nos cederam, generosamente, cópias de cartas. Um deles foi, de novo, Alberto Venancio Filho, que nos entregou cópia de carta inédita de Machado a Lúcio de Mendonça. O Embaixador Álvaro da Costa Franco pôs à nossa disposição cópias de cartas trocadas entre Machado de Assis e o barão do Rio Branco, do Arquivo do Itamaraty e de Machado a Oliveira Lima, existentes no acervo de Oliveira Lima na *Catholic University of America* (CUA), em Washington. José Mindlin forneceu-nos cópia de uma carta de Machado de Assis a Euclides da Cunha. O pesquisador Mário Alves de Oliveira teve a gentileza de ceder-nos cópia de duas cartas enviadas por Machado de Assis ao publicista português Julio César Machado, localizadas em Portugal. Cláudio Murilo Leal, atual presidente do Pen Clube do Brasil, ofereceu-nos cópia de carta dirigida por Machado de Assis a Joaquim Norberto de Sousa e Silva.

Além dessa coleta a partir de manuscritos originais e de alguns fac-símiles, a equipe recorreu a textos já publicados, embora a título basicamente subsidiário. Outras publicações foram fundamentais, como o Catálogo da Exposição de 1939, dedicada ao escritor, e os cadernos da Sociedade dos Amigos de Machado de Assis. Na *Revista da Academia Brasileira de Letras* (1911), achamos várias cartas de Joaquim Serra a Machado.

Nossa decisão de incluir cartas abertas exigiu intermináveis consultas a jornais da época. Silvia e Irene passavam horas e dias com os olhos fixos nos originais impressos de velhos periódicos ou nos microfilmes, lendo e copiando cartas quase ilegíveis, tentando entender através delas um período e um país em que os leitores tinham tempo e paciência para ler dezenas de colunas de jornal comentando o *Barbeiro de Sevilha*, de Beaumarchais. Essas cartas abertas, sobretudo da década de 1860, eram nosso encanto e nosso calvário. Nunca supusemos que fossem tão numerosas. Cada vez que imaginávamos que nosso trabalho estivesse concluído, uma delas acenava para nós, toda chorosa, implorando o privilégio de entrar em nosso livro, em vez de dormir um sono eterno nas páginas de *O Futuro* ou do *Diário do Rio de Janeiro*. Não posso jurar que todas as cartas abertas estejam aqui. Suspeito um pouco que muitas só vão aparecer depois que o volume em que deveriam figurar estiver impresso, mas elas podem ter certeza de que bem ou mal seu apelo acabará sendo ouvido. Pois este livro é seu lugar. Pode ser que me engane, mas tenho a impressão de que as cartas abertas poderão fornecer subsídios para futuros biógrafos de Machado de Assis e mesmo para futuros historiadores do Segundo Reinado. Por isso aqui estão elas, as pobres enjeitadas, cartas que os biógrafos praticamente ignoraram, e que até agora nunca tinham sido transcritas na íntegra. Entre elas se encontram a carta de Machado a Teixeira de Melo — um texto emocionante, publicado em folhetim no final de 1864 — e a carta de Olímpia Gonçalves Dias, viúva do grande poeta — que o folhetinista comentaria respeitosamente. Aqui se encontram, também, as cartas torrenciais de Faustino Xavier de Novais a Machado, ora sobre o virtuosismo de um flautista belga, ora sobre o poema *Riachuelo*, assim como as cartas de Caetano Filgueiras, que vão desde uma epístola em versos, adulando Machado com dezenas de estrofes implacáveis, até uma carta de 1869, de um romantismo descabelado, em parte hoffmaniano e em parte erótico.

Se as cartas abertas foram tanto um pesadelo como uma fonte de euforia, a decisão de incluir no livro as cartas reproduzidas em crônicas foi somente prazerosa. Ela nos levou a reler todos os folhetins de Machado, sem dúvida o maior cronista do Brasil, a fim de desprender as cartas que estivessem "incrustadas" nas crônicas.

A segunda atividade, a transcrição, foi de longe a mais trabalhosa. Era preciso decifrar manuscritos velhos de às vezes 150 anos, com passagens quase ininteligíveis, e com o papel frequentemente danificado. O cotejo sistemático permitiu corrigir alguns equívocos de datação e de leitura, que vinham se reproduzindo em publicações posteriores. Por exemplo, a primeira das duas cartas sobreviventes de Machado a Carolina, de 2 de março de 1869, em sua transcrição tradicional, termina com a frase: "Depois... depois, querida, queimaremos o mundo...". O exame atento do manuscrito, arquivado no Museu da República, aponta para uma coisa bem mais suave. Na sua letra apressada, Machado estaria prometendo à noiva: "Depois... depois, querida, ganharemos o mundo, porque só é verdadeiramente senhor do mundo quem está acima das suas glórias fofas e das suas ambições estéreis."

Enfim, a terceira atividade foi a contextualização, pela qual tentamos dar ao leitor esclarecimentos básicos sobre fatos e personagens mencionados nas cartas. Acreditamos ter identificado todos os missivistas, inclusive alguns que até então tinham permanecido obscuros, como Manuel de Araújo, na década de 1860, ou na década seguinte um certo L. de Almeida, reconstituindo as respectivas biografias, que aparecem em breve sinopse no final do respectivo volume. Multiplicamos notas explicativas em cada carta, tanto as que se referem à vida pessoal dos correspondentes como as que dizem respeito a figuras e acontecimentos, no Brasil e no mundo, que Machado e seus correspondentes conheciam, mas que nem todos os leitores de hoje têm a obrigação de conhecer. Por exemplo, sentimos a necessidade de dar esclarecimentos sobre a vida acadêmica e literária dos estudantes da Faculdade de Direito de São Paulo (cartas de 1863-1864), ou sobre a política interna do Segundo Reinado, ou sobre determinados episódios da guerra do Paraguai (cartas de Muzzio a Machado e deste a Quintino, em 1866). Tudo isso exigiu um enorme trabalho que, no essencial, foi executado pelas pesquisadoras Irene Moutinho e Sílvia Eleutério. Muitas cartas não tinham datas, ou as tinham incompletas. Inseri-las por conjecturas mais ou menos plausíveis exigiu um esforço considerável, mas necessário, já que o critério norteador era a apresentação cronológica.

IV

A riqueza de material impediu que publicássemos a correspondência em um só volume, como tinha sido nossa intenção original. Resolvemos, por isso, concentrar-nos, neste centenário do falecimento de Machado de Assis, nas cartas relativas à década dos sessenta (1860-1869). O restante, em grande parte já coligido, transcrito e anotado, virá à luz em 2009, ano que coincide com outra efeméride machadiana, os 170 anos do nascimento do escritor.

O decênio de 60 se reveste de uma importância excepcional, porque corresponde aos anos de formação e ao início da maturidade de Machado de Assis.

Do ponto de vista biográfico, esses anos estão entre os menos conhecidos da vida de Machado. Suas cartas de mocidade contribuem para a reconstrução do que era o escritor durante esse período. Embora as cartas recebidas sejam mais numerosas que as expedidas, ajudam a desfazer a imagem de Machado como um homem ensimesmado, casmurro, frio nas relações humanas. Elas revelam, ao contrário, um jovem boêmio, namorador, com quem os amigos se abriam e a quem faziam confidências amorosas, no tom ultrarromântico de uma juventude que completara seu aprendizado literário lendo Musset e Álvares de Azevedo. São testemunhos preciosos as cartas de Luís Guimarães Júnior, Sizenando Nabuco de Araújo, Nuno Álvares Pereira e Sousa, Faustino Xavier de Novais e Joaquim Serra, entre outros. Essa fase de muito trabalho e alegre irresponsabilidade chega ao fim em 1869, quando termina o nosso volume, ano do noivado e do casamento com Carolina [81 e 82] e de alguma aflição financeira, como se verifica nas cartas dirigidas ao amigo Ramos Paz [83, 85, 87, 88, 89 e 90].

Do ponto de vista da obra, as cartas dos anos 60 vão mostrando a passagem de Machadinho a Machado de Assis. Ele vai se distanciando cada vez mais do adolescente que fazia poesias românticas na *Marmota*, para se tornar um jornalista respeitado, quando aceita o convite de Quintino Bocaiúva para trabalhar como repórter parlamentar e cronista, no *Diário do Rio de Janeiro* (1860); um comediógrafo promissor, depois de ter três peças representadas, *O Caminho da Porta* (1862), *O Protocolo* (1862) e *Quase Ministro* (1863); um poeta ilustre, reconhecido no Brasil e em Portugal como um dos melhores de sua geração, depois da publicação de *Crisálidas*, em 1864; e um contista muito apreciado, depois que começou a escrever prosa de ficção para o *Jornal das Famílias*, em 1864. As cartas revelam traços de todas essas atividades, devendo-se destacar a correspondência com Henrique César Muzzio, como exemplo de sua exaustiva atividade jornalística, e com José de Alencar, em que Machado é consagrado como crítico.

Esperamos que este volume possa ser útil aos pesquisadores que no Brasil e no exterior se dedicam ao estudo da vida e obra de Machado de Assis. Esperamos também receber críticas, retificações, sugestões e se possível cópias de novas cartas, para que possamos com elas melhorar e enriquecer o restante do nosso trabalho.

Uma coisa é certa: a Academia Brasileira de Letras fez bem em ignorar o pessimismo do seu primeiro presidente, para quem sua correspondência deveria permanecer "esquecida e calada". Ao contrário, está cada vez mais claro que ela merece ser lembrada e ouvida.

SERGIO PAULO ROUANET

1º de junho de 2008

Nota Explicativa

As soluções adotadas para o estabelecimento dos textos nortearam-se pela busca da maior fidelidade possível ao documento de base e pelo mínimo de intervenções, considerando ao mesmo tempo o conforto do leitor.

Este volume compõe-se de textos oriundos de manuscritos originais, fac-símiles de manuscritos originais, transcrições de manuscritos originais, de impressos em jornais de época e de impressos em edições *princeps*. Para cada um desses tipos, consideradas as suas especificidades, conferiu-se um tratamento, que em linhas gerais pode ser resumido nos seguintes pontos:

- As abreviaturas foram desenvolvidas segundo os critérios da ecdótica, ou seja, numa palavra abreviada a sua parte estendida figura em itálico: B^{ão} de Inf^{a} / B*atalhão* de *Infantaria*; V. M.^{ce} / V*ossa* M*ercê*. Só mantiveram-se abreviadas as assinaturas dos missivistas que assim se apresentaram.

- Por não se tratar de uma edição diplomática, optou-se pela atualização ortográfica dos textos: *Chrysalidas* / *Crisálidas*; rythmas / rimas.

- A pontuação do original foi respeitada, mesmo que pareça ao olhar contemporâneo um desvio da norma-padrão da língua portuguesa escrita no Brasil. Apenas no caso dos impressos, em que os equívocos fossem claramente tipográficos, foram feitas alterações: o Teatro de São; Pedro / O Teatro de São Pedro.
- As intervenções realizadas no interior do vocábulo, no plano da frase ou no da pontuação foram sempre assinaladas por colchetes:
tenho en[contrado]
notícias tua[s]
Eu conto [com] a sua benevolência
[1867]
Rio de Janeiro [,]
...desenhados com suma perfeição [.] V*ossa* E*xcelênci*a terá notado que...
- As partes ilegíveis e/ou danificadas foram marcadas por pontos entre parênteses:
... *Tempora mutan*(...).
(...) má figura o filho
- Nos cabeçalhos, há sempre o registro do início do movimento epistolar:
PARA: cartas escritas por Machado de Assis.
DE: cartas recebidas por Machado de Assis.
- Os nomes acompanhados de asterisco indicam correspondentes no presente tomo (com verbete após o conjunto das cartas), bem como correspondentes a serem incluídos a partir de 1870.
- A responsabilidade pelas diferentes notas é identificada pelas iniciais do respectivo autor (SPR, IM, SE).

Sumário

AS CARTAS
1860-1869

[1]	De:	CASIMIRO DE ABREU	2
		Rio de Janeiro, 19 de julho de 1860.	
[2]	Para:	O REDATOR DE "ECOS MARÍTIMOS"	3
		[Rio de Janeiro, 8 de fevereiro de 1862.]	
[3]	Para:	O BISPO DO RIO DE JANEIRO	8
		[Rio de Janeiro, 18 de abril de 1862.]	
[4]	De:	BETHENCOURT DA SILVA	14
		Rio de Janeiro, [5 de maio de 1862.]	
[5]	De:	LUÍS GUIMARÃES JÚNIOR	15
		Rio de Janeiro, 30 de maio de 1862.	
[6]	De:	LUÍS GUIMARÃES JÚNIOR	17
		Andaraí, 27 de dezembro de 1862.	
[7]	Para:	QUINTINO BOCAIÚVA	19
		Rio de Janeiro, [dezembro de 1862 – março de 1863.]	
[8]	De:	QUINTINO BOCAIÚVA	21
		[Rio de Janeiro, dezembro de 1862 – março de 1863.]	
[9]	De:	LUÍS GUIMARÃES JÚNIOR	25
		São Paulo, 23 de março de 1863.	
[10]	De:	LUÍS GUIMARÃES JÚNIOR	27
		São Paulo, 14 de abril de 1863.	

[11]	De:	UM AMIGO SALVADOR	29
		Rio de Janeiro, 1.º de maio de 1863.	
[12]	De:	LUÍS GUIMARÃES JÚNIOR	32
		São Paulo, 6 de maio [de 1863.]	
[13]	De:	UM AMIGO SALVADOR	33
		Rio de Janeiro, 15 de maio de 1863.	
[14]	De:	LUÍS GUIMARÃES JÚNIOR	33
		São Paulo, 13 de junho de 1863.	
[15]	De:	LUÍS GUIMARÃES JÚNIOR	36
		São Paulo, 7 de julho de 1863.	
[16]	Para:	DOMINGOS JACI MONTEIRO	38
		Rio [de Janeiro], 18 de março de 1864.	
[17]	De:	SIZENANDO NABUCO	39
		São Paulo, 4 de abril de 1864.	
[18]	De:	LUÍS RAMOS FIGUEIRA	41
		São Paulo, 13 de abril de 1864.	
[19]	De:	SIZENANDO NABUCO	44
		São Paulo, 19 de abril de 1864.	
[20]	De:	SIZENANDO NABUCO	45
		São Paulo, 24 de abril de 1864.	
[21]	De:	LUÍS GUIMARÃES JÚNIOR	46
		São Paulo, 29 de abril de 1864.	
[22]	De:	CAETANO FILGUEIRAS	48
		Corte, em 22 de julho de 1864.	
[23]	De:	UM AMIGO E COLEGA	59
		[Rio de Janeiro, 7 de agosto de 1864.]	
[24]	De:	LUÍS GUIMARÃES JÚNIOR	62
		São Paulo, 12 de agosto de 1864.	
[25]	Para:	IMPRENSA ACADÊMICA	63
		Corte, 21 de agosto de 1864.	
[26]	Para:	CAETANO FILGUEIRAS	67
		Rio de Janeiro, 1.º de setembro de 1864.	
[27]	De:	NUNO ÁLVARES PEREIRA E SOUSA	69
		Rio de Janeiro, 19 de setembro de [1864.]	

[28]	Para:	IMPRENSA ACADÊMICA	70
		[Rio de Janeiro, 9 de outubro de 1864.]	
[29]	De:	JOAQUIM SERRA	71
		Paraíba, 16 de novembro de 1864.	
[30]	Para:	TEIXEIRA DE MELO	75
		Rio de Janeiro, 22 de novembro de 1864.	
[31]	De:	JOAQUIM NABUCO	80
		Rio de Janeiro, 1.º de fevereiro de 1865.	
[32]	De:	JOAQUIM SERRA	82
		Paraíba, 14 de fevereiro de 1865.	
[33]	De:	FAUSTINO XAVIER DE NOVAIS	83
		Rio de Janeiro, 17 de fevereiro [de 1865.]	
[34]	De:	OLÍMPIA GONÇALVES DIAS	85
		Rio de Janeiro, 8 de março de 1865.	
[35]	De:	O AMIGO DA VERDADE	89
		Rio de Janeiro, [sem data]	
[36]	De:	NUNO ÁLVARES PEREIRA E SOUSA	96
		Rio [de Janeiro], 16 de março de 1865.	
[37]	De:	LUÍS GUIMARÃES JÚNIOR	98
		Recife, 21 de março de 1865.	
[38]	De:	O AMIGO DA VERDADE	99
		Rio de Janeiro, 2 de abril de 1865.	
[39]	De:	LUÍS GUIMARÃES JÚNIOR	106
		Recife, 7 de abril [de 1865.]	
[40]	De:	JOAQUIM FERRÃO	107
		[São Cristóvão], 1.º de junho de 1865.	
[41]	De:	FERREIRA DE MENESES	108
		São Paulo, 9 de junho de 1865.	
[42]	De:	FAUSTINO XAVIER DE NOVAIS	110
		Rio de Janeiro, 14 de julho [de 1865.]	
[43]	Para:	JOSÉ FELICIANO DE CASTILHO	111
		Rio de Janeiro, 15 de agosto de 1865.	
[44]	De:	LUÍS GUIMARÃES JÚNIOR	119
		Recife, 16 de setembro de 1865.	

[45]	De:	FAUSTINO XAVIER DE NOVAIS *Rio de Janeiro, 29 de janeiro de 1866.*	120
[46]	De:	LUÍS GUIMARÃES JÚNIOR *Rio de Janeiro, 23 de fevereiro de 1866.*	134
[47]	De:	CAETANO FILGUEIRAS *[Vista Alegre, 16 de maio de 1866.]*	134
[48]	De:	GOMES DE AMORIM *Lisboa, 28 de junho de 1866.*	147
[49]	De:	NUNO ÁLVARES PEREIRA E SOUSA *Rio de Janeiro, 19 de julho de [1866.]*	148
[50]	De:	GUILLERMO BLEST GANA *Rio de Janeiro, Septiembre 5 de 1866.*	150
[51]	De:	SALVADOR DE MENDONÇA *Rio de Janeiro, 9 de setembro de 1866.*	151
[52]	De:	FERREIRA DE MENESES *São Paulo, 18 de setembro de 1866.*	163
[53]	De:	FERREIRA DE MENESES *São Paulo, 29 de setembro [de 1866.]*	166
[54]	Para:	QUINTINO BOCAIÚVA *Rio de Janeiro, 29 de outubro de 1866.*	169
[55]	De:	FERREIRA DE MENESES *São Paulo, 5 de novembro [de 1866.]*	175
[56]	De:	HENRIQUE CÉSAR MUZZIO *Ouro Preto, 10 de novembro [de 1866.]*	177
[57]	De:	JOAQUIM SERRA *Rio de Janeiro, 16 de novembro de 1866.*	179
[58]	De:	FAUSTINO XAVIER DE NOVAIS *Rio de Janeiro, 23 de novembro [de 1866.]*	188
[59]	Para:	QUINTINO BOCAIÚVA *Rio de Janeiro, 25 de novembro de 1866.*	190
[60]	De:	HENRIQUE CÉSAR MUZZIO *Ouro Preto, 30 de novembro de 1866.*	194
[61]	De:	HENRIQUE CÉSAR MUZZIO *Ouro Preto, 6 de dezembro de [1866.]*	195
[62]	De:	HENRIQUE CÉSAR MUZZIO *Ouro Preto, 16 de dezembro [1866.]*	200

[63]	Para:	QUINTINO BOCAIÚVA	202
		Rio de Janeiro, 24 de dezembro de 1866.	
[64]	De:	NUNO ÁLVARES PEREIRA E SOUSA	204
		[Rio de Janeiro], [...] de [...] de [1864 a 1866]	
[65]	De:	JOAQUIM SERRA	205
		Paraíba do Norte, 10 de março de 1867.	
[66]	De:	JOAQUIM SERRA	207
		Paraíba do Norte, 8 de abril de 1867.	
[67]	De:	JOSÉ VIEIRA DE CASTRO	210
		Rio de Janeiro, 8 de abril de 1867.	
[68]	Para:	QUINTINO BOCAIÚVA	212
		[Rio de Janeiro,] 9 de abril de 1867.	
[69]	De:	JOAQUIM SERRA	213
		Maranhão, 30 de maio de 1867.	
[70]	De:	HENRIQUE CÉSAR MUZZIO	214
		Ouro Preto, 28 de agosto de 1867.	
[71]	De:	HENRIQUE CÉSAR MUZZIO	216
		Ouro Preto, 28 de setembro de 1867.	
[72]	De:	NUNO ÁLVARES PEREIRA E SOUSA	217
		[Rio de Janeiro, 1867.]	
[73]	De:	JOAQUIM SERRA	218
		Maranhão, 2 de janeiro de 1868.	
[74]	De:	JOSÉ DE ALENCAR	224
		Tijuca, 18 de fevereiro de 1868.	
[75]	Para:	JOSÉ DE ALENCAR	232
		Rio de Janeiro, 29 de fevereiro de 1868.	
[76]	De:	FAUSTINO XAVIER DE NOVAIS	242
		Rio de Janeiro, [12 de] abril de 1868.	
[77]	Para:	FAUSTINO XAVIER DE NOVAIS	250
		Rio de Janeiro, 21 de abril de 1868.	
[78]	De:	MANUEL DE ARAÚJO	255
		Rio de Janeiro, 18 de setembro de 1868.	
[79]	De:	MANUEL DE ARAÚJO	256
		[Rio de Janeiro,] 13 de outubro de 1868.	
[80]	De:	JOSÉ VIEIRA DE CASTRO	256
		Morada Porto, 11 de dezembro de 1868.	

[81]	Para:	CAROLINA XAVIER DE NOVAIS	257
		[Rio de Janeiro,] 2 de março [de 1869.]	
[82]	Para:	CAROLINA XAVIER DE NOVAIS	261
		[Rio de Janeiro,] 2 de março [de 1869.]	
[83]	Para:	FRANCISCO RAMOS PAZ	264
		[Rio de Janeiro,] 1.º de maio [de 1869.]	
[84]	De:	JOAQUIM SERRA	265
		Cachoeiras [de Macacu], 10 de outubro de [1869].	
[85]	Para:	FRANCISCO RAMOS PAZ	272
		[Rio de Janeiro,] 19 de novembro [de 1869.]	
[86]	De:	CAETANO FILGUEIRAS	273
		[Madalena, 1869.]	
[87]	Para:	FRANCISCO RAMOS PAZ	286
		[Rio de Janeiro, sem data.]	
[88]	Para:	FRANCISCO RAMOS PAZ	287
		[Rio de Janeiro, sem data.]	
[89]	Para:	FRANCISCO RAMOS PAZ	287
		[Rio de Janeiro, sem data.]	
[90]	Para:	FRANCISCO RAMOS PAZ	288
		[Rio de Janeiro, sem data.]	

CORRESPONDENTES NO PERÍODO 1860-1869	289
POSFÁCIO	311
BIBLIOGRAFIA	313
CADERNO DE IMAGENS	321

Correspondência de Machado de Assis
Tomo I — 1860-1869

[I]

> De: CASIMIRO DE ABREU
> *Fonte:* OLIVEIRA, Mário Alves de. (Org.)
> *Correspondência Completa de Casimiro de Abreu.*
> Rio de Janeiro: ABL, 2007.

Rio de Janeiro, 19 de julho de 1860.

Machadinho[1]

Rogo-te, por favor, entregares este livro[2] a D*ona* Gabriela[3] e dá-lhe as melhores desculpas por não ir oferecer-lho pessoalmente.

Continuo ainda bastante doente[4] e parto para Nova Friburgo.

Adeus, dá-te um abraço o

Teu

C. de Abreu

---

1 ❧ Os amigos de mocidade assim tratavam Machado de Assis. Casimiro de Abreu conheceu-o em 1857. (IM)

2 ❧ Casimiro publicara *Camões e o Jaú* (teatro, 1856) e *Primaveras* (poesia, 1859). É mais provável o oferecimento deste livro que encantou o meio literário da época. (IM)

3 ❧ A atriz portuguesa Gabriela Augusta da Cunha (1821-1882), filha da atriz e escritora Gertrudes Angélica da Cunha (integrante da primeira companhia dramática a se apresentar no Teatro São Pedro, em 1829), estreou no Porto, sua cidade natal. Transferindo-se para o Brasil, conquistou o público, a partir de uma soberba interpretação de *A Dama das Camélias*, de Alexandre Dumas Filho, e o jovem Machado de Assis, como admirador e amigo, muitas páginas lhe dedicou, por mais de uma década. Do primeiro casamento da atriz com o mímico português José Felice de Vecchi, nasceu Ludovina (1843-1861), que se casaria com Antônio Moutinho de Sousa; artista precoce e talentosa, Ludovina Moutinho mereceu versos de Machado. Regressando a Portugal em 1865, com o segundo marido, o ator Lopes Cardoso, Gabriela da Cunha colheu muitos sucessos. De volta ao Brasil (1873), fixou-se na Bahia, onde veio a falecer. (IM/SE)

4 ❧ Vítima da tuberculose, o jovem poeta morreu três meses depois em Indaiaçu, na fazenda que herdara do pai. Em 1925, Indaiaçu tornou-se a sede do município de Casimiro de Abreu, localizado na Zona da Baixada de Araruama (RJ). (IM/SE)

[2]

> Para: O REDATOR DE "ECOS
> MARÍTIMOS"
> *Fonte:* Fundação Biblioteca Nacional.
> *Diário do Rio de Janeiro,* 1862. Setor de Periódicos.
> Microfilme do original impresso.

AO REDATOR DE ECOS MARÍTIMOS

[Rio de Janeiro, 8 de fevereiro de 1862.][1]

Meu caro.

Praz-me acreditar que, nos longos anos da nossa íntima e nunca estremecida amizade, tenho-te dado sobejas provas de que não costumo subordinar as minhas opiniões ao interesse ou conveniências, e que, errôneas ou verdadeiras, são-me elas sempre ditadas pela consciência.

Sabes que não pertenço ao número desses otimistas que têm sempre nos lábios um elogio e nos bicos da pena uma justificação para todo e qualquer ato do poder, somente porque é do poder.

E, pois, tentando defender o atual ministro da marinha[2] de acusações que julgaste dever dirigir-lhe, faço-o, constrangido é verdade, por achar-me em divergência com um amigo a quem muito prezo, mas sem temor de que me classifiques entre os *turiferários* e *amigos interesseiros* de que falaste no teu primeiro artigo.

Nesta contenda ficaremos colocados em campos opostos, tomaremos mesmo caminhos diversos, mas como ambos temos o mesmo fim, como ambos visamos ao mesmo norte – a elucidação da verdade, – espero que nos encontraremos, e então, como agora, nos poderemos apertar as mãos, porque nem tu nem eu teremos de que corar.

Não tratando por enquanto do teu primeiro artigo, porque nele te limitas a formular capítulos de acusação, que prometes desenvolver mais tarde; ocupar-me-ei com as censuras, que no segundo³ fazes ao sistema que se está seguindo no fabrico do vapor *Amazonas*.

Pensas que semelhante obra seria mais pronta e economicamente realizada, prorrogando-se as horas de trabalho, mediante abono de gratificações de *sesta* aos operários.

"Por este modo, dizes tu, lucraria o governo que mais cedo teria à sua disposição o *Amazonas*; lucrariam os operários que com esse acréscimo de salário proporcionariam às suas famílias maior soma de bem-estar; lucrariam finalmente os cofres do Estado que poderiam aumentar suas receitas com o aluguel do dique."

Para admitir estas conclusões, seria mister conceder-te que a produção do trabalho durante as 2 horas da *sesta* é equivalente ao salário do meio dia, em tais casos abonado como gratificação, o que contesto.

O trabalho ordinário começa nos nossos arsenais ao nascer do sol e termina às 4 horas da tarde, apenas com interrupção de 1/2 hora concedida para o almoço; o extraordinário em *sesta* prolonga-se até o anoitecer.

Assim o sistema que preconizas exige do operário um esforço continuado de 13 horas!

E acreditas que um homem possa, no nosso clima, e durante a estação calmosa⁴, trabalhar com a mesma atividade e perfeição por tão dilatado espaço de tempo, exposto aos raios do sol, que os gigantescos refletores de granito formados pelas paredes do dique tornam ainda mais abrasador?

O bom senso dir-te-á que não.

Um ou outro indivíduo, dotado de constituição mais robusta, realizará este supremo esforço no primeiro ou segundo dia, porém, certamente⁵ sucumbirá tentando ultrapassar esse limite.

Mas, dir-me-ás, o meio que indico tem por si a sanção de inveterada prática!

Nem tudo o que é velho é bom: e não ignoras que mais de um abuso existe enraizado na nossa administração pelo emperrado espírito de rotina.

Vês, portanto, que a adoção do alvitre por ti sugerido, longe de produzir as vantagens que apontas, prejudicaria os cofres públicos, que teriam de pagar pela obra feita quantia superior ao seu merecimento; prejudicaria ao serviço naval dando como pronto um vapor que, pelo mal-acabado do seu fabrico, teria mais tarde de voltar à posição de disponibilidade.

Isto é intuitivo; e seguramente escapou, porque apenas examinaste a questão por uma face.

O dique, como bem dizes, não foi construído para *cevar os cofres do tesouro*, porém para prestar o seu valioso auxílio ao material da nossa armada; conseguintemente, que importa que os navios nele se demorem mais ou menos dias, se por este modo executam-se radicalmente os consertos de que carecem?

Precipitação é antípoda de perfeição.

Se isto não fora um axioma, citar-te-ia, como exemplo, o vapor *Oiapoque*, que segundo é voz geral, saiu do dique fazendo água.

Passemos a outro ponto.

O ministro da marinha não se intrometeu em atribuições privativas de outrem nem procurou exercer pressão sobre o espírito dos peritos do arsenal, no intuito de arrancar-lhes opinião favorável ao vapor *Princesa de Joinville*; sua intervenção neste negócio foi estritamente legal e ditada pelos preceitos da prudência e de justiça.

A companhia dos paquetes, como é de praxe, requereu que esse navio fosse vistoriado, mas, empregando as *restrições mentais* em que é vezeira, não falou do casco, porém simplesmente da máquina; e os peritos, que sabem ser aquele o ponto vulnerável, lavraram o seu parecer em termos genéricos declarando que haveria imprudência em arriscar o vapor em uma viagem no oceano.

Frustrada a estratégia, voltou a companhia requerendo que se discriminassem os quesitos que tinham servido de base ao juízo da comissão; ao que, como era de seu dever, deferiu o ministro. Eis quanto pela marinha se fez nesse negócio; o mais pertence ao ministério das obras públicas.

A meu ver fora melhor ter-se negado à companhia permissão para fazer seguir semelhante vapor aos portos do Norte; porém, como foi ela limitada pela proibição de conduzir passageiros, acautelando-se por essa forma a segurança do público, qualquer desastre superveniente apenas alcançará a tripulação e as companhias de seguro, que só terão o direito de queixar-se da sua imprudência, visto que perfeitamente conhecem os riscos que vão correr.

Não posso todavia deixar de notar que a companhia, anunciando a saída do *Joinville*, calasse tão importante circunstância!

Dadas estas explicações, consentirás que te faça um pedido.

Acredita-me, amigo, abre mão de pequenas polêmicas de que não poderás tirar glória, não malbarateies em pouquidades o talento que Deus te concedeu; volta-te para os grandes interesses do país, disseca as profundas chagas que corroem o nosso corpo social, põe a descoberto a podridão desses cancros que, sob o nome de companhias, absorvem o melhor dos nossos recursos; e protesto-te que nesse terreno, não tendo forças para acompanhar-te, pelos menos te aplaudirá

o sincero amigo

M. A.[6]

I [1] Data de publicação da carta aberta na seção "Correspondências" do *Diário do Rio de Janeiro*. Este jornal, fundado em 1821, teve a circulação interrompida em 1859. A 25/03/1860, o advogado, político e jornalista Joaquim Saldanha Marinho (1816--1895) assumiu a direção, imprimindo-lhe um caráter progressista, com quadros de primeira qualidade e, ainda, renovando o seu aspecto gráfico. Machado de Assis, que já publicara poesia e prosa na fase anterior, foi admitido na redação e esse momento marca o início da sua profissionalização como jornalista. No convívio da redação, estreitou laços de amizade com Quintino Bocaiúva* (redator-chefe) e Henrique César Muzzio*. Foi repórter, redator e cronista e, no final de 1866, teve responsabilidades mais pesadas, praticamente sozinho, porque Saldanha Marinho assumira a presidência de Minas Gerais, levando consigo Muzzio, e Quintino Bocaiúva partira para os Estados Unidos. Em 09/04/1867 (ver em [68], carta de 09/04/1867), Machado se desligou do jornal, por ter sido nomeado para a função de ajudante do diretor do *Diário Oficial*; a partir de então, foi colaborador eventual, até 1869. No *Diário*, Machado redigiu diversas seções ("Revista Dramática", "Comentários da Semana", "Conversas Hebdomanárias", "Ao Acaso", "Semana Literária", "Cartas Fluminenses"), publicou poesia, traduções (verso e prosa) e utilizou pseudônimos ("Gil", "Job", "Platão"), além de assinar textos com o próprio nome ou suas iniciais. Neste volume, as cartas de Machado a Quintino, bem como as de Muzzio e de outros amigos a Machado, mostram a importância do *Diário* na trajetória do escritor. Em fevereiro de 1878, ele lamenta o recente fim daquele "decano da imprensa fluminense", do qual assim se despede: "E caiu o grande lidador!" (*Ilustração Brasileira*, "História de trinta dias", ass. "Manassés"). (IM)

2 ∾ O chefe de esquadra Joaquim José Inácio (1808-1869), barão (1867) e visconde de Inhaúma (1868), ocupou a pasta de 02/03/1861 até 24/05/1862. (IM)

3 ∾ Sob o título "Ecos marítimos II", publicado em 01/02/1862, o redator anônimo atacara o ministro da marinha: "Desde que foi chamado ao poder o Sr. Joaquim José Inácio [...] rompeu com o passado, que não o encantava mais", trocando "o nome de batismo pelo título de conselho e a farda de general pela casaca de ministro". (IM)

4 ∾ Na *Obra Completa de Machado de Assis* (José Aguilar, 1959), "estação **chuvosa**". (IM)

5 ∾ Jackson (1937) e José Aguilar (1959) transcreveram "**exatamente** sucumbirá". (IM)

6 ∾ No comunicado "Ecos marítimos IV", publicado no *Diário do Rio de Janeiro* (17/02/1862) com subtítulo "Miunças", o autor (seria Quintino Bocaiúva*?) vale-se da ironia:

"Razão tive eu para dizer em meu penúltimo artigo, que a questão do vapor *Princesa de Joinville* parecia destinada a tomar proporções de muito vulto. / A *reincidência* neste é que a insistência no erro ou teima na reprodução da ação culpada, quer por parte do governo, seja de parte da companhia, dá ao objeto a importância que o coloca na altura do interesse geral. / Com satisfação vi que do mesmo modo o entendem também a ilustrada redação do *Correio Mercantil* e o **meu digno amigo M. A.**, a quem vou dever a honra de algumas lições de esgrima no recinto da repartição da marinha para sairmos depois de mãos dadas em busca do inimigo comum. / Ainda bem que assim é, pois, com semelhantes companheiros não há questão duvidosa nem triunfo difícil."

Segue uma longa argumentação, e, no final, o autor dos "Ecos marítimos" desfere:

"Não pretendia que este assunto me tomasse tanto espaço, privando-me de **ajuntar algumas linhas dirigidas ao meu amigo M. A.** / No próximo artigo repararei esta falta, que um amigo escusa facilmente, sobretudo considerando **a mortificação que me causou a pouca felicidade da estreia do digno e esforçado redator.**" (IM)

[3]
>	Para: O BISPO DO RIO DE JANEIRO
>	*Fonte*: Fundação Biblioteca Nacional.
>	*Jornal do Povo*, 1862. Setor de Obras Raras.
>	Microfilme do original impresso.

CARTA AO S*EN*HOR BISPO DO RIO DE JANEIRO[1]

[Rio de Janeiro, 18 de abril de 1862.][2]

Ex*celentíssi*mo re*verendíssi*mo *senhor*,

No meio das práticas religiosas, a que as altas funções de prelado chamam hoje *vossa excelência* consinta que se possa ouvir o rogo, a queixa, a indignação, se não é duro o termo, de um cristão que é dos primeiros a admirar as raras e elevadas virtudes, que exornam a pessoa de *vossa excelência*.

Não casual, senão premeditada e muito de propósito, é a coincidência desta carta com o dia de hoje. Escolhi, como próprio, o dia da mais solene comemoração da igreja, para fazer chegar a *vossa excelência* algumas palavras sem ataviados de polêmica, mas simplesmente nascidas do coração.

Estou afeito desde a infância a ouvir louvar as virtudes e os profundos conhecimentos de *vossa excelência*. Estes verifiquei-os mais tarde pela leitura das obras, que aí correm por honra de nossa terra; as virtudes, se as não apreciei de perto, creio nelas hoje como dantes, por serem contestes todos quantos têm a ventura de tratar de perto com *vossa excelência*.

É fiado nisso que me dirijo francamente à nossa primeira autoridade eclesiástica.

Logo ao começar este período de penitência e contrição, que está a findar, quando a igreja celebra a admirável história da redenção, apareceu nas colunas das folhas diárias da Corte um bem elaborado artigo, pedindo a supressão de certas práticas religiosas do nosso país, que por grotescas e ridículas, afetavam de algum modo a sublimidade de nossa religião.

Em muito boas razões se firmava o articulista para provar que as procissões, derivando de usanças pagãs, não podiam continuar a ser sancionadas por uma religião que veio destruir os cultos da gentilidade.

Mas a quaresma passou e as procissões com ela, e ainda hoje, Excelentíssimo Senhor, corre a população para assistir à que, sob a designação de Enterro do Senhor, vai percorrer esta noite as ruas da capital.

Não podem as almas verdadeiramente cristãs olhar para essas práticas sem tristeza e dor.

As consequências de tais usanças são de primeira intuição. Aos espíritos menos cultos, a ideia religiosa, despida do que tem mais elevado e místico, apresenta-se com fórmulas mais materiais e mundanas. Aos que, menos rústicos, não tiveram, entretanto, bastante filosofia cristã para opor a esses espetáculos, a esses entibia-se a fé, e o ceticismo invade o coração.

E vossa excelência não poderá contestar que a nossa sociedade está afetada do flagelo da indiferença. Há indiferença em todas as classes, e a indiferença, melhor do que eu sabe vossa excelência, é o veneno sutil, que corrói fibra por fibra um corpo social.

Em vez de ensinar a religião pelo seu lado sublime, ou antes pela sua verdadeira e única face, é pelas cenas impróprias e improveitosas que a propagam. Os nossos ofícios e mais festividades, estão longe de oferecer a majestade e a gravidade imponente do culto cristão. São festas de folga, enfeitadas e confeitadas, falando muito aos olhos e nada ao coração.

Neste hábito de tornar os ofícios divinos em provas de ostentação, as confrarias e irmandades, destinadas à celebração dos respectivos oragos, levam o fervor até uma luta, vergonhosa e indigna, de influências pecuniárias; cabe a vitória à que melhor e mais pagãmente reveste a sua celebração. Lembrarei entre outros fatos, a luta de duas ordens terceiras, hoje em tréguas, relativamente à procissão do dia de hoje. Nesse conflito só havia um fito – a ostentação dos recursos e do gosto, e um resultado que não era para a religião, mas sim para as paixões e interesses terrestres.

Para esta situação deplorável, Excelentíssimo Senhor, contribui imensamente o nosso clero. Sei que toco em chaga tremenda, mas vossa excelência reconhecerá sem dúvida que, mesmo errando, devo ser absolvido, atenta a pureza das intenções que levo no meu enunciado.

O nosso clero está longe de ser aquilo que pede a religião do cristianismo. Reservadas as exceções, o nosso sacerdote nada tem do caráter piedoso e nobre que convém aos ministros do crucificado.

E, a meu ver, não há religião que melhor possa contar bons e dignos levitas. Aqueles discípulos do filho de Deus, por promessa dele tornados pescadores de homens, deviam dar lugar a imitações severas e dignas; mas não é assim, *excelentíssimo senhor*, não há aqui sacerdócio, há ofício rendoso, como tal considerado pelos que o exercem, e os que o exercem são o vício e a ignorância, feitas as pouquíssimas e honrosas exceções. Não serei exagerado se disser que o altar tornou-se balcão e o evangelho tabuleta. Em que pese a esses duplamente pecadores, é preciso que *vossa excelência* ouça estas verdades.

As queixas são constantes e clamorosas contra o clero; eu não faço mais que reuni-las e enunciá-las por escrito.

Fundam-se elas em fatos que, pela vulgaridade, não merecem menção. Merca-se no templo, *excelentíssimo senhor*, como se mercava outrora quando Cristo expeliu os profanadores dos sagrados lares; mas a certeza de que um novo Cristo não virá expeli-los, e a própria tibieza da fé nesses corações, anima-os e põe-lhes na alma a tranquilidade e o pouco caso pelo futuro.

Esta situação é funesta para a fé, funesta para a sociedade. Se, como creio, a religião é uma grande força, não só social, senão também humana, não se pode contestar que por esse lado a nossa sociedade contém em seu seio poderosos elementos de dissolução.

Dobram, entre nós, as razões pelas quais o clero de todos os países católicos tem sido acusado.

No meio da indiferença e do ceticismo social, qual era o papel que cabia ao clero? Um: converter-se ao Evangelho e ganhar nas consciências o terreno perdido. Não acontecendo assim, as invectivas praticadas pela imoralidade clerical, longe de afrouxarem e diminuírem, crescem de número e de energia.

Com a situação atual de chefe da igreja, *vossa excelência* compreende bem que triste resultado pode provir daqui.

Felizmente que a ignorância da maior parte dos nossos clérigos evita a organização de um partido clerical, que, com o pretexto de socorrer a Igreja nas suas tribulações temporais, venha lançar a perturbação nas consciências, nada adiantando à situação do supremo chefe católico.

Não sei se digo uma heresia, mas por esta vantagem acho que é de apreciar essa ignorância.

Dessa ignorância e dos maus costumes da falange eclesiástica é que nasce um poderoso auxílio ao estado do depreciamento da religião.

Proveniente dessa situação, a educação religiosa, dada no centro das famílias, não responde aos verdadeiros preceitos da fé. A religião é ensinada pela prática e como prática, e nunca pelo sentimento e como sentimento.

O indivíduo que se afaz desde a infância a essas fórmulas grotescas, se não tem por si a luz da filosofia, fica condenado para sempre a não compreender, e menos conceber, a verdadeira ideia religiosa.

E agora veja *vossa excelência* mais: há muito bom cristão que compara as nossas práticas católicas com as dos ritos dissidentes, e, para não mentir ao coração, dá preferência a elas por vê-las símplices, severas, graves, próprias do culto de Deus.

E realmente a diferença é considerável.

Note bem, *excelentíssimo senhor*, que eu me refiro somente às excrescências da nossa igreja católica, à prostituição do culto entre nós. Estou longe de condenar práticas sérias. O que revolta é ver a materialização grotesca das coisas divinas, quando elas devem ter manifestação mais elevada, e, aplicando a bela expressão de S. Paulo, *estão escritas não com tinta, mas com o espírito de Deus vivo, não em tábuas de pedra, mas em tábuas de carne do coração*[3].

O remédio a estes desregramentos da parte secular e eclesiástica empregada no culto da religião deve ser enérgico, posto que não se possa contar com resultados imediatos e definitivos.

Pôr um termo às velhas usanças dos tempos coloniais, e encaminhar o culto para melhores, para verdadeiras fórmulas; fazer praticar o ensino religioso como sentimento e como ideia, e moralizar o clero com as medidas convenientes, são, Excelentíssimo Senhor, necessidades urgentíssimas.

É grande o descrédito da religião, porque é grande o descrédito do clero. E vossa excelência deve saber que os maus intérpretes são nocivos aos dogmas mais santos.

Desacreditada a religião, abala-se essa grande base da moral, e onde irá parar esta sociedade?

Sei que vossa excelência se alguma coisa fizer no sentido de curar estas chagas, que não conhece, há de ver levantar-se em roda de si muitos inimigos, desses que devem-lhe ser pares no sofrimento e na glória. Mas vossa excelência é bastante cioso das coisas santas para olhar com desdém para as misérias eclesiásticas e levantar a sua consciência de sábio prelado acima dos interesses dos falsos ministros do altar.

Vossa excelência receberá os protestos de minha veneração e me deitará a sua bênção. *** 4

[Machado de Assis]

---

1 ❧ D. Manuel do Monte Rodrigues de Araújo, Conde de Irajá*. (IM)

2 ❧ Data de publicação no *Jornal do Povo*, periódico de vida efêmera. Seu lançamento e seu perfil aparecem em crônica de Machado de Assis (*Diário do Rio de Janeiro*, 24/03/1862):

"Para 7 de abril anuncia-se a publicação de um jornal político que terá por título *Jornal do Povo*. É redigido por dois talentos jovens, mas que já fizeram as suas primeiras armas nesta liça da imprensa. O *Jornal do Povo* não representa escola alguma, não acompanha princípios estatuídos de nenhuma parcialidade política. É simplesmente um jornal consagrado a doutrinar o povo e a pugnar pelos interesses dele. / Sendo assim o *Jornal do Povo* será logicamente conduzido a pôr-se ao lado liberal que corresponde imediatamente às aspirações populares. / E o concurso dele será tanto mais valioso quanto que não pode haver dúvida sobre as opiniões liberais dos seus redatores."

A carta aberta ocupa a 3.ª coluna da página I e quase toda a página 2. Tem como epígrafe "Comunicado", e reflete o espírito do violento editorial que critica a união da Igreja com o Estado, sistema gerador de graves conflitos e só extinto no Brasil em 1889, com a proclamação da República. Desse editorial, que abre o n.º 3 do *Jornal do Povo*, publicado na sexta-feira da Paixão, extraímos trechos significativos para a compreensão do texto machadiano:

"O edifício social ameaça ruína, porque a descrença minou-o pela base. / [...] Mas por que se apagará a fé deste século? / [...] Porque Caim tomou as chaves de Pedro e tornou delas instrumento de morte; / Porque o Papa assassina em Roma; / [...] Porque o corpo do crucificado sai pelas ruas públicas como ostensor de vaidades; / Porque a miséria sobe de ponto, e o reis do mundo, em face do rei dos reis, mandam dizer ao povo que no maior dia da igreja dignam-se a baixar aos templos para assistir os mistério sagrados." (IM)

3 ✴ Na Bíblia de Jerusalém (2Cor 3, 3), é este o versículo: "Evidentemente sois uma carta de Cristo, entregue ao nosso ministério, escrita não com tinta, mas com o Espírito do Deus vivo, não em tábuas de pedra, mas em tábuas de carne, nos corações!". (IM)

4 ✴ Deve-se a Galante de Sousa a atribuição segura da autoria machadiana:

"Esta carta foi publicada anonimamente no *Jornal do Povo*, Rio, ano I, n.º 3, 18/04/1862. / É, entretanto, o próprio autor quem nos dá a pista para a identificação, quando, numa de suas crônicas declara: / 'Entre os poucos fatos desta quinzena um houve altamente importante; foi a supressão da procissão de Cinza. Em 1862, logo ao começar a quinzena, publicou uma das folhas diárias desta corte um artigo pequeno, mas substancial, no qual uma voz generosa pedia mais uma vez a supressão das procissões, como nocivas ao verdadeiro culto e filhas genuínas dos cultos pagãos. [...] Em um jornal político publicado então e cujo 2.º número acertou sair na sexta-feira da paixão, veio inserta uma carta ao nosso prelado, menos eloquente e erudita, mas tão indignada como o artigo a que me referi. Assinavam essa carta umas três estrelas, ocultando o verdadeiro nome do autor, que era eu. O desgosto que me comunicara o primeiro articulista, aumentando o que eu já tinha, deu nascimento a essas linhas em que eu fazia notar como prejudiciais ao espírito religioso, essas grosseiras práticas, mais que próprias para produzir o materialismo e a tibieza da fé.' (*O Futuro*, Rio, 1.º de março de 1963). / Machado de Assis equivocou--se, porém, com relação ao número do periódico; foi o terceiro, e não o segundo. O bispo diocesano era então D. Manuel do Monte Rodrigues de Araújo, conde de Irajá. (1798-1863)". (Sousa, 1957). (IM)

[4]

De: BETHENCOURT DA SILVA
Fonte: Fundação Biblioteca Nacional. "Ao Acaso".
Diário do Rio de Janeiro, 1862. Setor de Periódicos.
Microfilme do original impresso.

Rio de Janeiro, [5 de maio de 1862.][1]

Meu amigo.

  Abandonado no caminho da vida com o coração vazio das louras crenças que nos povoam a alma, quando o céu é para nós todo de um azul sem nuvens e o horizonte dessa cor de rosa de que vestimos todas as aspirações do espírito, apraz-me às vezes em trazer à memória os dias do meu passado, desse passado que vi cair na imensidão do nada, como essas centelhas de luz que morrem na escuridão das trevas.

  É triste este viver assim, quando ainda em meia vida, o espírito cansado se volve ao passado procurando embeber-se dele, porque o futuro está morto, ou pelo menos despido de todas as ilusões da juventude!

  Em um desses momentos atirei sobre o papel estas linhas, que te envio...

  Ei-las:

Amei n'aurora da vida,
E morro da vida em flor,
É sempre assim a existência,
Ao riso sucede a dor.

Desfolhei rosas sem conta,
Perfumes mil respirei;
E nessa luta de afetos
Nem um sincero encontrei!

Minha alma descreu de tudo,
Dos sonhos de que viveu,
Centelha de luz perdida.
Suspiro que além morreu!

Bethencourt da Silva.

---

1 ∾ Carta publicada no dia 05/05/1862, após o seguinte comentário do cronista: "Ponho fecho a estas linhas com a transcrição de uma carta e de uma poesia que me enviou um cultor das musas.". (SE)

[5]

De: LUÍS GUIMARÃES JÚNIOR
Fonte: Manuscrito Original, Arquivo ABL.

Rio de Janeiro, 30 de maio de 1862.

Meu amigo.

Esta cartinha há de servir de despedidas e desculpas. Procurei-o no *Diário*[1] há dias e não me foi possível encontrá-lo aí, nem na tipografia do Paula Brito[2] onde costuma estar às vezes. Fui infeliz nesse ponto; queria encontrá-lo com o fim de pedir-lhe as ordens para *São Paulo*[3], e suplicar-lhe a continuação dessa amizade que muito me honra e alegra[4]. Agora falemos sobre a pequena composição francamente oferecida ao autor dos *Desencantos*[5]. Acha-se no prelo e brevemente sairá à luz da crítica. Mais uma vez releve-me as faltas que encontrar numa *fantasia* de calouro, e olhe só para o prazer que senti ao findar a última linha dessa *Cena Contemporânea*[6], cuja salvaguarda todos que reconhecem o poeta, o jornalista, o escritor, saberão apreciar tanto, que a minha pobre concepção de minutos ficará ilesa talvez e colocar-se-á como que livre dos motejos da crítica.

Aqui concluo a minha carta. Os trabalhos imensos, os quais sou obrigado a desenvolver nestes dias últimos e a minha passageira moléstia de três dias foram a única causa de eu não poder testemunhar pessoalmente a meu amigo os sentimentos puros de simpatia, que sempre lhe votará um rabiscador de letras, cujo desejo de ilustrar-se acha-se unido à vontade ardente de oferecer-lhe mais tarde outra prova devidamente elaborada e digna de uma tal oferta.

Parto para São Paulo domingo próximo; de lá dirigirei algumas linhas a vários amigos, dentre os quais a minha imodéstia que prezando-se de não ser repelida, conta-o como o principal.

E nada mais me resta a dizer. Quando receber a *tentativa dramática*, queira riscar-lhe os erros e animar-me pelas cores pálidas, que possam ser coligidas mais tarde para formar uma qualquer página de literatura, não desprezada pelos verdadeiros representantes da literatura contemporânea.

Seu amigo íntimo, verdadeiro admirador,
Luís Caetano Pereira Guimarães Júnior

Ao Ilustríssimo Senhor
Machado de Assis
Luís Guimarães Jr.

---

1 ∾ O *Diário do Rio de Janeiro*. (IM)

2 ∾ Francisco de Paula Brito (1809-1861), jornalista, livreiro e editor, acolheu Machado de Assis nas páginas de seu jornal *Marmota Fluminense* (posteriormente *A Marmota*) a partir de 1855, publicando várias composições do jovem escritor, pouco depois contratado como revisor. Generoso, Paula Brito abriu-lhe o convívio com literatos, artistas e políticos que eram frequentadores assíduos de sua loja no antigo Largo do Rocio, e, sobretudo, das reuniões da Sociedade Petalógica, agremiação literária e artística, séria e risonha, fundada pelo livreiro em 1853. A morte desse amigo e mentor inspirou uma comovida crônica (*Diário do Rio de Janeiro*, 24/12/1861), que traça o seu perfil: "[...] homem que, pelas suas virtudes sociais e políticas, por sua inteligência e amor ao trabalho, havia conseguido a estima geral. Começou como impressor, como impressor morreu. Nesta modesta posição tinha em roda de si todas as simpatias." A Tipografia de Paula Brito, anexa à livraria, foi marco na história editorial brasileira; do jovem Machado, publicou *Queda que as Mulheres Têm para os Tolos* (tradução, 1861), a peça

Desencantos (1861) e o *Teatro de Machado de Assis* (1863), reunindo as comédias *O Caminho da Porta* e *O Protocolo*. (IM)

3 ∾ Luís Guimarães Júnior se preparava para cursar a Faculdade de Direito, em São Paulo, onde estudou até o final de 1864. (IM)

4 ∾ Em 1870, Machado escreveria: "Há coisa de seis anos [na verdade, oito anos] encontrei na rua um moço desconhecido, melhor dissera uma criança – e gentil criança que ele era – o qual me disse rapidamente com a viveza de sua idade: Está no prelo um livrinho meu; é oferecido ao senhor." (*Semana Ilustrada*, n.º 473, de 02/01/1870). (IM)

5 ∾ *Desencantos* foi dedicada a Quintino Bocaiúva, que a essa altura era um dos grandes nomes da cena, depois do sucesso de *Onfália* (1860). Não há notícia de que *Desencantos* tenha subido à cena, apesar de em 1862 o Ateneu Dramático ter cogitado encená-la. *Desencantos* é, de fato, a primeira comédia autoral de Machado, já que anteriormente escrevera *Hoje Avental, Amanhã Luva*, uma "imitação" de *La chasse au lion*, pequena comédia, em estilo de provérbio, de Gustave Nadeau e Emile Najac. Prática comum na época, "imitar" significava tomar o enredo original adaptando-o aos tipos e ao cenário brasileiros. (SE)

6 ∾ Comédia em um ato, comentada por Machado em 1863:

"Fomos mimoseados com esta pequena composição dramática, que seu autor, o sr. Luís Guimarães Júnior, teve a delicadeza de enviar-nos. / *Uma Cena Contemporânea* é uma tentativa dramática, como a classificou o sr. Guimarães, toda perfumada e luxuriosa como esses jardins misteriosos do Oriente. [...] / Agradecendo a sua mimosa oferta, saudamo-lo por tão feliz estreia e dirigimos-lhe os nossos fracos mas sinceros parabéns." (Vilela, 1934). (IM)

[6]

De: LUÍS GUIMARÃES JÚNIOR
Fonte: Manuscrito Original, Arquivo da ABL.

Andaraí[1], 27 de dezembro de 1862.

Machado.

Escrevo-te para matar saudades; se eu não sei até onde tenho o meu coração! Admite a exclamação por causa do patético.

Escrevo-te contudo às pressas, porque o portador retira-se, e eu não quero que me chames de ingrato. Não te tenho visto nestes dias últimos, querido, não por deleixo ou incômodo, mas pela fatalidade, que tem dirigido meus passos de tal forma, que só às três horas posso dispor de mim, e às três horas, Machado, tu sabes que venho para o Andaraí – meu pobre *Eldorado*!

A primeira vez, que for à cidade vou ver-te e dar-te a poesia para o *Futuro*[2]. Não franzas o sobrolho, poeta, dê (*sic*) licença a um infeliz versejador! Se não te igualo, Machado, recebo a tua luz e isso... me engrandece, tu vês!

Adeus, adeus. Vou agora... para as mangueiras e jasmineiros da chácara... vou sonhar.

Se lá pelo elegante *boudoir* de jornalista puderes enviar duas linhas ao *touriste*[3] que não anda, serão essas linhas recebidas, meu filho, como uma flor do céu!

Farewell
Todo teu
Luís

---

1 ❦ Em terras de antigo engenho jesuítico, ao norte do núcleo urbano do Rio de Janeiro oitocentista, ficavam o Andaraí Grande (atuais bairros do Andaraí, Grajaú e Vila Isabel) e o Andaraí Pequeno (atual bairro da Tijuca). Machado de Assis ambientou numerosas passagens de sua obra num Andaraí repleto de chácaras e moradas aprazíveis. Quem residia lá "ia à cidade" e retornava ao remanso, como demonstra o missivista. (IM)

2 ❦ *O Futuro*, revista literária quinzenal, fundada e dirigida pelo poeta satírico português Faustino Xavier de Novais*, que veio para o Brasil em 1858 e logo se tornou amigo de Machado. Este colaborou ininterruptamente (crônicas, poesias e um conto) no periódico publicado de 15/09/1862 até 01/07/1863. No penúltimo número de *O Futuro*, Faustino publicou uma longa carta em versos para Camilo Castelo Branco, expondo as suas atribulações:

"[...] Dizer-te mal desta terra, / Não direi, não sou ingrato, / Mas (quem t'o jurar não erra) / Cá ou lá, ser literato / À riqueza é fazer guerra. // [...] Adiante. Subi um furo, / Fui às nuvens elevado, / Sou Redator do – FUTURO. / Mas olha que estou passado, / Que o presente é osso duro. // [...] Eu sei que ser jornalista, / Com maus versos, e nas prosas, / Andar dos cobres na pista, / É, nestas eras famosas, /Ter olhos e não ter vista. // Veio o – FUTURO – a terreno, / E aos assinantes foi dado, / Mas depois fui tolo inteiro, / E, confesso-o envergonhado... / Mandei-lhes pedir dinheiro... // Que parvo fui!... que pedante!... / Pude julgar, indiscreto, / Nestas coisas ignorante / Que era uma letra o prospecto / E o que assinou aceitante... // [...] A casa tem senhoria, / Querem paga os gravadores, / Quer paga a tipografia, / Querem-na alguns escritores, / E eu... também aceitaria... [...]." (*O Futuro*, v. 19, 15/06/1863). (IM)

3 ∾ Alusão, talvez, à ideia do viajante imóvel, popularizada pela obra *Voyage autour de ma chambre* (1795) do escritor francês Xavier de Maistre (1763-1852), que influenciaria Machado de Assis, segundo o prefácio das *Memórias Póstumas de Brás Cubas*. (IM)

[7]

Para: QUINTINO BOCAIÚVA
Fonte: MACHADO DE ASSIS, Joaquim Maria.
Teatro de Machado de Assis. Rio de Janeiro: *Diário do Rio de Janeiro*, 1863. vol. I. Setor de Obras Raras. Fundação Biblioteca Nacional.

Rio de Janeiro, [dezembro de 1862 – março de 1863.]¹

Meu amigo,

Vou publicar as minhas duas comédias de estreia²; e não quero fazê-lo sem o conselho de tua competência.

Já uma crítica benévola e carinhosa, em que tomaste parte, consagrou a estas duas composições palavras de louvor e animação.

Sou imensamente reconhecido, por tal, aos meus colegas da imprensa.

Mas o que recebeu na cena o batismo do aplauso pode, sem inconveniente, ser trasladado para o papel? A diferença entre os dois meios de publicação não modifica o juízo, não altera o valor da obra?

É para a solução destas dúvidas que recorro à tua autoridade literária.

O juízo da imprensa viu nestas duas comédias — simples tentativas de autor tímido e receoso. Se a minha afirmação não envolve suspeitas de vaidade disfarçada e mal cabida, declaro que nenhuma outra ambição levo nesses trabalhos. Tenho o teatro por coisa mais séria, e as minhas forças por coisa muito insuficiente; penso que as qualidades necessárias ao autor dramático desenvolvem-se e apuram-se com o tempo e o trabalho; cuido que é melhor tatear para achar; é o que procurei e procuro fazer.

Caminhar destes simples grupos de cenas — à comédia de maior alcance, onde o estudo dos caracteres seja conscencioso e acurado, onde a observação da sociedade se case ao conhecimento prático das condições do gênero — eis uma ambição própria de ânimo juvenil, e que eu tenho a imodéstia de confessar.

E, tão certo estou da magnitude da conquista, que me não dissimulo o longo estádio que há percorrer para alcançá-la. E mais. Tão difícil me parece este gênero literário, que, sob as dificuldades aparentes, se me afiguram que outras haverão (*sic*), menos superáveis, e tão sutis, que ainda as não posso ver.

Até onde vai a ilusão dos meus desejos? Confio demasiado na minha perseverança? Eis o que quero saber de ti.

E dirijo-me a ti, entre outras razões, por mais duas, que me parecem excelentes: razão de estima literária e razão de estima pessoal. Em respeito à tua modéstia, calo o que te devo de admiração e reconhecimento.

O que nos honra, a mim e a ti, é que a tua imparcialidade e a minha submissão ficam salvas da mínima suspeita. Serás justo e eu dócil; terás ainda por isso o meu reconhecimento; e eu escapo a esta terrível sentença de um escritor: *Les amitiés, qui ne résistent pas à la franchise, valent-elles un regret?*[3]

Teu amigo e colega,
Machado de Assis.

---

1 ◦ Esta carta-prefácio provavelmente foi escrita entre dezembro de 1862 e março de 1863, a fim de figurar na abertura do livro *Teatro de Machado de Assis* (Tipografia do

Diário do Rio de Janeiro, 1863). Considerem-se alguns pontos para a datação. A afirmativa de Machado de Assis "já uma crítica benévola e carinhosa, em que tomaste parte" refere-se ao artigo de Bocaiúva reproduzido nas "Páginas Menores" (14/12/1862), por Henrique Muzzio*: "Não pudemos assistir à apresentação, eis o que sobre ela nos diz o nosso amigo e colega Quintino Bocaiúva", passando então a repetir as palavras deste último. Além disso, de São Paulo, no início de 1863, cartas [9] e [12], Luís Guimarães Júnior* trata da venda das comédias de Machado de Assis, a pedido deste. Em [9], de 23 de março, no *post-scriptum*, comenta: "Quanto às assinaturas das tuas comédias, farei. Tu compreendes! Farei tudo que puder. Para mim é uma felicidade trabalhar por ti, Machado.". Em [12], de 6 de maio, continua: "Envia para cá 60 exemplares das comédias". Se *O Protocolo* subiu à cena em 4/12/1862 e, se, em 23/03/1863, Guimarães Júnior já aquiescia ao pedido de Machado, o mais provável é que a edição tenha saído à rua em janeiro, fevereiro ou março; portanto esta carta deve ser datada entre dezembro 1862 e março 1863. (SE)

2 ∾ *O Caminho da Porta* recebeu parecer favorável do Conservatório Dramático Brasileiro assinado por Bethencourt da Silva* em 12/08/1862; foi representada em 12/09/1862, tendo no elenco Estanislau Pimentel (Valentim), Lopes Cardoso (Dr. Cornélio), Antônio Francisco de Sousa Martins (Sr. Inocêncio) e Maria Fernanda (D. Carlota). Já *O Protocolo* teve parecer assinado por Augusto Loureiro da Costa Guimarães em 22/11/1862 e foi representada em 04/12/1862, pelos atores Lopes Cardoso (Pinheiro), Estanislau Pimentel (Venâncio Alves), Maria Fernanda (Elisa) e Jesuína Montani (Lulu). Ver crônica de 15/12/1862 de Machado de Assis na revista *O Futuro*. (SE)

3 ∾ As amizades que não resistem à franqueza valem um lamento? (SE)

[8]

De: QUINTINO BOCAIÚVA
Fonte: MACHADO DE ASSIS, Joaquim Maria.
Teatro de Machado de Assis. Rio de Janeiro: *Diário do Rio de Janeiro*, 1863. vol. I. Setor de Obras Raras. Fundação Biblioteca Nacional.

[Rio de Janeiro, dezembro de 1862 – março de 1863.]
Machado de Assis,

  Respondo à tua carta. Pouco preciso dizer-te. Fazes bem em dar ao prelo os teus primeiros ensaios dramáticos. Fazes bem, porque essa publicação envolve uma promessa e acarreta sobre ti uma responsabilidade para com o público. E o público tem o direito de ser exigente contigo. És moço, e foste dotado pela Providência com um belo talento. Ora, o talento é uma arma divina que Deus concede aos homens para que estes a empreguem no melhor serviço dos seus semelhantes. A ideia é uma força. Inoculá-la no seio das massas é inocular-lhe o sangue puro da regeneração moral. O homem que se civiliza, cristianiza-se. Quem se ilustra, edifica-se. Porque a luz que nos esclarece a razão é a que nos alumia a consciência. Quem aspira a ser grande, não pode deixar de aspirar a ser bom. A virtude é a primeira grandeza deste mundo. O grande homem é o homem de bem. Repito, pois, nessa obra de cultivo literário há uma obra de edificação moral.

Das muitas e variadas formas literárias que existem e que se prestam ao conseguimento desse fim escolheste a forma dramática. Acertaste. O drama[1] é a forma mais popular, a que mais se nivela com a alma do povo, a que mais recursos possui para atuar sobre o seu espírito, a que mais facilmente o comove e exalta; em resumo, a que tem meios mais poderosos para influir sobre o seu coração[2].

Quando assim me exprimo, é claro que me refiro às tuas comédias, aceitando-as como elas devem ser aceitas por mim e por todos, isto é, como um ensaio, como uma experiência, e, se podes admitir a frase, como uma ginástica de estilo.

A minha franqueza e a lealdade que devo à estima que me confessas obrigam-me a dizer-te em público o que já te disse em particular. As tuas duas comédias, modeladas ao gosto dos provérbios franceses[3], não revelam nada mais do que a maravilhosa aptidão do teu espírito, a profusa riqueza do teu estilo. Não inspiram nada mais do que simpatia e consideração por um talento que se amaneira a todas as formas da concepção.

Como lhes falta a ideia, falta-lhes a base. São belas, porque são bem escritas. São valiosas, como artefatos literários, mas até onde a minha vaidosa presunção crítica pode ser tolerada, devo declarar-te que elas são frias e insensíveis, como todo o sujeito sem alma.

Debaixo deste ponto de vista, e respondendo a uma interrogação direta que me diriges, devo dizer-te que havia mais perigo em apresentá-las ao público sobre a rampa da cena do que há em oferecê-las à leitura calma e refletida. O que no teatro podia servir de obstáculo à apreciação da tua obra, favorece-a no gabinete. As tuas comédias são para serem lidas e não representadas. Como elas são um brinco de espírito podem distrair o espírito. Como não têm coração não podem pretender sensibilizar a ninguém. Tu mesmo assim as consideras, e reconhecer isso é dar prova de bom critério consigo mesmo, qualidade rara de encontrar-se entre os autores.

O que desejo, o que te peço, é que apresentes nesse mesmo gênero algum trabalho mais sério, mais novo, mais original e mais completo. Já fizeste esboços, atira-te à grande pintura.

Posso garantir-te que conquistarás aplausos mais convencidos e mais duradouros.

Em todo caso, repito-te que fazes bem. Sujeita-te à crítica de todos, para que possas corrigir-te a ti mesmo. Como te mostras despretensioso, colherás o fruto são da tua modéstia não fingida. Pela minha parte estou sempre disposto a acompanhar-te, retribuindo-te em simpatia toda a consideração que me impõe a tua jovem e vigorosa inteligência.

Teu
Q. Bocaiúva.

---

1 ~ Valer-se da palavra "drama" apesar de se tratar de uma comédia era comum no período; usava-se para significar a categoria *forma dramática*. Além disso, como as comédias realistas eram exercícios dramáticos de linguagem, com o foco sobre o jogo social, comportavam graus variados de tensão dramática, que por vezes, as faziam escapar ao cômico. Registre-se ainda que as comédias realistas no Brasil foram também chamadas de *drama de casaca*. (SE)

2 ~ Entre 1855 e 1865, jovens dramaturgos, atores e encenadores renovaram a cena brasileira, abrigados no antigo Teatro São Francisco, que reformado, passou a Ginásio Dramático, estreando com *O Primo da Califórnia* em abril de 1855, de Joaquim Manuel de Macedo. Inspirado no teatro de Alexandre Dumas, filho, Octave Feuillet e Emile Augier, o realismo teatral brasileiro dedicou-se a tirar de cena os textos remanescentes

do teatro clássico e os da escola romântica, e apresentando um novo personagem: a burguesia enriquecida do século XIX. Contrária à *arte pela arte*, a dramaturgia realista reinseriu a noção de utilidade, transformando o palco em tribuna para o debate das questões sociais, cujo objetivo era regenerar a sociedade burguesa, conduzindo-a de volta a seus valores éticos fundamentais: o trabalho, a honra, a honestidade, o casamento, a família, a castidade, a sinceridade, os bons sentimentos, a disciplina e a educação da inteligência. A "boa dramaturgia" deveria ser moralizadora dos vícios sociais, sobretudo, fazer a crítica à paixão pelo dinheiro em todas as suas formas (casamento de conveniência ou por dinheiro, usura, agiotagem, prostituição, jogo, ócio, adultério etc.). Diferentemente do que se passava no romance realista, nas peças realistas ocorria quase sempre a vitória dos bons, resultando daí uma visão edificante da vida social, cujo bem maior era a família. (SE)

3 ∾ A moda de representar pequenas peças improvisadas cujo enredo era o desenvolvimento de um provérbio começou no século XVII, com Madame de Maintenon, e floresceu no século seguinte; mas foi com Alfred de Musset, no século XIX, que a modalidade chegou à perfeição, embora sem o caráter original da improvisação. Musset é autor de várias comédias desse tipo, como *On ne badine pas avec l'amour* (Não se brinca com o amor) *Il ne faut jurer de rien* (Não se deve jurar sobre nada) e *Il faut qu'une porte soit ouverte ou fermée* (É preciso que uma porta esteja aberta ou fechada). Os provérbios dramáticos são textos breves, em geral de um ato, que apresentam uma moralidade inserta num provérbio popular; não priorizam a ação dramática *stricto sensu*, tão cara à tradição brasileira oriunda de Martins Pena; mas a ação especialmente construída pela linguagem, na qual se reproduzem as conversas e o jogo social dos salões da alta burguesia. Os provérbios dramáticos de Alfred de Musset, Gustave Nadeau, Emile Najac e outros autores franceses serviram de inspiração a Machado de Assis na criação de suas primeiras peças, já que não se arriscou de imediato na alta comédia como também se chamou no Brasil a comédia realista de inspiração francesa. De toda sorte, o provérbio guarda certo parentesco com a comédia realista, pelo foco no exercício da linguagem, pelo interesse em retratar a alta burguesia, pelas estratégias de comicidade e pelo ensinamento que encerravam. (SPR/SE)

[9]

De: LUÍS GUIMARÃES JÚNIOR
Fonte: Manuscrito Original, Arquivo ABL.

São Paulo, 23 de março de 1863.

Machado,

Agradeço-te a carta e as comédias francesas; creio fielmente nos trabalhos, que têm impedido a tua correspondência para comigo.

Li no *Futuro* a tua linda poesia *Acordar da Polônia*[1]. O que sai da tua pena é doce, veemente e forte, creio que a tua reputação e talento de nada mais precisam para a completa simpatia de teus admiradores.

Já acabaste *O Casamento de Tartufo*[2]? O Nabuco[3] disse-me que agora tens o I.º ato escrito. É assim?

Finalmente atirei-me às composições dramáticas. No teatro já se acham duas comédias minhas: *Amores que passam* e *Um Pequeno Demônio*; a primeira em 1 ato, a segunda em 2. As pessoas a quem venho lendo têm-mas aplaudido bastante para encher-me de ânimo e vontade. A primeira é uma *bluette*[4] ou ambas são *bluettes*, aquele gosto francês, – que no teu *Protocolo* tão bem desenvolvido está. O Joaquim Augusto[5] vai a Campinas agora (não sei por quê) passar 12 a 15 dias; na volta a primeira composição que levará é o *Pequeno Demônio* (título *exquis*, não é?) em seguida os *Amores que passam*. Estou escrevendo uma nova em 2 atos – *Marte e Vênus* – o enredo tu o sabes.

Manda-me notícias tuas. O Meneses[6] vai bem. Vitorino[7] e Júlia[8] recomendam-se muito, Militão[9] da mesma forma.

E eu? Abraço-te, meu querido.

Teu amigo do *Coração*
Luís C. P. Guimarães Jr.

Quanto às assinaturas das tuas comédias, farei – tu compreendes! farei tudo o que quiseres. Para mim é uma felicidade trabalhar por ti e para ti, Machado[10].

Ilustríssimo Senhor
Joaquim Maria Machado de Assis
Rua do Rosário, 86
(*Diário do Rio*) – Rio de Janeiro

---

1 ∾ Poesia publicada em *O Futuro* (15/3/1863) e incluída em *Crisálidas* (1864), com o título "Polônia". Inspirou-a a repressão imposta àquele país pelos russos. Machado usou como epígrafe palavras do poeta polonês Adam Mickiewicz (1798-1855): "E ao terceiro dia a alma deve voltar ao corpo, e a nação ressuscitará." Ver também em [22], carta-prefácio de 22/07/1864. (IM)

2 ∾ Peça de Machado de Assis cujos originais são considerados perdidos. (IM)

3 ∾ Sizenando Barreto Nabuco de Araújo*. (IM)

4 ∾ Substantivo francês que designa as obras literárias breves, sentimentais e sem pretensões. (IM)

5 ∾ Joaquim Augusto Ribeiro de Sousa (1825-1873) estreou no Teatro de São Francisco, no Rio de Janeiro, em 1841, na Companhia de João Caetano; atuou mais tarde também como empresário e ensaiador. Quando da sua permanência nos palcos paulistas, foi consagrado pela crítica como *O restaurador do Teatro de São Paulo*. (SE)

6 ∾ O jornalista José Ferreira de Meneses*. (IM)

7 ∾ Sobre José Vitorino, ver em [53], carta de 29/09/1866. (IM)

8 ∾ Júlia Carlota de Azevedo. Na correspondência paulistana endereçada a Machado, a partir de 1863, encontramos constantes referências ao movimento teatral e várias menções a uma certa Júlia. Embora várias atrizes homônimas atuassem nos palcos daquele tempo, nenhuma delas se ajustava de maneira convincente à "nossa" Júlia – por exemplo Júlia Heller, muito citada em críticas e crônicas machadianas. Foi Spencer Vampré, na sua reconstituição da vida acadêmica de São Paulo, quem nos trouxe estas informações valiosas:

"O teatro da época era o São José, não acabado ainda no exterior, e sem decoração interna, no Largo de São Gonçalo (*Praça João Mendes*), esquina da Rua do Imperador (*Marechal Deodoro*), onde se acha hoje a catedral, mas colocado em posição inversa. / Nesse teatro representaram os prestidigitadores Herman e Conde

Patrizio, e os cartazes se afixavam nas paredes externas da Academia. / O ator Joaquim Augusto Ribeiro de Sousa, êmulo de João Caetano, conquistou ali noites de glória, ao lado de outros atores de merecimento: – Henrique José da Costa, Francisco Gonçalves, José Vitorino, Joaquim Augusto, Filho, Antônio Correia Vasques, João Elói Quesado, cômico muito popular, Gustavo Pinheiro, Militão Augusto de Azevedo e Paulo Petit; e de atrizes, como Minelvina Gonçalves, que pouco depois se retirou da cena, Deolinda de Sousa, Maria Velutti, **Júlia Azevedo** e outras." (Vampré, 1924).

O referido Teatro São José foi inaugurado em 04/09/1864. (IM)

9 ~ Militão Augusto de Azevedo (1837-1905) nasceu no Rio de Janeiro, onde se iniciou como ator e cantor de ópera. Consagrou-se, entretanto, como o primeiro fotógrafo urbano de São Paulo, alinhando-se entre os pioneiros da fotografia brasileira. Datam de 1860 as suas primeiras vistas que deram origem ao *Álbum Comparativo da Cidade de São Paulo*. Nesta cidade, Militão estabeleceu-se definitivamente em 1862, exercendo a profissão de retratista na Casa Carneiro & Gaspar. Era amigo de Furtado Coelho, Lucinda Simões, Jacinto Heller, Rodolfo Amoedo, Garraux e outras figuras do tempo. Faleceu na capital paulista. (IM/SE)

10 ~ Nota à margem, omitida na Revista da Academia Brasileira de Letras (42, 1933). (IM)

[10]

De: LUÍS GUIMARÃES JÚNIOR
Fonte: Manuscrito Original, Arquivo ABL.

São Paulo, 14 de abril de 1863.

Machado.

Escrevi-te ultimamente uma cartinha em resposta à tua, dentro da qual enviava-te o meu retrato. Creio já te achares de posse dela.

Envio-te dentro desta 7$000 R*éis* para a assinatura do *Diário*[1], que me remeterás imediatamente, (3 meses).

Como vais, meu am*i*go? Eu triste, triste e triste. Parece impossível, não? Acredita, depois te direi.

Brevemente te mandarei a cópia de uma poesia minha. Lê-la-ás, e se for possível entende bem? vê se sai no *Futuro*.

Adeus, venturas e felicidades desejo-te.

Nestes 10 dias sobe à cena a minha comédia em 2 atos *Um Pequeno Demônio*. Se tens lido o *Correio Paulistano*[2] deves ver um bonito artiguete em que alguns *amigos meus* atiraram-me indiretas das quais o meu sapato indignar-se-ia se fosse merecedor. Venho falar-te em breve como a um confessor, há de ser um romance. Vou amanhã ao Garraux[3] livreiro, ler no *Futuro* as *Ventoinhas*[4].

Adeus e crê em teu amigo da alma

Luís C. P. Guimães Jr.

Ilustríssimo *Senhor*
Joaquim Maria Machado de Assis
Tipografia do *Diário do Rio*
Rua do Rosário, n.º 86 – Corte

---

1 ∾ *Diário do Rio de Janeiro*. (IM)

2 ∾ Surgido em 1854, foi inicialmente redigido pelo estudante conservador Pedro Taques de Almeida Alvim. Ao longo do gabinete do Conselheiro Paraná (de 06/09/1853 a 03/09/1856), o jornal aderiu ao pacto de conciliação entre conservadores e liberais. Terminada a conciliação, separados liberais e conservadores, em 1869, a folha tomou colorido francamente liberal. (SE)

3 ∾ O francês Anatole-Louis Garraux (1833-1904) veio para o Brasil em 1850, trabalhando inicialmente no Rio de Janeiro com o livreiro Baptiste Louis Garnier. Em 1859, já em São Paulo, teve uma loja de artigos de escritório, tornando-se, a partir de 1860, o principal fornecedor de livros da cidade. A Casa Garraux, assim conhecida apesar de mudanças de nome do estabelecimento, era ponto de encontro obrigatório dos estudantes e bacharéis das Arcadas (Faculdade de Direito de São Paulo). O catálogo de Garraux, em 1865, atribui à firma o título de "Livreiro da Academia Jurídica de São Paulo". (IM/SE)

4 ∾ Poesia publicada em *O Futuro* (01/04/1863), e incluída em *Crisálidas* (1864). (IM)

[11]

De: UM AMIGO SALVADOR
Fonte: Fundação Biblioteca Nacional. *O Futuro*.
Periódico Literário, 1863. Setor de Obras Raras.
Microfilme do original impresso.

Rio de Janeiro, 1.º de maio de 1863.[1]

Meu amigo[2], à força de não pensar no que me rodeia atingi a um estado de desapego das coisas da vida que às vezes me acredito o único escapo de um cataclismo universal. Imagina com que sabor volto de quando em quando o pensamento para os sucessos do tempo. É uma nova ocasião de confirmar-me nas minhas anteriores impressões.

Dias passados lembrei-me de ser poeta. Vê lá a que ponto cheguei! Tomo a poesia como uma coisa dependente da vontade, como a construção de um prédio ou a fabricação de um pergaminho.

Deixa passar a heresia.

Lembrei-me de ser poeta; e como não tenho vocação para isso, atribuirás tu esta disposição do espírito ao amor. O amor! Posso eu senti-lo? Reparo às vezes no cuidado com que, em todas as línguas que conheço, esta palavra é construída! Até as mais duras, como a de Pope[3], encontram o seu melhor som para exprimir este sentimento. Mas existe ele? Existe como deve ser, despido de toda a preocupação terrena, puro como o resumo que é de todos os outros amores? Nos livros dos poetas, decerto; na humanidade, não acredito.

E como não acredito, lembrei-me de escrever algumas páginas onde me ocupasse do contraste flagrante que há entre o sentimento e as hipóteses do fato. Imaginei um Pílades, três Orestes[4] e uma Safo[5]. O que se pode fazer com estas cinco figuras? Um romancinho, mais ou menos acidentado. O amor de Pílades e Safo; o amor de Safo e dos Orestes; a alternativa constante desta balança que se chama vida, cujas conchas se levantam e se abatem por singulares disposições do acaso e da criatura.

Adubo a narração com a pintura do sofrimento de Pílades, e, se me parecer, acabo por fazê-lo lorpa de corpo e alma, o que não será novo, mas será agradável de ler, porque não faz chorar. Que me dizes ao pensamento? Não dá cem páginas de oitavo? Penso que sim; já tenho algumas folhas de papel escritas; não sei se acabarei; talvez acabe; e então posso colocar a minha obra sob a proteção da tua amizade, que a fará inserir no *Futuro*.

Talvez achem a história muito velha; responderei que ainda assim é bom repetir essas coisas; e como eu tenho de encarar a história por um ponto de vista pouco explorado, naturalmente lhe hão de achar novo sabor.

Teu S^6.

---

1 ∾ Nesta data, em *O Futuro*, Machado de Assis bem-humorado diz como resolveu a dificuldade provocada pela falta de matéria para a crônica daquele dia, justificando-se pela edição da carta acima da seguinte maneira:

"*Afligia-me*, devo dizer; porque a boa estrela que preside aos meus dias, sempre me depara, na hora arriscada, com uma tábua de salvação. Desta vez a tábua de salvação é uma carta, uma promessa e uma notícia. Parecem três coisas, mas não são, porque a notícia e a promessa vão incluídas na carta. A notícia é de um romance... por fazer; e é promessa que me faz em uma carta de um amigo a cujos escrúpulos de modéstia não posso deixar de atender; e de quem não posso assoalhar o nome. Estou certo de que o leitor não levaria a mal que eu desse neste ponto dois dedos de conversa acerca do meu salvador." (SE)

2 ∾ Na crônica: "Meu amigo, escreve-me ele,". (SE)

3 ∾ Alexander Pope (1688-1744), filósofo e poeta, é considerado um dos grandes poetas da língua inglesa e, ao mesmo tempo, reconhecido como pensador por seus ensaios sobre arte (*Essay on Criticism*) e filosofia (*Essay on Man*). (SE)

4 ∾ Orestes e Pílades são a representação da amizade fraternal. O mito de Orestes (na *Odisseia*, no *Catálogo das Heroínas*, no poema "Oresteia" e na "Pítica XI") relata os acontecimentos que se seguiram ao retorno do rei Agamêmnon a Micenas. Após o assassinato do comandante-chefe das forças helênicas na guerra de Troia, Egisto e sua cúmplice, a rainha Clitemnestra, mãe de Orestes, voltaram-se contra o filho do rei

morto, uma vez que eliminado o herdeiro ambos estariam seguros. Orestes escapa ao massacre por intervenção de sua irmã Electra, sendo enviado à corte de Estrófio, rei da Fócida, casado com Anaxíbia, irmã de Agamêmnon, pais de Pílades. Lá, Orestes viverá e será educado até a maioridade. A convivência, a identificação e o sangue tornaram os primos amigos inseparáveis. Atingida a maioridade, atendendo ao oráculo de Apolo, Orestes retorna a Micenas na companhia de Pílades, a fim de vingar-se. Ajudado por Electra, que o introduz no palácio, e pelo inseparável Pílades, que o anima a agir no momento em que hesita diante da mãe, Orestes executa a justiça de Apolo. Consubstancia-se então o elemento trágico do mito: o homem, frente às demandas de forças que estão além de seu controle, é levado a ações cujas consequências não pode evitar. Sobrevêm a loucura e o tormento das Erínias, as vingadoras dos crimes contra os consanguíneos. Purificado do crime por Apolo, em Delfos, e livre das Erínias após julgamento em Atenas, presidido pela deusa Atena, Orestes parte em busca da estátua de Ártemis em Táurida, pois esta poderá livrá-lo da loucura. Preso com Pílades, é condenado ao sacrifício, mas sua irmã Ifigênia, sacerdotisa de Ártemis, salva-o. Orestes herda o reino de Agamêmnon, a que anexa Esparta e Épiro, e casa-se com Hermíone, filha de Menelau e Helena. (SE)

5 ∾ Poetisa nascida entre 630 e 612 a.C, famosa por seus poemas eróticos, e que viveu na cidade de Mitilene, na ilha de Lesbos, grande centro cultural no séc. VII a.C. (SE)

6 ∾ A questão da identidade deste misterioso S. está estritamente ligada à questão da autoria do conto – "Um Parêntesis na Vida" – que Machado menciona na crônica de 15/05/1863, no *Futuro*, e cujo começo é publicado no mesmo número do jornal. Ocorre que esse conto é aparentemente uma versão de outro, "Felicidade pelo Casamento", publicado em *O Jornal das Famílias*, de junho-julho de 1866. Não há dúvida de que os dois saíram da mesma pena. Se Magalhães Jr. estiver certo ao atribuir a Machado de Assis a paternidade do conto de 1866, seria também o autor do conto de 1863, e nesse caso, S. seria Machado de Assis, que criou um *alter-ego* fictício e atribuiu a um "amigo salvador" a autoria do conto "Um Parêntesis na Vida", que na realidade era o próprio Machado. Mas se Jean-Michel Massa tiver razão em sua tese de que "A Felicidade pelo Casamento" não é de Machado, nesse caso "Um Parêntesis na Vida" tampouco o é, e isso muda o estatuto de S. Ele deixa de ser um fantasma literário e a tarefa passa a ser a de descobrir a identidade de uma pessoa de carne e osso. Massa interroga-se sobre a possibilidade de que S. seja Salvador de Mendonça*. Essa hipótese não deixa de ser plausível, não só devido à inicial, mas por causa das referências maliciosas, na crônica, a "salvação" e "salvador", procedimento semelhante ao que ele adotaria a propósito de Gentil Braga*, cujo nome finge querer encobrir, mas que ele na verdade divulgava, multiplicando alusões a "gentil" e "gentileza". Seja como for, o enredo – um poeta, com uma vida comum, conhece um certo Dr. Magalhães, em cuja

residência ele passa algum tempo, e com cuja filha ele se casa – nada tem a ver com o "romancinho" esboçado nesta carta. Nessa narrativa água com açúcar, Orestes, Pílades e Safo não aparecem nem como figuras históricas, nem como personagens modernos modelados sobre aquelas figuras. Sobre o "romancinho", ver em [13]. (SPR)

[12]

De: LUÍS GUIMARÃES JÚNIOR
Fonte: Manuscrito Original, Arquivo ABL.

São Paulo, 6 de maio [de 1863.][1]

Machado

Posso dizer-te poucas palavras: não tarda a partir o correio. Envia para cá 60 exemplares das comédias[2]. Estou agenciando mais assinaturas; brevemente dir-te-ei quantos serão precisos mais.

Não respondeste a uma carta minha em que te enviei um retrato; manda dizer se o recebeste.

Adeus, a minha comédia[3] sobe à cena até o dia 15.

Todo teu

Luís C. P. Guim^{ães} Jr.

---

1 ∞ Embora sem indicação do ano, a carta é de 1863, uma vez que o autor estudava em São Paulo, incumbia-se de vender o *Teatro de Machado de Assis* e já anunciara sua atividade de comediógrafo. Ver em [9], carta de 23/03/1863, e em [10], carta de 14/04/1863. (IM)

2 ∞ *O Caminho da Porta* e *O Protocolo*, comédias do volume *Teatro de Machado de Assis* (1863). (SE)

3 ∞ *Um Pequeno Demônio*, que acabou estreando em 05/07/1863. Ver em [15], carta de 07/07/1863. (SE)

[13]

> De: UM AMIGO SALVADOR
> *Fonte*: Fundação Biblioteca Nacional.
> *O Futuro*. Periódico Literário, 1863.
> Setor de Obras Raras. Microfilme do original.

Rio de Janeiro, 15 de maio de 1863.[1]

Meu amigo,

Aí vão as páginas que te prometi. Não contando que desses publicidade à minha carta, guardava-me para concluir mais detidamente este trabalho. Já que foste indiscreto, paga a culpa da tua indiscrição. O que aí vai foi escrito às pressas; podia valer um pouco mais; assim nada vale. É do teu dever publicar estas linhas, e do meu assinar-me

— Teu amigo certo, — S.[2]

---

1 ∾ Esta carta foi matéria de crônica em *O Futuro*, de 15/05/1863, em que a certa altura Machado diz: "Estava eu nestes cuidados, quando recebi uma carta acompanhada de um rolo de papel. A carta dizia": E segue então a carta que transcreveu presentemente. (SE)

2 ∾ Após a assinatura segue o seguinte comentário de Machado de Assis: "Abri o rolo e li a primeira página *Um parêntesis na vida*. A obsequiosidade do meu amigo Faustino de Novais veio em meu auxílio: o começo de *Um parêntesis na vida* vai publicado neste volume." (SE)

[14]

> De: LUÍS GUIMARÃES JÚNIOR
> *Fonte*: Manuscrito Original, Arquivo ABL.

São Paulo, 13 de junho de 1863.

Machado

Recebi atrasadamente a tua última carta. Respondo e tenho *importantes* e *importunos* serviços a pedir-te. Não tremas.

Na resposta da tua carta: digo que a notícia do *Paulistano*[1] é minha realmente (prenhe de erros tipográficos), que as tuas comédias têm agradado muito e muito; o teu espírito é apreciado e recebido aonde se pode compreender o que há de bom.

Estou recebendo o dinheiro das assinaturas, a demora é devida, – deves sabê-lo praticamente! – à indolência dos *senhor*es assinantes. Em breve numa carta segura recebê-lo-ás. O Meneses recomenda-se e pergunta o que deve responder e falar ao Póvoa[2].

Agora nós. Quero ou peço-te, peço-te que me mandes no primeiro correio se for possível as seguintes composições dramáticas em francês para eu traduzir para o teatro: *Papillone*[3] do Sardou, *L'Aveugle* do Bourgeois[4] – *Recordações da Mocidade*[5] (no original, entenda-se) *Lionnes Pauvres* do Augier[6], *Les Grands Vassaux* do Victor Séjour[7] e alguma coisa excelente do Barrière[8]. Pelo mesmo correio manda-me dizer a importância, que te enviarei em seguida; de outra forma não quero. Não te esqueças; dá-te a esse trabalho, manda-mas já, que eu ficarei com mais um imenso favor a dever-te. Espero?

A minha *comédia*[9] entra em ensaios 2.ª feira. A razão de não ter subido já à cena acha-se incluída no *Borboletismo*[10] da *Empresa*. Sabes?

Adeus; não demores o meu pedido; há urgência. Vê se mandas *per fas* ou *per nefas*[11] *La Papillone* e as outras.

Todo, todo teu.
Luís C. P. Guim^{ães} Jr.

Procura as peças no *Garnier*[12].

Ilustríssimo *Senh*or
Joaquim Maria Machado de Assis
Tipografia do Diário do Rio.
Rua do Rosário 86 – Corte.

---

1 ✎ O jornal *Correio Paulistano*. Ver em [10], carta de 14/04/1863. (IM)

2 ✎ José Joaquim Peçanha Póvoa (1832-1904) formou-se em 1864 pela Faculdade de Direito do Largo de São Francisco, São Paulo, onde editou a efêmera *Revista Dramática*, fonte

para o estudo das discussões estéticas do período em que se opunha o realismo ao romantismo, conflito que resultou na renovação da cena brasileira, estimulando o surgimento de uma geração de dramaturgos. Seu volume *Anos Acadêmicos – 1860-1864* é referência obrigatória sobre a atividade literária e aspectos políticos da vida estudantil. (IM/SE)

3 ∾ Comédia de Victorien Sardou (1831-1908) escrita em 1862. Sobre Sardou, ver em [51], carta de 09/09/1866. (SE)

4 ∾ Auguste Anicet-Bourgeois (1806-1871), escritor de dramas, comédias e *vaudevilles*. Foi co-autor de *Rocambole*, peça extraída do romance do mesmo título, escrita em parceria com Ernest Blum e com o próprio autor do romance, Ponson du Terrail. (SE)

5 ∾ *La Jeunesse*, comédia em 5 atos de Emile Augier (1820-1889), que estreou a 06/02/1858, no Second Théâtre de Paris. Em "A Semana", crônica de 25/08/1895 na *Gazeta de Notícias*, Machado de Assis recordaria essa comédia, ao tratar da proposta de discussão do projeto de direitos autorais:

> "Resta que o Senado [...] vote e conclua a lei. / Não lhe peço que discuta. Discussões levam tempo, sem adiantar nada. O artigo 6.º da Constituição está sendo discutido com animação e competência, sem que aliás nenhum orador persuada os adversários. Cada um votará como já pensa. Talvez se pudesse fazer um ensaio de parlamento calado, em que só se falasse por gestos, como queria um personagem de não sei que peça de Sardou, achando-se só com uma senhora. Sardou? Não afirmo que fosse ele, podia ser Barrière ou outro; foi uma peça que vi há muitos anos, no extinto Teatro de S. Januário, crismado depois em Ateneu Dramático, também extinto, ou no Ginásio Dramático, tão extinto como os outros. Tudo extinto; não me ficaram mais que algumas recordações da mocidade, brevemente extinta. / Recordações da mocidade! Não sei se mande compor estas palavras em redondo, se em itálico. Vá de ambas as formas. *Recordações da mocidade*. Na peça deste nome, já no fim, quando os rapazes dos primeiros atos têm família e posição social, alguém lembra um *ritornello*, ou é a própria orquestra que toca à surdina: os personagens fazem um gesto para dançar, como outrora, mas o sentimento da gravidade os reprime e todos mergulham outra vez nas suas gravatas brancas." (IM)

6 ∾ *As Leoas Pobres* (1858) escrita por Emile Augier em parceria com Edouard Foussier (1824-1882). (SE)

7 ∾ *Os Grandes Vassalos*, peça de 1859 do escritor nascido em Nova Orleans, que viveu refugiado na França, filho de pai haitiano livre e mãe mestiça e livre. Escreveu em francês o romance *Le Mulâtre*. (SE)

8 ∾ Théodore Barrière (1823-1877), autor de dramas, comédias e *vaudevilles* de grande sucesso. (SE)

9 ∽ *Um Pequeno Demônio.*

10 ∽ Machado de Assis comentando as novidades dramáticas alude à tradução de *Papillone*, de Victorien Sardou: "O que é *Borboletismo*? É a necessidade que os maridos têm de variar de ocupações, de hábitos e... de mulheres. *Borboletear* é o verbo, e nesta época em que os costumes sofrem suas mais ou menos profundas facadas, estou certo que esta comédia desafiará a curiosidade angustiosa de muitas esposas." (*Diário do Rio de Janeiro*, 15/03/1862). (SE)

11 ∽ *Per fas et nefas*, por todos os meios. Provém da frase latina *fas ac nefas* (o lícito e o ilícito). *Fas* era o permitido pelas leis divinas e humanas, e *nefas* o contrário. Isto deu lugar a que os primeiros romanos dividissem os dias em *fastos – dias favoráveis – nos quais se podia administrar a justiça e tratar dos negócios públicos; e nefastos* – dias desfavoráveis – nos quais estavam proibidas certas ações. (SE)

12 ∽ O livreiro e editor francês Baptiste Louis Garnier (1823-1893), após ter trabalhado com seus irmãos Auguste e Hippolyte na *Garnier Frères* de Paris, veio para o Rio de Janeiro em 1844, estabelecendo-se na rua do Ouvidor. Machado de Assis, que o conhecera no final da década de 1850, colaborou no seu *Jornal das Famílias* a partir de 1863. Em 1864, Garnier publicou as *Crisálidas* e, posteriormente, *Falenas, Contos Fluminenses, Ressurreição, Histórias da Meia-Noite, Americanas, Helena, Histórias sem Data* e *Quincas Borba*. Baptiste Louis era chamado de "Bom Ladrão", por conta das iniciais do seu prenome. Ir à Livraria de Garnier fez parte da rotina dos escritores e jornalistas. Nessa casa, o discreto Machado, já mais velho e famoso, reuniu em torno de si um grupo fidelíssimo de amigos e admiradores. (IM)

[15]

De: LUÍS GUIMARÃES JÚNIOR
Fonte: Manuscrito Original, Arquivo ABL.

São Paulo, 7 de julho de *1*863.

Meu Machado.

A primeira notícia é que subiu na noite de 5 no teatro de São Paulo a m*i*nh*a* comédia[1]. Para ti que já conheces a emoção que se sente nesses momentos é inútil fazer a resenha dos palpites e tremores do meu coração. Fui feliz e feliz demais! um bonito sucesso – passou a um *succès d'estime* francês. Deram-me entre outras coisinhas um relógio de ouro, livros etc.

Foi desempenhado maravilhosamente; a Júlia[2] esteve inimitável; fazer mais do que ela fez é exagerar o papel. Peço-te – caprichos de calouro em literatura, perdoa-me! – peço-te digo-te que transcrevas no *Noticiário do Diário*[3] o que diz o *Correio Paulistano* com toda a lisonja de que é capaz o *Correio Paulistano* para comigo! Faz transcrever também o *Mercantil*[4] e o *Jornal*[5] e mande-me (*sic*) dizer o importe assim como dos dramas.

Recebi a tua carta e muito alegrou-me a notícia de tuas novas composições. *O Pomo da Discórdia*[6] (bonito título!) da tua pena elegante deve ser lindo. Quanto às *notícias* sobre o Artur e o Gomes[7] não as fiz porque não sou o *noticiarista* do *Paulistano*, porém falei ao redator que às vezes pede-me que escreva alguma coisa, e hei de escrever no corpo da folha. O que te não farei?

Agradeço-te intimamente os dramas. Estou trabalhando para ti.

Vou escrever uma nova comédia (alta *comédia*) sob o título *Os Espirituosos*, em 3 atos. Brevemente sobe à cena uma nova comédia minha em 1 ato (*O Caminho mais Curto*) escrita sob a inspiração da tua – *O Caminho da Porta*. Queira a Deus que a plateia continue a ser carinhosa e indulgente para comigo. Será?

Recebi recomendações das pessoas a quem te recomendaste, com particularidade do José Vitorino[8], Dona Júlia etc.

Sou sempre
Teu do *Coração*
Luís C. P. Guim^{ães} Jr

Pelo *Piraí*[9]
Ilustríssimo *Senhor*
Joaquim Maria Machado de Assis
Rua do Rosário
Tipografia do Diário do Rio – Corte

---

1 ～ *Um Pequeno Demônio*. Ver em [9], carta de 23/03/1863. (SE)

2 ～ Ver em [9], carta de 23/03/1863. (IM)

3 ～ Seção do *Diário do Rio de Janeiro*. (IM)

4 ∾ *Correio Mercantil*, jornal de coloração liberal, dirigido por Francisco Otaviano*. Ver em [59], carta de 25/11/1866. (SE)

5 ∾ Nome pelo qual era conhecido o *Jornal do Comércio*. Ver em [59], carta de 25/11/1866. (SE)

6 ∾ Texto considerado como perdido. (SE)

7 ∾ Possivelmente o pianista português Artur Napoleão*, muito amigo de Machado, e o compositor Carlos Gomes, que estrearia a ópera *Joana de Flandres*, com libreto de outro grande amigo, Salvador de Mendonça*, em 15/09/1863, no Teatro Lírico Fluminense. (IM)

8 ∾ Ver em [53], carta de 29/09/1866. (IM)

9 ∾ O paquete a vapor *Piraí* fazia a comunicação entre os portos do Rio de Janeiro e de Santos (SP), prestando serviço de correio, além de transportar passageiros e mercadorias. Machado escreveria: "Aproveitemos o Piraí. [...] os vapores andam aqui de tal modo que é impossível estabelecer uma certa regularidade na correspondência." (*Imprensa Acadêmica*, 16/08/1864). (IM)

[16]

> Para: DOMINGOS JACI MONTEIRO
> *Fonte*: Fundação Biblioteca Nacional. *Catálogo da Exposição do Centenário de Nascimento de Machado de Assis. 1839-1939*. Rio de Janeiro: Ministério da Educação e Saúde, 1939. Fac-símile do manuscrito original.

Rio [de Janeiro], 18 de março de 1864.

Ilustríssimo Senhor,

Tenho a honra de remeter a Vossa Senhoria a minha comédia em três atos intitulada *O pomo da discórdia*[1] para ser sujeita ao parecer do Conservatório Dramático Brasileiro[2].

Deus guarde a Vossa Senhoria.
Machado de Assis

Ilustríssimo Senhor Doutor Domingos Jaci Monteiro
Digníssimo Secretário do Conservatório Dramático Brasileiro

Recebi em 24 de março de 1864[3].

Machado de Assis

---

1 ∾ Esta peça vem sendo considerada como perdida. (SE)

2 ∾ Com o triunfo da Revolução Constitucional (1836), houve uma reflorescência das atividades culturais em Portugal. Almeida Garrett no exílio conhecera as cenas parisiense e londrina. Ao retornar a Lisboa, trouxe novas ideias para o soerguimento do teatro nacional. O programa de renovação compreendia a criação do drama português, a educação dos jovens, a inspeção das salas de espetáculo, a instalação de um conservatório dramático e a construção de um teatro subvencionado pelo estado. O Conservatório Dramático Brasileiro orientou-se por esse modelo europeu; a ele cabia exercer a censura das peças teatrais. As suas decisões eram inapeláveis, embora a polícia ocasionalmente proibisse peças que aquele já autorizara. Machado de Assis foi admitido como membro da instituição em 1862, tendo desempenhado as suas funções com bastante severidade e uma certa dose de moralismo. Em 1871, o Conservatório Brasileiro foi reformulado, e de novo Machado de Assis foi indicado a participar da equipe de censores. (SPR/SE)

3 ∾ Galante de Sousa (1955) publicou o parecer: "O pensamento desta comédia não é de todo novo; mas é ela bem escrita, há vivacidade no diálogo e cenas bonitas. Está no caso de obter licença para ser representada a qualquer tempo. Rio de Janeiro em 21 de março de 1864. D. J. Monteiro." (IM)

[17]

De: SIZENANDO NABUCO
Fonte: Manuscrito Original, Arquivo ABL.

São Paulo, 4 de abril de 1864.

Machadinho,

Salve.

Agradeço-te.

Apesar de apaixonado foste pontual! Não pensava que tanta constância e firmeza (quando se tratasse do coração) fossem um dote do meu Machadinho. Oh! Quanto és feliz – sonhas – escreves, e que de coisas bonitas não terás escrito – sem teres mandado uma cópia para o teu amigo. É longe isto aqui – a longitude é o inspirador de todo sentimento puro – é prova disso, não ter eu ainda em meu poder, nada dessas belezas, que por aí terás dado a ler – que remédio, senão a consolação.

Creio que houve grande leilão de *paixões*, este ano, já te vi arrematar uma, que deve-te ser um pouco pesada, menos que aquele marido, mais que minhas maçadas; o Meneses[1]... oh! oh! Por quem? Ouviste falar na Maria Lúcia[2]? Pois bem: ciúmes, amores, caprichos, ataques, beijos... risos, tudo tem havido – até mesmo as cenas românticas, porque o Guimarães[3] quis de novo ser Victor[4], e caiu também aos pés da *Dama Lucia*, e o Meneses cedeu... E esta?

A Júlia[5] está abandonada; fez mau efeito o filho, (...)[6] acreditaram ser ela um anjo, provou, porém, (...) mulher. No dia 31 fui a seu benefício – nem (...) palma... nem uma flor... *Tempora mutan*(...)[7] o Guimarães... na incerteza de ser pai. Faltas tu aqui para protegê-lo.

O jornal[8] trata dos interesses da Academia[9]. É literário, agrícola, comercial, noticioso – o que se puder. Queremos fazer um pouco de guerra a este papelucho que corre aqui. Deves tratar de tudo.

Nós temos ultimamente sido mártires do despotismo de autoridades severas! A força que veio daí para reprimir os *portugueses do caminho de ferro* só tem servido para maltrato ao estudante.

Isto aqui está de tal modo, que o delegado proibiu que na 5.ª e 6.ª feira santa pudesse um carro sair das cocheiras para conduzir *para fora da cidade* uma família! Que não andasse na cidade vá... porém para o campo? Um judeu que desejou ir a seu sítio não o pôde... E que tal? No teatro, o célebre chefe de polícia a *que* (...) *da roça*? E se é célebre – não precisava chamar a atenção do presidente de *São Paulo* sobre estes pontos.

Eu espero que me enviarás a correspondência assim como poesias, tudo tudo o que tiveres escrito. Adeus meu Machadinho.

Recomenda-me a todos.
Sou
Nabuco.

1 ∾ Possivelmente José Ferreira de Meneses*. (IM)

2 ∾ Identificar Maria Lúcia permanece um desafio. Mencione-se, de passagem, uma charge da *Semana Ilustrada* (n.º 179, de 15/05/1864), com o título de "Colóquio Íntimo", onde se lê o seguinte diálogo: "– Sabes, Júlia, eu estou para me casar. Mas o meu noivo é tão pachorrento, que marcou o dia para daqui a seis meses." E a outra responde: "– Pois, Lúcia, comigo acontece o contrário, o Juca adianta-se dia por dia." (IM)

3 ∾ Possivelmente Luís Guimarães Júnior. (IM)

4 ∾ Possível referência a um dos personagens da comédia *A Mancenilha* de Ferreira de Meneses*. (SE)

5 ∾ Ver em [9], carta de 23/03/1863. (IM)

6 ∾ Esta lacuna e as demais se devem à ilegibilidade do manuscrito, muito danificado. (IM)

7 ∾ Citação parcial da sentença latina: *Tempora mutantur, nos et mutamur in illis* – Os tempos mudam, e nós mudamos com eles. (IM)

8 ∾ O jornal seria a *Imprensa Acadêmica*. Ver em [25], carta aberta de 21/08/1864. (IM)

9 ∾ Academia ou Arcadas do largo de São Francisco eram as designações correntes da Faculdade de Direito de São Paulo. Segundo Alberto Venancio Filho, em *Das Arcadas ao Bacharelismo*, o primeiro termo foi formalmente utilizado nos Estatutos dos Cursos de Ciências Jurídicas, aprovados em 07/11/1831, e "Faculdade" a partir da aprovação dos Estatutos para as Faculdades de Direito do Império, em 28/04/1854. Já "Arcadas" são referência à fachada do prédio – o antigo convento de São Francisco – onde funcionou a instituição. Ver também em [25], carta aberta de 21/08/1864. (IM)

[18]

De: LUÍS RAMOS FIGUEIRA
Fonte: Manuscrito Original, Arquivo ABL.

São Paulo, 13 de abril de 1864.

Senhor Machado de Assis.

É bem natural que não se lembre mais do proprietário do nome que assina esta carta, conhece-o ele, porém, e nunca se esquecerá do talentoso sócio da Sociedade Filomática de 1859[1], na qual mais de uma vez[2] teve a honra de discutir com Vossa Mercê sobre literatura, história etc.

Depois desta apresentação espontânea, vem a pelo comunicar-lhe que das mãos do Nabuco[3] recebi uma correspondência, com a qual vai honrar o primeiro número da *Imprensa Acadêmica*[4], jornal de que tenho a honra de ser redator em chefe.

Como agradecer-lhe esse favor e honra, não sei; mas assevero-lhe que sempre contei com a aceitação do convite que lhe fez o Nabuco.

Que seus escritos deste e de outros gêneros serão recebidos com prazer e gratidão desta Redação, seria ocioso assegurar-lhe; pois o contrário seria desconhecer o mérito de um escritor, que tão brilhantemente sabe desempenhar sua nobre missão.

Aproveito a ocasião para importuná-lo com um pedido, e é ter a bondade de endereçar-me suas correspondências e artigos a mim para mais regularidade da publicação deles, pois sabe que o nosso amigo Nabuco é poeta, e como tal tem direito a não cuidar seriamente nestas coisas positivíssimas e materialíssimas da imprensa.

> Reiterando meus protestos de
> gratidão, confesso-me
> seu am*ig*o e admirador
> Luís Ramos Figueira

---

1 ∾ No Setor de Obras Raras da Fundação Biblioteca Nacional, encontraram-se os números de abril e maio de 1859 do jornal da pouco conhecida Sociedade Filomática fluminense, cujos redatores eram Francisco Cerqueira Dias, Manuel Inácio de Barbosa Laje, Antônio Justiniano das Chagas, Honório Bicalho, Eugênio Adriano Pereira da Cunha e Melo e Francisco Basílio Duque. No editorial do n.º I, há a seguinte explicação:

> "Fundada em junho de 1858, por alguns sócios desejosos do cultivo das letras, conta hoje em seu grêmio literário não pequeno número de sócios efetivos e honorários, que como os primeiros, esforçam-se pelo progresso e prosperidade da mesma sociedade. Hoje, depois de 10 meses de trabalho, é que apresenta o seu – primeiro jornal; – assim devia ser: principiantes, preferimos perder em tempo, para ganhar em forças."

No primeiro número, colaboraram P. Pederneira[s], Nicolau R. dos Santos França e Leite Filho, Nuno Álvares Pereira e Sousa*, José Joaquim Cândido de Macedo Júnior, Casimiro de Abreu*, Joaquim Oliveira Catunda, Sílvio Pinto de Magalhães e, por fim, um certo "J.B.", responsável por uma bem-humoradíssima crônica do mês versando sobre o carnaval. No segundo número, infelizmente incompleto, há textos de Francisco Rangel Pestana, Nicolau R. dos Santos França e Leite Filho e Joaquim Oliveira Catunda. (SE)

2 ∞ É provável que Machado de Assis tenha sido sócio da Filomática fluminense; aliás, entre os seus membros figuram nomes a ele ligados, como José Joaquim de Macedo Júnior, Casimiro de Abreu e Nuno Álvares Pereira e Sousa. Quanto a Ramos Figueira, nascido na província fluminense, antes de ir para São Paulo, estudou na Imperial Academia de Belas Artes da corte, e pode ter frequentado a sociedade. Assinale-se que, em *Correspondência Completa de Casimiro de Abreu* (2007), o poeta faz referência à agremiação nas cartas de 07/04 e de 19/04/1859, sendo que nesta última fornece a localização das reuniões: "O pavilhão do Dr. França Leite, onde se celebravam as sessões da – Sociedade Filomática – foi a terra!". Registre-se ainda que na crônica de 01/06/1863, em *O Futuro*, quase um ano antes da presente carta, há um comentário sobre o livro de Ramos Figueira, que deixa claro que Machado de Assis não o desconhecia. Eis o comentário:

"Em São Paulo, publicou o Sr. Luís Ramos Figueira, bacharel em belas-artes e estudante de direito, um volume a que deu por título *Dalmo* ou os *Mistérios da noite*. Em boa justiça devem-se louvores ao Sr. Figueira. Se a sua obra acusa descuidos, revela qualidades de imaginação e apreciação; há nela muitas belezas derramadas por muitas páginas. Uma boa crítica não pode deixar de acolher a obra do Sr. Figueira como um presente que promete outros muitos, e a isso fica virtualmente emprazado o autor. Pertence o Sr. Figueira à mocidade acadêmica de S. Paulo, onde os moços sabem entremear os estudos jurídicos com os literários, e não esquecem a vocação do berço pelo labor do curso acadêmico.". (SE)

3 ∞ Sizenando Nabuco*, amigo de Machado de Assis, e àquela altura estudando direito na Faculdade de São Paulo, era colega do redator-chefe da *Imprensa Acadêmica*. (SE)

4 ∞ Machado de Assis colaborou na *Imprensa Acadêmica* de 17/04 a 25/09/1864, e depois, em 14/08 e 20/08/1868. Sobre a *Imprensa Acadêmica*, ver em [25], carta de 21/08/1864. (SE)

[19]

> De: SIZENANDO NABUCO
> Fonte: Manuscrito Original, Arquivo ABL.

São Paulo, 19 de abril de 1864.

Meu Machado

Salve.

Oh! quanta vaidade há por este mundo de Deus! O nosso amigo Figueira acoimou-me de Poeta e que sei mais. Ora porra! é única resposta. Eu o ensino. Peço-te também por minha vez que não mandes as correspondências a Ramos Figueira – É uma meninice como outra qualquer. Não quero entender. Ou dirijas a mim ou a José Joaquim Peçanha Póvoa[1]. Não quero que estas pequeninas paixões se ergam contra mim.

Mandarás tu um exemplar da *Diva*[2]? Eu te o peço – e espero pelo correio próximo. Vai um jornal para ti e para o Quintino a quem peço algum artigo... entendes tu o deves pedir e enviar-me.

O Meneses[3] está mais apaixonado do que nunca.

E tu, meu Poeta?

No dia 25 pretendo fechar-me no meu quarto, escrever uma página a ti... e chorar por ti... é o dia em que deve ela partir[4].

Ai meu poeta... meu amigo... como te lastimo... o presente... com o teu futuro fico descansado.

Escreveste-me pelo *Piraí*[5]? Ainda não recebi carta.

Adeus, meu bom amigo
Lembra-te sempre do teu

Nabuco.

---

1 ∾ Ver em [14], carta de 13/06/1863. (IM)

2 ∾ Romance de José de Alencar, publicado em 1864, que Machado comentara no primeiro número da *Imprensa Acadêmica*. Sobre este periódico, ver em [25], carta aberta de 21/08/1864. (IM)

3 ~ O jornalista José Ferreira de Meneses*. (IM)

4 ~ Não há consenso entre os biógrafos de Machado de Assis sobre a identidade dessa personagem. (IM)

5 ~ Ver em [15], carta de 07/07/1863. (IM)

[20]

De: SIZENANDO NABUCO
Fonte: Manuscrito Original, Arquivo ABL.

São Paulo, 24 de abril de 1864.

Machado

Salve.

O fogo com que me escreveste foi ardente e passageiro. Ardente, chamo-o eu, só porque respondeste a três cartas minhas! passageiro, porque em ti... perdoa-me, melhor sorte desejo a teu amor. É tese axiomatática[1] (concede-me o termo) que os poetas, como tu, que têm no peito um vulcão, não podem ter a constância, ela teme muito as erupções sentimentais: admira-me que o Etna que tens se conservasse quatro dias sem fogo. Li tua poesia no *Diário*[2]. Consolo-me em ver teu nome. E sempre escrevo-te... sempre... e sempre...

Recebeste o 1.º número[3] (não gostei eu.)

Que resposta têm as minhas cartas? Quero uma pelo próximo correio – com toda a brevidade – recordando-te dos pontos seguintes:

1.º Correspondência (para o jornal.)

2.º Poesias tuas.

Peço-te que me mandes, olha, Machado, que é sério, peço-te como amigo, e se não puderes mandar-me, escreve-me para eu pedir a outro amigo. Repara bem:

1.º quero que me escrevas uma carta sobre a *Túnica de Nessus*[4] para publicá-la com o drama. Deve vir pelo correio com a 1.ª.

2.º que me mandes o parecer do conservatório, e minha resposta — impressos no *Diário do Rio*. — (Olha) —

3.º o Romance *Diva*. (logo que puderes)

Não me faltes.

Recomenda-me aos amigos e escreve a

Teu
Nabuco

---

1 ∾ Luís Viana Filho (1989) transcreveu *cresomatástica*. Entretanto, a leitura atenta do manuscrito indica *axiomatática*, um neologismo deliberado, composto de axioma + tático, talvez tática amorosa, baseada em princípios tão indiscutíveis quanto um axioma. (IM)

2 ∾ Alusão a "Versos a Corina", anônimos no *Correio Mercantil* (publicados em 21/03/1864, 23/03/1864 e 02/04/1864), bem como no *Diário do Rio de Janeiro* (16/04/1864), só trazendo a assinatura de Machado de Assis na parte V, que o *Diário* publicou em 21/04/1864. Ver também em [81], carta de 02/03/1869, e [86], carta aberta de 1869. (IM)

3 ∾ Primeiro número da *Imprensa Acadêmica*. Ver em [25], carta de 21/08/1864. (IM)

4 ∾ Machado escrevera sobre esta peça em *O Futuro* (15/01/1863). A obra ainda não foi encontrada. (IM)

[21]

De: LUÍS GUIMARÃES JÚNIOR
Fonte: Manuscrito Original, Arquivo ABL.

São Paulo, 29 de abril de 1864.

Machado

Recebi — graças a Deus! — a tua cartinha. Não tenho nem novos amores, nem tampouco a ausência da comédia alheia-me da tua lembrança e amizade. Quis que pela primeira vez tivesses a iniciativa. Cedo ou tarde tiveste. Graças a Deus!

O Nabuco[1], que é agora teu amigo (*in petto*), sempre que recebe cartas tuas, fala-me dizendo-me que tu te recomendas e que a *minha* comédia entre tarde ou cedo chegava a esta cidade.

Estás até com mistérios para comigo! Não me disseste que és o *Sileno*[2], correspondente de um jornal do qual sou folhetista! Quando leres as *Garatujas*[3], assinadas por Luciano *de Ataíde*[4], lembra-te de mim.

A tua correspondência é um primor; todos têm admirado essa pena séria e mimosa ao mesmo tempo. Tua, basta.

Adeus, São Paulo está aborrecido e ermo, um cemitério. A literatura entorpecida, tudo morto.

Escreve uma introdução à m*in*ha comédia[5] quando a mandares, que a quero publicar. Sê menos ingrato. Escreve-me e escreve-me.

O Nabuco vai imprimir a *Túnica*. Sei que o *Pomo da Discórdia*[6] vai subir no Ginásio[7]. Parabéns, felicidade.[8]

Crê sempre no
Teu do *Coração*.
Luís Guim^{ães} Jr.

---

1 ∞ Sizenando Nabuco de Araújo*. (IM)

2 ∞ Um dos pseudônimos usados por Machado de Assis na *Imprensa Acadêmica*, jornal dos estudantes da Faculdade de Direito de São Paulo. Como "Sileno", assinou artigos de abril a setembro de 1864. O outro pseudônimo usado mais tarde foi "Glaucus". (SE)

3 ∞ Título dado por Emílio Augusto Zaluar à tradução da comédia de Victorien Sardou – *Pattes de Mouche*, e que virou título do folhetim a que alude Luís Guimarães Júnior. (SE)

4 ∞ Na *Imprensa Acadêmica*, Luís Guimarães Júnior assinava o folhetim com o pseudônimo de "Luciano de Ataíde". (SE)

5 ∞ Como censor do Conservatório Dramático Brasileiro, Machado dera, em 12/03/1864, um parecer favorável e muito elogioso sobre a comédia *Ao Entrar na Sociedade*, concluindo que Luís Guimarães Júnior "é um moço de talento e merece por esse título o aplauso e animação." (IM)

6 ◈ Embora anunciada, parece que a peça não foi à cena; além disso, o texto é considerado até o momento como perdido. (SE)

7 ◈ São Francisco de Paula (1832), São Francisco (1846), Ginásio Dramático (1855) – cada um desses nomes correspondeu a uma reforma ou mudança de propriedade na cronologia deste teatro situado na rua São Francisco de Paula, entre os números 27 e 29, no centro histórico do Rio de Janeiro. (SE)

8 ◈ Uma semana antes, morrera Francisco José de Assis. A vibrante correspondência desse período sugere que Machado não revelara aos amigos a morte de seu pai (22/04/1864). De fato, somente em 22/05/1864 o *Diário do Rio de Janeiro* publica a seguinte comunicação: "J. M. Machado de Assis manda celebrar uma missa por alma de seu pranteado pai Francisco José de Assis, amanhã, 23, às 8 horas da manhã, na matriz do Santíssimo Sacramento.". (IM)

[22]

> De: CAETANO FILGUEIRAS
> *Fonte:* MACHADO DE ASSIS, Joaquim Maria.
> *Crisálidas.* Rio de Janeiro: B. L. Garnier, 1864.
> Setor de Obras Raras. Fundação Biblioteca Nacional. Coleção Francisco Ramos Paz.
> Exemplar autografado. Microfilme do original.

Corte, em 22 de julho de 1864.[1]

O POETA E O LIVRO.
Conversação preliminar.

I.

Há dez anos!... sim... dez anos!...
Como resvala o tempo sobre a face da terra?...

....

Éramos sempre cinco[2], – algumas vezes sete:
O mavioso rouxinol das *Primaveras.*
O melífluo cantor das *Esperanças.*
O inspirado autor das *Tentativas.*

O obscuro escritor destas verdades.

O quinto era um menino... uma verdadeira criança; não tinha nome, e posto que hoje todos lho conheçam, não me convém a mim dizê-lo neste lugar, e tão cedo.

II.

Pago o quotidiano tributo à existência material; satisfeitos os deveres de cada profissão, a palestra literária nos reunia na faceira e tranquila salinha do meu escritório.

Ali, – horas inteiras, – alheios às lutas do mundo, conchegados nos lugares e nas afeições, levitas do mesmo culto, filhos dos mesmos pais – a pobreza e o trabalho, – em derredor do altar do nosso templo – a mesa de estudo... falávamos de Deus, de amor, de sonhos; conversávamos música, pintura, poesia!...

Ali depúnhamos o fruto das lucubrações da véspera, e na singela festa das nossas crenças, novas inspirações bebíamos para os trabalhos do seguinte dia. Era um contínuo deslizar de ameníssimos momentos; era um suave fugir das murmurações dos profanos; era enfim um dulcíssimo viver nas regiões da fantasia!... E foi esse o berço das *Primaveras*[3], das *Tentativas*[4], das *Crisálidas* e das *Efêmeras*[5], e foi dali que irradiaram os nomes de Casimiro de Abreu, de Macedinho[6], de Gonçalves Braga, e com esplêndido fulgor o de Machado de Assis!

A morte e o tempo derribaram o altar, e dispersaram os levitas. Do templo só resta o chão em que se ergueu; e dos amigos só ficaram dois... dois para guardar, como Vestais severas, o fogo sagrado das tradições daqueles dias, e para resumir no profundo afeto que os liga, o laço que tão fortemente estreitava os cinco.

E no instante em que este livro chegar às mãos do primeiro leitor, as campas deles, – diz-mo o coração, – se entreabrirão para receber o saudoso suspiro dos irmãos, e um raio simpático da auréola do poeta!

III.

Éramos, pois, cinco. Líamos e recitávamos. Denunciávamos as novidades: zurzíamos as profanações: confundíamos nossas lições: — segredávamos nossos amores!

O quinto, — o menino, — depunha, como todos nós, sua respectiva oferenda. Balbuciando apenas a literatura, — ainda novo para os seus mistérios, ainda fraco para o seu peso, nem por isso lhe faltava ousadia; antes sobrava-lhe sofreguidão de saber, ambição de louros. Era vivo, era trêfego[7], era trabalhador.

Aprazia-me de ler-lhe no olhar móvel e ardente a febre da imaginação; na constância das produções a avidez do saber, e combinando no meu espírito estas observações com a naturalidade, o colorido e a luz de conhecimentos literários que ele, — sem querer sem dúvida, — derramava em todos os ensaios poéticos que nos lia, dediquei-me a estudá-lo de perto, e convenci-me, em pouco tempo, de que largos destinos lhe prometia a musa da poesia... E por isso quando, lida alguma composição do nosso jovem companheiro, diziam os outros: *bons versos!* mas simplesmente — *bons versos*, — eu nunca deixava de acrescentar, cheio do que afirmava: — *belo prenúncio de um grande poeta!*

IV.

Correram os anos... e como se a seiva dos ramos perdidos se houvesse concentrado no renovo que ficara, o renovo cresceu, cresceu e vigorou! A profecia se foi todos os dias realizando de um modo brilhante.

Hoje a criança é homem; — o aprendiz jornalista e poeta.

Não me enganara... Adivinhei-o! E se alguém descobrir em mim vaidade quando me atribuo positivamente o privilégio e a autoridade desta profecia, declaro desde já que a não declino, que a quero para mim, que a não cedo a ninguém, porque... porque dela me prezo, porque dela me orgulho, porque o profetizado é Machado de Assis, — o bardo de Corina, — o poeta das *Crisálidas!*

V.

Até aqui o amigo: agora, leitor! o crítico.

Eu disse: — o poeta das *Crisálidas*.

Poeta é o autor: *Crisálidas* é o livro.

Crisálidas e poeta... dois lindos nomes... dois nomes sonoros... mas um deles falso!

Como serpe entre rosas, — no meio de tanta consonância deslizou-se uma contradição.

Crisálida é ninfa, é princípio de transformação, aurora da existência, semente de formosura... e os versos de Machado de Assis são gemas cintilantes, vida espalhada, flores e sorrisos. Na mortalha informe e incolor do casulo a graça está em problema, o movimento em risco: os versos de Machado de Assis só guardaram de *ninfa* a beleza e o dom da aeredade[8]! São fúlgidas borboletas que adejam sobre todas as flores da alma, revelando a quem as contempla a perfeição da criatura e o gênio do criador. Não são, pois, crisálidas; se o fossem não seria o autor poeta, e Machado de Assis, leitor, é poeta!

Fala-vos o coração de quem vo-lo diz? Não: protesta unicamente a consciência, e juro-o por minha fé de homem de letras!

VI.

A que escola pertence o autor deste livro?

À mística de Lamartine, à cética de Byron, à filosófica de Hugo, à sensualista de Ovídio[9], à patriótica de Mickiewicz[10], à americana de Gonçalves Dias? A nenhuma.

Qual o sistema métrico que adotou? Nenhum.

Qual a musa que lhe preside às criações?... A mitológica de Homero, a mista de Camões, a católica do Dante, a libertina de Parny[11]? Nenhuma.

A escola de Machado de Assis é o sentimento; — seu sistema a inspiração: sua musa a liberdade. Tríplice liberdade: liberdade na concepção; liberdade na forma; liberdade na roupagem. Tríplice vantagem: — originalidade, naturalidade, variedade!

Sua alma é um cadinho onde se apuram eflúvios derramados pela natureza. Produz versos como a harpa Eólia produzia sons: — canta e suspira como a garganta do vale em noites de verão; pinta e descreve, como a face espelhada da lagoa o Céu dos nossos sertões. E não lhe pergunteis por que: não saberia responder-vos. Se insistísseis... parodiar-vos-ia a epígrafe da sua — *Sinhá* —, o versículo do Cântico dos Cânticos[12], e no tom da maior ingenuidade, dir-vos-ia: — *a minha poesia... é como o óleo derramado!*

E com razão... porque Machado de Assis é a lira, a natureza o plectro. E da ânfora de sua alma ele mesmo ignora quando transbordaram as gotas perfumadas!

VII.

Eis aqui, pois, como Machado de Assis é poeta.

Um Deus benigno, — o mesmo que lhe deu por pátria este solo sem igual, — deu-lhe também o condão de *refletir* a pomposa natureza que o rodeia. Fez mais... mediu por ela esse condão.

Se tivera nascido à sombra do polo, entre os gelos do norte, seus cânticos pálidos e frios traduziriam em silvos os êxtases do poeta, — mas filho deste novo Éden[13], cercado de infinitas maravilhas, as notas que ele desprende são afinadas pelas grandiosas harmonias que proclamam.

É assim duas vezes *instrumento*... e nesta doce correspondência entre a criatura e criador, a *Musa ales*[14], o sagrado mensageiro que une a terra e o Céu é... a inspiração!... É ela que ferve, e derrama da ânfora o óleo perfumado. É ela que marca o compasso ao ritmo, e a escola ao trovador. É ela que lhe diz: canta, chora, ama, sorri... É ela enfim que lhe segreda o tema da canção, e caprichosa, ora chama-se luz, mel, aroma, graça, virtude, formosura, ora se chama Estela, Visão, Erro, Sinhá, Corina!

VIII.

Livres, sentidos, inspirados, os versos do autor das *Crisálidas* são e devem ser eloquentes, harmoniosos e exatos. São — porque ninguém se negará a dizê-lo lendo-os. Devem ser — porque o sentimento e a inspiração constituem a verdadeira fonte de toda a eloquência e de toda a harmonia no mundo moral, e porque a exatidão é o mais legítimo fruto do consórcio destas duas condições.

É um erro atribuir exclusivamente à arte a boa medição do verso. É erro igual ao do que recusa ao ignorante de música, ao dilettanti[15] (*sic*), a possibilidade de cantar com justeza e expressão. Um verso mal medido é um verso dissonante; é um verso que destaca dentre seus companheiros como a nota desafinada ressalta da torrente de uma escala. Num e noutro caso a inteligência atilada pelo gosto, e o ouvido apurado pela lição – arrancam sem socorro da arte o joio que nascera no meio do trigo, e embora a ela recorram para a perfeição da nova planta, nem por isso deixa esta de passar-lhes pela joeira.

IX.

Para o poeta de sentimento a inspiração brota das belezas da natureza, como se elevam os vapores da superfície da terra; mais do vale do que da montanha; mais daqui do que dali. A natureza também tem altos e baixos para inspiração. O crepúsculo, e mesmo o dilúculo, é mais inspirativo que a luz meridiana: – o majestoso silêncio da floresta mais do que o frenético bulício da cidade: – o vagido mais do que as cãs.

A poesia que traduz a inspiração, e o verso que fotografa a poesia devem portanto ressentir-se destas diferenças. Por isso não há livro de bom poeta que não comprove esta verdade. Não é o talento que afrouxa ou dorme como Homero[16]: é a inspiração que varia. Nas menos inspiradas subsiste ainda o engenho, e o engenho é muito.

No livro que vamos folhear, talvez julgueis comigo que poucas composições se aproximam da altura em que o poeta colocou a *Visio* e os alexandrinos *a Corina*. Como não havia de ser assim? Machado de Assis *refletiu* a natureza, e a natureza só criou uma Corina!

X.

Entre a poesia-*arte* – e a poesia-*sentimento*, dá-se, sobre muitas, uma grande diferença: – a erudição.

Como o arrebique que, ocultando os vestígios do tempo revela na face remoçada o poder do artista, mas nunca a mocidade, — a erudição derrama sobre os cantos da lira um verdadeiro fluido galvanizador. A clâmide romana em que se envolve o poeta lhe dissimula — o vácuo do coração, e o coturno grego, que por suado esforço conseguiu calçar, lhe tolhe, apesar de elegante e rico, a naturalidade dos movimentos.

Com demasia de vestidos não é possível correr bem... e a poesia deve correr, correr naturalmente como a infância, como o arroio, como a brisa, e até mesmo como o tufão e como a lava!

O luxo exagerado da roupagem denotava ante a sabedoria antiga — leviandade de juízo: ante a crítica moderna ainda denota na poesia penúria de fantasia. A simplicidade dos modelos Gregos e Hebraicos, que nos legou a literatura dos primeiros tempos desde então proscreveu para o bom gosto, a pretensiosa lição dos pórticos. A facúndia acadêmica sempre emudeceu e atemorizou as almas ingênuas, e nas doces expansões destas, e não nas doutas preleções daquela, colhe a poesia os seus melhores tesouros e os seus mais caros triunfos.

No gênero de poesia das *Crisálidas*, (único sem dúvida de que falo aqui,) é tão evidente esta verdade, tão clara a primazia conferida pelo gosto literário ao improviso sobre a arte, ao sentimento sobre a erudição que basta recordar quais os nomes dos poetas brasileiros ou lusos, que, no meio de tantas e tão variadas publicações, se tornaram e permanecem exclusivamente populares. E para que não vos falte, leitor, um exemplo de notória atualidade comparai Tomás Ribeiro[17] a Teófilo Braga[18], e dizei-me — se o brilhante talento do segundo poderá jamais disputar a palma da poesia à divina singeleza do primeiro.

Machado de Assis é o nosso Tomás Ribeiro, mais inspirado, e talvez mais ardente; e como além de poeta é jornalista guarda a erudição para o jornal... digo mal: não guarda... O cantor de Corina quando escreve versos não levanta a pena do papel, e por isso a história nunca depara lugar entre o bioco de uma e a superfície do outro.

XI.

Seja, porém, qual for vossa opinião sobre todo quanto acabo de conversar convosco seja qual for vosso juízo sobre o modo por que recomendei o livro e o autor, negai-me embora vosso assentimento, mas concedei-me dois únicos direitos. O primeiro é o de fazer-vos crer que estas páginas não são mais do que a dupla e sincera manifestação dos sentimentos do amigo e do crítico. O segundo é o de asseverar-vos, ainda uma vez, que o livro que ides percorrer é flor mimosa de nossa literatura e que o poeta há de ser, – sem dúvida alguma, – uma das glórias literárias deste grande Império.

Na esplêndida cruzada do futuro, são as *Crisálidas* o seu primeiro feito d'armas. Como Bayard[19] a Francisco I.º, a Musa da Poesia armou-o cavalheiro depois de uma vitória.

Dr. Caetano Filgueiras

---

1 ~ Esta carta-prefácio abre a primeira edição de *Crisálidas* (setembro de 1864), que reúne poemas produzidos por Machado de Assis entre 1858 e 1864, e da qual foram impressos mil exemplares. *Crisálidas* não reúne toda a produção poética do período; é uma coletânea daqueles textos que, àquela altura, o escritor julgou deveriam vir à luz. Atendendo ao pedido do jovem autor, o advogado Caetano Filgueiras, que nesse tempo já usufruía de relativo prestígio entre letrados e bacharéis, escreveu esta carta-prefácio. Em 1901, na edição das *Poesias Completas*, fiel ao seu espírito criterioso e avaliativo, Machado de Assis não reuniu, como o nome sugere, toda a sua obra poética já editada, mas uma seleção judiciosamente organizada segundo os critérios de sua maturidade literária. Dos vinte e nove textos da edição original, aproveitou doze. Ainda assim, nos remanescentes, promoveu diversas reformulações; retirou palavras, alterou alguns títulos e a disposição dos poemas, suprimiu epígrafes e erratas, refez trechos, retirou o poema "Embirração" de Faustino Xavier de Novais*, bem como os prefácio e posfácio, este feito em resposta à carta de Filgueiras. Machado de Assis foi um escritor metódico e reflexivo, que sempre buscou o lavor da forma literária. Ver a carta-posfácio em [26], de 01/09/1864. (SE)

2 ~ O Grupo dos Cinco formou-se no escritório de Filgueiras em 1857, na rua de São Pedro n.º 85, rua hoje quase inteiramente desaparecida, em razão da abertura da avenida Presidente Vargas (1944), restando apenas um pequeno trecho, perto de uma

das saídas do metrô, que dá acesso à avenida Marechal Floriano, antiga rua Larga de São Joaquim. O grupo constituído de cinco, às vezes de sete integrantes, seria formado por Casimiro de Abreu*, José Joaquim Cândido de Macedo, Francisco Gonçalves Braga, Caetano Filgueiras e Machado de Assis; os outros dois seriam Augusto Emílio Zaluar e José Alexandre Teixeira de Melo*. Massa (1971) afirma que a correlação feita pelo missivista entre poetas e obras neste prefácio conteria algumas incertezas: as *Primaveras* de Casimiro de Abreu; as *Tentativas* de Gonçalves Braga; e as *Crisálidas* de Machado de Assis. Mas a quem atribuir a autoria das *Esperanças* e das *Efêmeras*? Não reconheceu entre os textos de José Joaquim Cândido de Macedo nenhum dos títulos; nem propôs hipótese para a autoria das *Esperanças*; porém diz que *Efêmeras* figuram como subtítulo do livro *Revelações*, de Augusto Zaluar, frequentador das reuniões da rua de São Pedro. Contudo, examinando os *post-scripta* do livro *Idílios*, de Caetano Filgueiras, encontrou-se referência às *Efêmeras*: seria um livro de sua autoria. Reproduzindo um trecho do periódico *Oriente*, n.° 16, de março de 1867, Filgueiras revela-se o autor: "Damos hoje na parte literária do *Oriente*, uma belíssima poesia do **Sr. Dr. Caetano Alves de Sousa Filgueiras**, o esperançoso poeta dos *Arremedos*, **o já distinto autor das *Efêmeras*.**". Quanto ao autor das *Esperanças*, ainda não se encontrou a referência. (SE)

3 ∞ Livro de poemas de Casimiro de Abreu*. Ver ainda em [1], carta de 19/07/1860. (SE)

4 ∞ Francisco Gonçalves Braga publicou as *Tentativas Poéticas* em 1856, pela Tipografia de Nicolau Lobo Viana & Filhos, com sede na rua da Ajuda n.° 79, Rio de Janeiro, livro que apresenta a seguinte epígrafe: "A lira dos meus pensamentos / Que me alegra nas horas da saudade / Encerra quatro nobres sentimentos: Amor, Pátria, Deus e Liberdade.". O português Francisco Gonçalves Braga (1836-1860) veio para o Brasil aos onze anos, indo inicialmente viver no Recife, passando ao Rio de Janeiro em 1854, onde empregou-se como caixeiro no comércio. Colaborador de *A Marmota Fluminense*, foi a primeira grande influência conhecida sobre o jovem Machado de Assis, que lhe dedicou, em 16/01/1855, o poema "Palmeira", publicado em *A Marmota Fluminense*. Em 12/01/1855, Machado usou como epígrafe ao poema "Ela" versos de seu dileto amigo; e dedicou-lhe também, em 01/05/1855, o poema "Saudades", expressando o sentimento que a viagem de Gonçalves Braga a Portugal lhe provocara. No ano de 1857, tornaram-se assíduos às reuniões no escritório de Filgueiras. (SE)

5 ∞ Ver nota 2 da presente carta. (SE)

6 ∞ Forma pela qual José Joaquim de Macedo Júnior era conhecido entre os amigos. Macedinho nasceu na cidade do Rio Grande de São Pedro (RS), em 1842 ou 1844, tendo se transferido ao Rio de Janeiro em 1857, a fim de estudar na Escola Militar. Em maio de 1858, possivelmente no escritório de Caetano Filgueiras, conheceu Casimiro de Abreu*, bem como deve ter sido ali que conheceu Machado de Assis. Em

1860, Macedinho morreu de febre amarela. Registre-se também que Macedinho era membro da Sociedade Filomática fluminense, tendo publicado um poema no primeiro número do jornal. Sobre a Filomática, ver em [18], carta de 13/04/1864. (SE)

7 ∞ A errata da edição original substituiu "trêfego" por "travesso". (SE)

8 ∞ Nem "aeredade" nem "airedade" encontram-se dicionarizados nos dicionários contemporâneos reconhecidamente canônicos. (SE)

9 ∞ Público Ovídio (43 a.C-17), poeta latino cuja vasta obra tem entre as mais famosas a *Arte de Amar* e as *Metamorfoses*. (SE)

10 ∞ Adam Bernard Mickiewicz (1798-1855) nasceu numa região historicamente limítrofe entre a Polônia e a Lituânia; estudou na Universidade Vilna, mas sua obra foi toda escrita em polonês, composta em versos arrebatados de natureza patriótica. É considerado um dos grandes poetas românticos europeus e o pai espiritual da moderna literatura polonesa. Ver ainda em [9], carta de 14/04/1863. (SE)

11 ∞ Evariste Désiré de Forges, Visconde de Parny (1753-1814) foi poeta extremamente popular no início do século XIX. As suas *Poesias Eróticas* (1778), embora ligadas aos cânones academicistas do século XVIII, são consideradas versos de grande frescor e beleza. (SE)

12 ∞ No poema *Sinhá*, a epígrafe retirada do *Cântico dos Cânticos* (1, 3) "o teu nome é como óleo derramado" elucida-se no versículo seguinte do mesmo *Cântico* e que está ausente da epígrafe: "e as donzelas se enamoram de ti". Filgueiras recria a intenção machadiana contida na epígrafe, atribuindo um sentido universalizador às poesias que está prefaciando porque filhas da inspiração, que ao lado do gênio criador e da originalidade constituem os sustentáculos da fé romântica. É como se dissesse "tua poesia é como óleo derramado, e por causa dela, todos se enamoram de ti". Metáfora, aliás, que Filgueiras retomará mais adiante ao falar da graça poética de Machado: "É ela que ferve, e derrama da ânfora o óleo perfumado. É ela que marca o compasso ao ritmo, e a escola ao trovador. É ela que lhe diz: canta, chora, ama, sorri..." (SE)

13 ∞ O Jardim do Éden é descrito no *Livro do Gênesis* como o lugar perfeito, onde habitavam o primeiro homem, Adão e sua mulher, Eva, após a criação do mundo. O Éden era o paraíso terrestre em que ambos viviam em estado de inocência, sem ainda conhecer o fruto da árvore proibida. Filgueiras filia-se claramente à visão rousseauniana de que as terras americanas seriam esse novo paraíso terrestre, onde a bondade e a pureza intrínsecas ao homem floresceriam, porque ainda não corrompido pelos interesses da vida social. (SE)

14 ∞ Musa alada.

15 ∞ Esta referência ao "diletante" reflete uma visão e um comportamento comum ao espírito dos salões burgueses do século XIX: o cultivo diletante e apaixonado das musas. As peças de José de Alencar, de Joaquim Manuel de Macedo e de Machado de Assis apresentam vez por outra um cultor das musas, seja numa visão francamente idealista, seja numa visão filtrada pela crítica do humor. Há uma comédia de Martins Pena com esse nome, cujo protagonista tem obsessão pelo bel-canto, é um *diletante*, a um ponto tal que obriga a filha e a mulher a estudar música, embora ambas não tivessem o menor interesse. (SE)

16 ∞ Alusão ao verso *Quandoque bonus dormitat Homerus* ("De vez em quando o bom Homero cochila"), de Horácio, em *Ars Poetica*. (SPR)

17 ∞ Tomás Antônio Ribeiro Ferreira (1831-1901) filia-se à linha do poema narrativo sentimentalista, os chamados *poemas romances*. O seu primeiro livro, *Dom Jaime* (1862), foi um estrondoso sucesso, com reedição imediata em 1863. Passado sob o domínio filipino, a trama vai ao encontro dos sentimentos patrióticos portugueses; possui uma estrutura que aproveita ingredientes da novela em folhetim tão em moda (seja na galeria de personagens: a mulher desonrada e abandonada, o enjeitado, o herói perseguido; seja nas ações dramáticas: o assassinato covarde, o encarceramento injusto etc.), bem como consegue enquadrar e neutralizar os principais temas progressistas e humanitários de Victor Hugo, como a bondade natural, os fatores sociais do crime e o direito à rebelião em nome de uma moral íntima. (SE)

18 ∞ Joaquim Fernandes Teófilo Braga (1843-1924) homem de vasta cultura, oriundo da chamada *Geração de 70* que, em Portugal, é filha das contradições do liberalismo implantado numa economia estagnada. Um meio oligárquico em que vicejava um liberalismo de fachada. Ao lado de Antero de Quental, Teófilo Braga foi um dos primeiros condutores dessa geração, que pressionará fortemente no sentido do republicanismo. O seu pensamento exercitou-se em diversas áreas do conhecimento: foi professor de literatura, atividade em que fez alentados estudos etnográficos das fontes da poesia tradicional e as suas origens folclóricas, bem como legou ensaios sobre a literatura portuguesa que ainda hoje mantêm-se como referência; foi também filólogo e gramático. Ao relembrar os tempos de Coimbra, declarou os autores que o influenciaram em seu lavor poético: Michelet, Vico e Victor Hugo. "Minha alma", diz ele, "foi mergulhada num oceano de poesia". De sua ação política constante resultou a organização do partido republicano português, atividade que o levou à presidência da república num governo de transição, em 1915, após a saída de Manuel de Arriaga. (SE)

19 ∞ Pierre Terrail, Senhor de Bayard, dito *Chevalier sans peur et sans reproche* (Cavaleiro sem medo e sem nódoa); foi considerado o mais bravo guerreiro de seu tempo. Distinguiu-se nas guerras da Itália, sob Luís XII e Francisco I (1497-1547). Este fez questão de ser armado cavaleiro por Bayard, depois da batalha de Marignan (1515). (SPR)

[23]

> De: UM AMIGO E COLEGA
> *Fonte*: Fundação Biblioteca Nacional.
> "Ao Acaso". *Diário do Rio de Janeiro*, 1864. Setor de Periódicos. Microfilme do original impresso.

[Rio de Janeiro, 7 de agosto de 1864.][1]

Meu caro poeta.[2]

Nunca ambicionei, como neste momento, possuir a pena maravilhosa que manejas com tanta facilidade e talento, e que se ufana do gracioso condão de transmitir ao leitor o eco simpático e ainda vibrante de tuas inspirações.

Mas como te conheço, sei que não recusarás a um teu obscuro admirador, um pequeno espaço em teu apreciável folhetim, para te dar notícia de uma reunião a que não assististe, mas de que eu e muita gente conservamos a mais grata recordação.

Em um dos mais pitorescos arrabaldes da cidade, e à porta de uma casa conhecida pela amabilidade dos seus donos, entrava sábado passado um grande número de pessoas que haviam sido convidadas para assistir às fogueiras de Sant'Ana.

Os salões acharam-se em breve povoados de um luzido, elegante e distinto concurso.

O primor das *toilettes*, a formosura e donaire de muitas senhoras e moças que animavam com sua presença[3] o risonho recinto daquelas salas, o movimento das danças, as melodias do canto, os sons harmoniosos da música, o rumor incessante das conversações, os ditos de espírito que se cruzavam, os raios fulgurantes dos olhos que se encontravam, e falavam muitas vezes inspirados em sua muda eloquência, tudo isto enfim imprimiu ao encanto desta noite um cunho de interesse, prazer, movimento e alegria que deu um notável realce à festa.

Não me cansarei em mencionar-te o número das quadrilhas, o nome das polcas, a estatística completa do itinerário dançante; basta que te diga que os minutos e os instantes foram aproveitados com usura, e que havendo o baile começado às oito horas da noite, às seis da madrugada se dançava com frenético e delirante entusiasmo.

A esta hora, porém, sucedeu ao rumor vertiginoso do folgar profano, o concentrado silêncio da adoração religiosa. Foi bela e sublime ideia! Os convidados que haviam tomado parte nos divertimentos da noite, foram assistir a uma missa celebrada em um oratório, ao lado dos salões brilhantes, que ainda há poucos momentos estremeciam ao ruído das danças, ao eco estridente das músicas e ao som encontrado dos risos[4] e das palavras!

Depois da festa, a festa de Deus! Depois do gozo, a adoração! Depois do sentimento, o êxtase! Depois do homem, o criador por ele glorificado! Era um quadro novo e impressionável (*sic*)[5]!

Sobre aqueles tapetes, onde poucos instantes antes se agitavam os pés mimosos e rugiam as sedas das elegantes damas, ajoelhavam-se elas agora, prestando o ouvido atento às notas da música religiosa e dos cantos divinos, mais belos ainda e radiantes com este batismo de adoração matinal!

Os que assistiram a este ato sentiram-se melhores, rendendo depois do prazer graças à Providência! A noite consagrada a esta festa não se gastou inutilmente. A consciência revelou a todos que haviam praticado uma ação boa, e os convidados dispersaram-se depois desta cerimônia, agradecidos para com Deus, e gratos para com aqueles que haviam sido os intermediários entre as festas do céu e as da terra!

Que mais acrescentarei a essas palavras? Dizer-te que o serviço, a franqueza, o geral contentamento corresponderam às delicadezas dos donos da casa, seria dizer[6] um pleonasmo, depois de haver-te contado o que se passou, e de saberes[7] quem eles são.

Prometi-te, como se faz às namoradas, uma lembrança da reunião. Aceita estas linhas, e possam elas, perfumadas ao contato de teus poéticos pensamentos, receder como os ramos de violetas que as moças desprendem do seio ao voltar do baile.

Teu amigo...

1 ∾ Data de publicação. O assunto é a festa de Sant'Ana (dia 26 de julho), que caiu numa terça-feira em 1864. Como o missivista narra uma festa realizada no sábado, podemos supor que ela tenha ocorrido na noite de 31 de julho, e a carta certamente foi escrita entre os dias 1.º e 6 de agosto. (IM)

2 ∾ O folhetim de 07/08/1864 trata de vários assuntos. Já na parte final, Machado escreve:

> "Para que os leitores não deixem de ter desta vez uma página de bom quilate, recebi pressuroso a carta que me enviou um amigo e colega, e que vai transcrita adiante. / Alguns leitores quereriam talvez que eu suprimisse as palavras laudativas com que o meu colega e amigo me honra nesta carta, isto por conveniência e modéstia, — daquela modéstia *qu'on impose aux autres*, como diz Alphonse Karr. Todavia, eu tomo a liberdade de inserir a carta integralmente, porque isso em nada prejudica a modéstia natural e verdadeira, — que é muito diversa da modéstia de convenção e de palavra. / Feito o que, dou a palavra ao meu colega e amigo:"

Poderíamos supor, dentre os colegas (no *Diário do Rio de Janeiro*) e amigos, que o missivista fosse Quintino Bocaiúva*, Henrique César Muzzio* ou Salvador de Mendonça*. Pelo estilo e a maneira delicada de transmitir os sentimentos, seria este último o autor? (IM)

3 ∾ Na edição da Jackson (1937), "com *a* sua presença". (IM)

4 ∾ Na supracitada edição, "sorrisos". (IM)

5 ∾ Na supracitada edição, "impressionante". (IM)

6 ∾ Na supracitada edição, "fazer". (IM)

7 ∾ Na supracitada edição, "saber". (IM)

[24]

> De: LUÍS GUIMARÃES JÚNIOR
> *Fonte:* Manuscrito Original, Arquivo ABL.

São Paulo, 12 de agosto de 1864.[1]

Machado, *my dearest*.

Não estou zangado contigo, nem tenho razões. Há sempre uma coisa que eu sinto no fundo do meu peito é meu coração. Para ti ele está novo sempre.

Acredite-me, meu amigo, eu queria estar hoje ao pé de ti; tanta coisa para dizer-te! Eu tenho sofrido, Machado, tenho sofrido como se pode sofrer na minha idade! Juro-te.

Deixemos essas lacrimosas ideias. Depois da tristeza, negócios.

Não te mandei o artigo por esquecimento. Talvez to mande depois. Manda-me dizer se podes publicar alguns artigos meus no *Diário*.

A política ferveu[2]. Hoje à noite, nós damos uma ceia aos eleitores liberais. Adeus, pois; teu recomendado será servido em tudo o que desejar.

Adeus e escreve-me.

Todo teu
Luís C. P. Guim^{ães} Jr.

---

1   O ano é **1864**. Devido à má grafia do último algarismo, a carta foi datada de 1867 na *Revista da Academia Brasileira de Letras* (42, 1933). Naquele ano, o autor fazia o curso jurídico em Recife. (IM)

2   O fato político relevante nacional era a crise do segundo Ministério Zacarias, que caiu em 31 de agosto. No *Diário do Rio de Janeiro* (14 e 28/08/1864), Machado desfechou ataques bastante atrevidos contra o ministro Zacarias de Góes e Vasconcelos (1815-1877), a quem, acalmados os ânimos, deveria a primeira nomeação para o serviço público (1867). Já do ponto de vista da "mocidade acadêmica" de São Paulo, os ânimos liberais ferviam devido aos ataques do senador José Martins da Cruz Jobim. Em "Ao acaso" (*Diário do Rio de Janeiro*, 14/08/1864), Machado de Assis se refere a Jobim, declarando: "Tive a pachorra de ler o último discurso de S. Excia., de fio a pavio".

E, depois de comentários irônicos sobre algumas invectivas, contesta o parlamentar conservador, que apontara "o quadro lúgubre dos costumes acadêmicos de S. Paulo":

"A mocidade de S. Paulo é a mocidade; alegre, festiva, folgazã; mas tudo isto, na medida conveniente, sem excitar tão grandes receios pelos costumes públicos. É uma mocidade inteligente, estudiosa, laboriosa: — funda jornais, como a excelente *Imprensa Acadêmica*, funda associações [...]. / Nessas associações a mocidade estuda, aprende, discute, escreve, aperfeiçoa-se, estabelece o exemplo, anima os menos laboriosos e audazes; em suma, cria esses grandes núcleos de que têm saído tantas e tão vastas inteligências."

Em tal episódio, a defesa dos estudantes liberais fora assumida pelo senador paulista Fonseca. J. J. Peçanha Póvoa, em artigo "Os estudantes de São Paulo e S. Exa. o Sr. Senador Fonseca", publicado no volume *Anos Acadêmicos — 1860-1864*, ataca violentamente Jobim e louva o defensor. Sobre Póvoa, ver em [14], carta de 13/06/1863. (IM)

[25]

Para: IMPRENSA ACADÊMICA[1]
Fonte: Fundação Biblioteca Nacional. *Imprensa Acadêmica.* São Paulo: Alemã, 1864-1871.
Setor de Obras Raras. Impresso original.

Corte, 21 de agosto de 1864.

Meus bons amigos[2]:

Um cantinho em vosso jornal para responder duas palavras ao se*nho*r Sílvio-Silvis, folhetinista do *Correio Paulistano*, a respeito da minha comédia o *Caminho da Porta*[3].

Não é uma questão da susceptibilidade literária, é uma questão de probidade.

Está longe de mim a intenção de estranhar a liberdade da crítica, e ainda menos a de atribuir à minha comédia um merecimento de tal ordem que se lhe não possam fazer duas observações. Pelo contrário eu não ligo ao *Caminho da Porta* outro valor mais que o de um trabalho rapidamente escrito, como um ensaio para entrar no teatro.

Sendo assim, não me proponho a provar que haja na minha comédia — *verdade, razão* e *sentimento*, cumprindo-me apenas declarar que eu não tive em vista comover os espectadores, como não pretendeu fazê-lo, salva a comparação, o autor da *Escola das mulheres*[4].

Tampouco me ocuparei com a deplorável confusão que o senhor Sílvio-Silvis faz entre a *verdade* e a *verossimilhança*; dizendo: "*Verdade não tem a peça que até é inverossímil*". — Boileau[5], autor de uma arte poética que eu recomendo à atenção do Sílvio-Silvis, escreveu esta regra:

Le vrai peut quelquefois n'être pas vraisemblable[6].

O que me obriga a tomar a pena é a insinuação do furto literário, que me parece fazer o senhor Sílvio-Silvis, censura séria que não pode ser feita sem que se aduzam provas. Que a minha peça tenha uma fisionomia comum a muitas outras do mesmo gênero, e que, sob este ponto de vista, não possa pretender uma originalidade perfeita, isso acredito eu; mas que eu tenha copiado e assinado uma obra alheia, eis o que eu contesto e nego redondamente.

Se, por efeito de uma confusão, tão deplorável como a outra, o senhor Sílvio-Silvis chama furto à circunstância a que aludi acima, fica o dito por não dito, sem que eu agradeça a novidade. Quintino Bocaiúva, com a sua frase culta e elevada, já me havia escrito: "As tuas duas peças, *modeladas ao gosto dos provérbios franceses*, não revelam mais do que a maravilhosa aptidão do teu espírito, a própria riqueza do teu estilo." E em outro lugar: "O que te peço é que apresentes neste mesmo gênero algum trabalho mais sério, mais novo, *mais original, mais completo.*"

É de crer que o senhor Sílvio-Silvis se explique cabalmente no próximo folhetim.

Se eu insisto nesta exigência não é para me justificar perante os meus amigos, pessoais ou literários, porque esses, com certeza, julgam-me incapaz de uma má ação literária. Não é também para desarmar alguns inimigos que tenha aqui, apesar de muito obscuro, porque eu me importo mediocremente com o juízo desses senhores. Insisto em consideração ao público em geral.

Não terminarei sem deixar consignado todo o meu reconhecimento pelo agasalho que a minha peça obteve da parte dos distintos acadêmicos e do público paulistano. Folgo de ver nos aplausos dos primeiros uma animação dos soldados da pena aos ensaios do recruta inexperiente.

Nesse conceito de aplausos lisonjeia-me ver figurar a *Imprensa Acadêmica* e, com ela, um dos seus mais amenos e talentosos folhetinistas.

Reitero, meus bons amigos, os protestos da minha estima e admiração.

Machado de Assis.

---

1 ∾ A Faculdade de Direito de São Paulo foi criada após a independência, consoante o projeto político de formar as elites no Brasil e não mais na Europa; elite, é bom lembrar, oriunda em sua maior parte da classe dos proprietários de terras, que desenvolvia a produção agrícola; portanto, fazendo uso da mão de obra servil. Os rapazes, entre os quinze e os vinte anos, viviam em repúblicas, formando um grupo não inteiramente assimilado, em razão do comportamento ruidoso que escandalizava a pequena cidade. Terminados os estudos, abandonavam a vida de excessos, assumindo os papéis sociais a que estavam destinados; mas, enquanto em São Paulo, além da vida acadêmica e das farras, editavam revistas, nas quais os assuntos iam da política à récita em benefício a alguma atriz famosa. A *Imprensa Acadêmica* era o periódico dos estudantes paulistas; fundada em 17/04/1864, circulou até 24/09/1871 e teve orientação francamente liberal. Engajada nas questões políticas, a revista advogava a proibição dos castigos corporais no exército; a difusão da instrução dos jovens, com a criação de novas universidades; a liberdade de pensamento; e também era favorável à guerra com o Paraguai. Além disso, a linha editorial era *cautelosamente* antiescravagista, já que a maioria dos seus redatores era oriunda das famílias de proprietários de terras e escravos. Nela, Machado de Assis colaborou em dois momentos. Em 1864, enviou nove matérias para a seção *Correspondência*, sob o pseudônimo de "Sileno" (17 de abril; 1.° e 12 de maio; 17 e 28 de julho; 25 de agosto; 7, 15 e 25 de setembro). Depois, em 1868 (14 e 20 de agosto), sob a direção de Antônio Cândido da Cunha Leitão, colaborou na seção *Correspondência da Corte*, usando o pseudônimo de "Glaucus". Em 1870 recebeu de Pedro W. de Melo e Cunha*, diretor da revista um novo convite, mas declinou. (SE)

2 ⁕ Dirigida aos redatores regulares da revista: Luís Ramos Figueira* (redator-chefe), José Joaquim Peçanha Póvoa (5.º ano), Joaquim Xavier da Silveira (4.º ano), Antônio Antunes Ribas (3.º ano), Antônio Cordeiro Negreiros de Saião Lobato (2.º ano) e Emiliano Rodrigues (1.º ano), esta carta aberta saiu na seção "O que há de novo?", em 28/08/1864. Veicula a resposta de Machado de Assis à acusação de plágio feita pelo correspondente do *Correio Paulistano*, Sílvio-Silvis, cuja identidade ainda é desconhecida. Durante as festividades da fundação do curso jurídico da faculdade, em 11/08/1864, foi levada à cena a peça *O Caminho da Porta*, o que motivou a acusação de Sílvio-Silvis e deu ensejo à resposta vigorosa de Machado. Sobre o *Correio Paulistano*, ver em [10] carta de 14/04/1863. (SE)

3 ⁕ Segundo a *Imprensa Acadêmica*, em São Paulo, o elenco da comédia era composto de Gabriela da Cunha (D. Carlota), Lopes Cardoso (Dr. Cornélio), Joaquim Augusto (Valentim) e João Elói (Sr. Inocêncio). Além da peça de Machado de Assis, representou-se também a comédia de Ferreira de Meneses – *De um Argueiro um Cavaleiro*. Em 14/08/1864, saiu uma detalhada crítica sobre *O Caminho da Porta* no folhetim do jornal dos estudantes, assinada por "Janny", pseudônimo do jornalista Ferreira de Meneses. (SE)

4 ⁕ Comédia de Molière (Jean Baptiste Poquelin, 1622-1673), em que o autor satiriza o enclausuramento das mulheres e a educação que lhes era dada nos conventos. Ver em [51], carta de 09/08/1866. (SE)

5 ⁕ Nicolas Boileau-Despréaux (1636-1711) passou à história sobretudo por seu poema *Art Poétique*, em que apresentou os princípios do classicismo: a literatura deve imitar a natureza, e o seu ideal é a verdade; o poeta deve guiar-se pela imitação dos clássicos, pela razão e pelo gosto; só os temas verdadeiros e os verossímeis se ajustam à razão; e o teatro deve respeitar as três unidades: a de ação (a principal, que pode excluir as secundárias), a do tempo (a trama deve desenvolver-se em um dia) e a de lugar (a ação deve se dar em um único lugar). (SE)

6 ⁕ O verdadeiro pode algumas vezes não ser verossímil. (SE)

[26]

Para: CAETANO FILGUEIRAS
Fonte: MACHADO DE ASSIS, Joaquim Maria. *Crisálidas*. Rio de Janeiro: B. L. Garnier, 1864. Setor de Obras Raras. Fundação Biblioteca Nacional. Coleção Francisco Ramos Paz. Exemplar autografado. Microfilme do original.

Rio de Janeiro, 1.° de setembro de 1864.

Meu amigo.

Agora que o leitor frio e severo pôde comparar o meu pobre livro[1] com tua crítica benévola e amiga, deixa-me dizer-te rapidamente duas palavras.

Recordaste os nossos amigos, poetas na adolescência, hoje idos para sempre dos nossos olhos e da glória que os esperava. Tão piedosa evocação será o palladium[2] do meu livro, como o é a tua carta de recomendação. Vai longe esse tempo. Guardo a lembrança dele, tão viva como a saudade que ainda sinto, mas já sem aquelas ilusões que o tornavam tão doce ao nosso espírito. O tempo não corre em vão para os que desde o berço foram condenados ao duelo infausto entre a aspiração e a realidade. Cada ano foi uma lufada que desprendeu da árvore da mocidade, não só uma alma querida, como uma ilusão consoladora.

A tua pena encontrou expressões de verdade e de sentimento para descrever as nossas confabulações de poetas, tão serenas e tão íntimas. Tiveste o condão de transportar-me a essas práticas da adolescência poética; lendo a tua carta pareceu-me ouvir aqueles que hoje repousam nos seus túmulos, e ouvindo dentro de mim um ruído de aplauso sincero às tuas expressões, afigurava-se-me que eram eles que te aplaudiam, como no outro tempo, *na tua pequena e faceira salinha*[3].

Essa recordação bastava para felicitar o meu livro. Mas onde não vai a amizade e a crítica benevolente? Foste além: — traduziste para o papel as tuas impressões que eu, — mesmo despido desta modéstia oficial dos preâmbulos e dos epílogos, — não posso deixar de aceitar como parciais e filhas do coração. Bem sabes como o coração pode levar a injustiças involuntárias, apesar de todo o empenho em manter uma imparcialidade perfeita.

Não, o meu livro não vai aparecer como o resultado de uma vocação superior. Confesso o que me falta que é para ter direito de reclamar o pouco que possuo. O meu livro é esse pouco que tu caracterizaste tão bem, atribuindo os meus versos a um desejo secreto de expansão; não curo de escolas ou teorias; no culto das musas não sou um sacerdote, sou um fiel obscuro da vasta multidão dos fiéis. Tal sou eu, tal deve ser apreciado o meu livro; nem mais, nem menos.

Foi assim que eu cultivei a poesia. Se cometi um erro, tenho cúmplices, tu e tantos outros, mortos, e ainda vivos. Animaram-me, e bem sabes o que vale uma animação para os infantes da poesia. Muitas vezes é a sua perdição. Sê-la-ia para mim?

O público que responda.

Não incluí neste volume todos os meus versos. Faltou-me o tempo para coligir e corrigir muitos deles, filhos das primeiras incertezas[4]. Vão porém todos, ou quase todos os versos de recente data. Se um escrúpulo de não acumular muita coisa sem valor me não detivesse, este primeiro volume sairia menos magro do que é; entre os dois inconvenientes preferi o segundo.

Como sabes, publicando os meus versos, cedo às solicitações de alguns amigos, a cuja frente te puseste. Devo declará-lo, para que não recaia sobre mim exclusivamente a responsabilidade do livro. Denuncio os cúmplices para que sofram a sentença.

Não te bastou animar-me a realizar esta publicação; a tua lealdade quis que tomasses parte no cometimento, e com a tua própria firma selaste a tua confissão. Agradeço-te o ato e o modo por que o praticaste. E se a tua bela carta não puder salvar o meu livro de um insucesso fatal, nem por isso deixarei de estender-te amigável e fraternalmente a mão.

Machado de Assis.

1 ⁘ Esta carta-posfácio figurou na primeira edição das *Crisálidas* (setembro de 1864); mas, na edição das *Poesias Completas* (1901), foi retirada pelo autor juntamente com a carta prefácio. Sobre a carta prefácio, ver em [22], carta de 22/07/1864. (SE)

2 ⁘ Nome tutelar da cidade de Roma, mais tarde assimilada à Palas grega. Em sentido figurado, significa garantia de salvaguarda, certamente a acepção usada na carta por Machado. (SE)

3 ⁘ Sobre o escritório de Caetano Filgueiras, ver em [22], carta de 22/07/1864. (SE)

4 ⁘ Os critérios de análise e revisão pautarão sempre a atitude de Machado de Assis em relação à publicação de suas obras. Ver em [22], carta de 22/07/1864. (SE)

[27]

De: NUNO ÁLVARES PEREIRA E SOUSA
Fonte: Manuscrito Original, Arquivo ABL.

Rio de Janeiro, 19 de setembro de [1864.]¹
Meu querido Machado

Quando o teu *Diário* tiver absoluta falta de matéria para as suas colunas² [,] eu te peço que transcrevas o artigo incluso da *Imprensa Acadêmica*³ sobre as minhas "folhas soltas"⁴, pois que tencionando dev[er]⁵ ao amável público uma 2.ª edição, isso serve para mostrar-lhe que o livreco é ainda procurado.

Adeus. Muito breve terei uma longa conversa contigo, quando minha alma purificar-se com a leitura das tuas *Crisálidas*.

Teu
pelo Coração
Nuno Álvares

---

1 ⁘ Esta carta é de 1864, pois o artigo a que Nuno Álvares faz menção foi localizado no original da *Imprensa Acadêmica* da Fundação Biblioteca Nacional, e saiu naquele jornal em 18/08/1864. (SE)

2 ∾ Nos pequenos jornais, com reduzida equipe de redatores, algumas vezes recorria-se ao expediente de incluir matéria de outros periódicos do Brasil ou mesmo de Portugal, para conseguir fechar os espaços vazios. (SE)

3 ∾ O artigo saiu na *Imprensa Acadêmica* de 18/08/1864, p. 3, na seção "Literatura Acadêmica". Trata-se de uma carta aberta do estudante Paulo Egídio ao redator Joaquim Xavier da Silveira, a propósito do livro *Folhas Soltas*, de Nuno Álvares. Eis um trecho da carta aberta de Egídio:

"Não sei, meu amigo, que indizível condão é esse, que preside certos livros! Sintam embora a cabeça e o coração o gelo da vida prosaica, que lhes gasta a seiva e o vigor, anelos e ideais, que elevam a alma do chão rasteiro da terra às alturas das esferas, e como um bálsamo celeste a fecundam com os santos orvalhos de um verbo evangelizador. [...] Nuno Álvares é um pintor como Rafael, Cláudio Lorrain e Davi, um poeta, como Virgílio, Teócrito e Bernardim (*sic*) de Saint-Pierre [...]" (SE)

4 ∾ O livro de poemas *Folhas Soltas* saiu em 1.ª edição pela Tipografia Quirino & Irmão, no Rio de Janeiro, em 1860. Não há informação de que tenha havido uma 2.ª edição, como era intenção do autor. Registre-se que em *O Futuro* de setembro de 1862, Nuno Álvares publicou uma das suas *Folhas Soltas*. (SE)

5 ∾ Trecho do original danificado, mas pôde-se inferir o sentido com razoável grau de certeza. (SE)

[28]

Para: IMPRENSA ACADÊMICA
Fonte: MASSA, Jean-Michel. (Org.) *Dispersos de Machado de Assis*. Rio de Janeiro: Ministério da Educação e Cultura / Instituto Nacional do Livro, 1965.

[Rio de Janeiro, 9 de outubro de 1864.][1]

Meus amigos: – declarou o S*enh*or Sílvio-Silvis[2] que não se referia a mim nos seus trocadilhos acerca dos donos e ladrões de obras literárias. Estou satisfeito.

Acrescentarei apenas mais duas observações:

A primeira é que o folhetim do *Correio Paulistano* saiu de uma confusão para cair em outra; confundiu o verdadeiro com o verossímil, agora confunde o verdadeiro com o verídico. Não é nem uma nem outra coisa.

A segunda é que não tive intenção de ofendê-lo; usei de um direito que ele próprio reconhece.

Machado de Assis

---

1 ∞ Publicada na seção "O que há de novo?", começando com a frase: "Recebemos a seguinte comunicação:" (*Imprensa Acadêmica*, São Paulo, n.º 50, 09/10/1864). Em [25], carta aberta de 21/08/1864, foi possível a transcrição do periódico original, conservado no setor de Obras Raras da Fundação Biblioteca Nacional. Infelizmente, a coleção ali reunida se encerra antes do número que traz esta segunda carta aberta. Tal circunstância nos fez utilizar a transcrição de Massa (1965). (IM)

2 ∞ Folhetinista do *Correio Paulistano*, desconhecido dos biógrafos. Tampouco há informações sobre a sua reação à carta de Machado, [25], defendendo-se das críticas que recebera. (IM)

[29]

De: JOAQUIM SERRA
Fonte: *Cartas de Joaquim Serra a Machado de Assis*.
Revista da Academia Brasileira de Letras, III,
Rio, 1911, p. 58-74.

Paraíba, 16 de novembro de 1864.[1]

Meu caro *Senho*r Machado de Assis,

O nome que firma esta carta é o de obscuro peão nobilitado por vós[2]. Até ontem ninguém nessa Corte, tão lustrosa de talentos, sabia e nem queria saber quem fosse o pobre provinciano, que tivestes a longanimidade de ir procurar tão embaixo.

Três vezes obrigado. Que eu vos conhecesse e fosse vosso amigo, sem que entretanto nunca nos tivéssemos visto, não é coisa reparável. O sol dá luz para todos. Eu, porém, com que títulos conquistei afeição tão delicada, apreço tão elevado para o meu diminuto valor?

Não sei; são dessas generosidades ingênitas nas almas grandes, e que se admiram e se não discutem.

Desde os *Desencantos*[3] que sigo com simpática vista e sempre crescente curiosidade os altaneiros voos do cantor de *Corina*[4]. Por esse motivo a leitura do *Diário do Rio* é sempre motivo de sincero júbilo para mim. Nunca esperei, porém, pela surpresa, que foi-me reservada em o *número* 293 do *Diário.*

Tanta gentileza na hospedagem! Tanta coisa bonita naquela apresentação!

Levantando os humildes, mais se engrandecem os verdadeiros poderosos.

Se eu não soubesse da angélica bondade do mimoso folhetinista, suporia que o final do seu escrito [a]inda fora lançado com o mesmo humor da sátira inicial, com que fez o espirituoso pregão, pedindo um Cervantes para o *espertocrata* do Paraguai[5].

Mas não; alma de poeta, como a sua, não se apraz com a ironia, que mortifica.

Para os espíritos de elite é essa uma arma de luxo, com que nunca abusam para ferir.

O nosso Nuno Álvares[6] terá sido muito mau, se não lhe tiver dito que eu o amo de coração. Ele terá sido um emissário infiel, se da minha parte não tiver lhe oferecido o meu retrato, fazendo a recomendação de vir o seu, como lhe foi notificado.

Finalmente, ele terá cometido uma falta imperdoável (e essa creio que foi cometida), não declarando-lhe que sitibundo espero o volume das *Crisálidas*, que me foi prometido, e que é esperado com tão estremecida ânsia.

O que mais lhe hei de dizer? O título de amigo que solicito, é a síntese do que sinto por sua pessoa.

Através dos mares, receba o abraço de quem preza o seu talento e ambiciona a sua afeição.

Seu amigo sincero
Joaquim Serra

---

1 ◦ Joaquim Serra era então secretário de governo da província da Paraíba do Norte, cujo presidente Sinval Odorico de Moura (1828-1885) teve mandato de 18/05/1864 a 07/07/1865. No documento oficial – *Relatório à Assembleia Legislativa Provincial*, de 01/10/1864, Sinval Odorico de Moura declara: "**Tomou posse do cargo de Secretário da presidência** o cidadão Joaquim Maria Serra Sobrinho, **no dia 18 de agosto último**, [...]". Serra, portanto, estava na Paraíba havia três meses. (SE)

2 ◦ Na crônica de 27/09/1864, do *Diário do Rio de Janeiro*, Machado de Assis, cultor dos temas clássicos, lamentara a morte do tradutor e poeta maranhense Odorico Mendes (17/09/1864), por quem Serra nutria grande apreço. Mendes traduzira a *Eneida* de Virgílio (1854), publicara as obras completas do poeta latino (1858), bem como traduzira a épica de Homero, *Ilíada* e *Odisseia*, saídas após a sua morte (1874 e 1928). Possivelmente, Machado de Assis leu alguns desses clássicos em tradução de Odorico Mendes. Em 24/10/1864, sem conhecer Serra pessoalmente, embora tenha se medido com ele em *A Marmota* na "Polêmica dos Cegos" (1858), Machado cedeu-lhe espaço no *Diário do Rio*, n.º 293, para o elogio fúnebre de Odorico Mendes, apresentando-o muito gentilmente a seu público, atitude que desvaneceu o jovem Serra e deu origem à presente carta. Eis o que diz Machado:

"Joaquim Serra não é decerto um nome desconhecido aos leitores dos bons escritos e aos amigos dos talentos reais. J. Serra é um jovem maranhense, dotado de uma bela inteligência, que se alimenta dia por dia com sólidos estudos. A imprensa literária e política do Maranhão conta muitos escritos valiosos do nosso distinto patrício. J. Serra é hoje secretário do governo da Paraíba." (SE)

Em 14/11/1864, outra vez, Machado de Assis abriu as páginas do *Diário do Rio* para o elogio de Odorico Mendes, valendo-se dessa vez de um poema de Joaquim Serra. Essa amizade, inicialmente epistolar, se estreitará ainda mais após a transferência definitiva de Serra para a corte. Registre-se ainda que, numa emocionada crônica de 05/11/1888, Machado de Assis lamentará a perda de seu querido amigo. Ver ainda em [65], carta de 03/03/1867. (SE)

3 ◦ Em 1861, a peça *Desencantos* foi editada por Paula Brito e dedicada a Quintino Bocaiúva*, que a essa altura era um dos grandes nomes da cena, depois do sucesso de

Onfália (1860); contudo não há notícia de que *Desencantos* tenha subido à cena. Deve-se assinalar que, de fato, esta é a primeira comédia autoral de Machado de Assis, já que *Hoje Avental, Amanhã Luva* era uma "imitação" de *La Chasse au Lion*, de Gustave Nadeau e Emile Najac. Sobre Francisco de Paula Brito, ver em [5], carta de 30/05/1862. (SE)

4 ∾ Sobre "Versos a Corina", ver em [81], carta de 02/03/1869. (SE)

5 ∾ Referência ao início da crônica de 24/10/1864 do *Diário do Rio de Janeiro*, em que Machado de Assis ironiza o oportunismo político de Solano Lopes:

"Canta, ó deusa, a cólera do presidente Lopes! / O presidente Lopes não quis deixar passar esta ocasião de brilhar; conseguiu apanhá-la pelos cabelos. Era a mais propícia para trazer à tona da água os seus sentimentos de liberdade, de independência e de democracia, – três vocábulos sonoros que têm conceituado muita gente, debaixo do sol. / Dizia-se há muito que o presidente Lopes nutria pretensões monárquicas e preparava o terreno para cingir um dia a coroa paraguaia; mas S. Excia. é, antes de tudo, democrata americano; onde quer que ouça gemer a democracia americana, – não hesita, – pede a sua espada de Toledo, cinge o capacete de guerra e dispõe-se a ir verter o sangue em defesa da mãe comum. [...] / É uma santa coisa a democracia, – não a democracia que faz viver os espertos, a democracia do papel e da palavra, mas a democracia praticada honestamente, regularmente, sinceramente. Quando ela deixa de ser sentimento para ser simplesmente forma, quando deixa de ser ideia para ser simplesmente feitio, nunca será democracia, – será esperto-cracia, que é sempre o governo de todos os feitios e de todas as formas. / A democracia, sinceramente praticada, – tem os seus Gracos e os seus Franklins; quando degenera em outra coisa tem os seus Quixotes e os seus Panças. Quixotes no sentido da bravata. Panças no sentido do grotesco." (SE)

6 ∾ Nuno Álvares Pereira e Sousa*, maranhense residente na corte, companheiro de Machado de Assis desde os tempos das Sociedades Petalógica e Filomática, era muito amigo de Joaquim Serra e tinha vivo interesse em aproximá-los. (SE)

[30]

> Para: TEIXEIRA DE MELO
> *Fonte*: Fundação Biblioteca Nacional. "Ao Acaso".
> *Diário do Rio de Janeiro*, 1864. Setor de Periódicos.
> Microfilme do original impresso.

Rio de Janeiro, 22 de novembro de 1864.[1]

Meu caro Alexandre.

Lembrei-me há dias de ti, e parece que era um eco simpático, visto que também não há muitos dias te lembraste de mim. A distância não descasou os nossos espíritos, tão sinceramente amigos um do outro.

O que me fez lembrar de ti foi o silêncio e o isolamento a que te condenaste. Deixaste o bulício da corte, e foste esconder a tua musa no interior da província[2], sem saudade do que deixavas, nem confiança no que podia vir.

Ora, se te condeno pela falta de confiança no que te podia vir das mãos do futuro, — e muito deve ser para um talento como o teu, — aplaudo-te no que se refere a não conservares saudades do que abandonavas, saindo da vida ruidosa deste centro, e procurando um refúgio ameno no interior da província.

Lá, segundo creio, estás a dois passos dos espetáculos divinos da natureza, cercado das alegrias aprazíveis da família, influenciado pelo olhar do filho e pelo olhar da esposa, quase feliz ou inteiramente feliz, como não é comum lograr neste mundo.

Ainda hoje, como outrora, como sempre, a alma do poeta precisa de ar e de luz, — morre se as não tem, ou, pelo menos, desmaia no caminho. Vê daí que luta, que esforço, que milagre não é conservar a gente o ideal e as ilusões através desta lama podre em que patinha, — verdadeiro consolo para os patos, mas tristíssimas agonias para os cisnes.

Que cisnes! e que patos! Como a maioria é dos últimos, os primeiros, — ou têm a coragem de fugir-lhes e ir procurar águas mais límpidas e mais puras, — ou então morrem asfixiados na podridão.

Há uma terceira hipótese a que não aludo por não desgostar ninguém.

Bem hajas tu, ó poeta, que tiveste coragem de ir buscar refúgio para a musa. Não digo que onde quer que vais (*sic*) não encontres os mesmos homens, mas ao menos terás mais tempo de conversar com os cedros e os ribeiros, – dos quais ainda nenhum te caluniou, nem te mentiu, nem te enjoou.

Mas, repara bem, se te invejo o isolamento a que te condenaste, não aplaudo o silêncio da tua musa, da tua musa loura e pensativa, de quem eu andei tão namorado outrora.

É que, se podes tomar uma resolução de Alceste[3], é só com a condição de não deixares no caminho a inspiração, como se fora bagagem inútil. Graças a Deus, é ela a maior consolação e a maior glória das almas destinadas a serem os intérpretes da natureza e do Criador. Os espíritos sérios, graves, positivos, não trocariam, decerto, uma estrofe por um lance político de sua preparação; mas, a despeito desse desdém, continua provado que os referidos espíritos sérios e graves só têm de grave e de sério as denominações, – que eles próprios se dão entre si.

Se, em vez de te refugiares como andorinha friorenta, houvesses ficado no tumulto da vida, quem sabe se – (tremo em pensá-lo!) – quem sabe se não acordavas um dia com alma de político?

Ah! então é que eu te dava por perdido de uma vez.

Não é que eu comparta a opinião do *Senhor* barão de São Lourenço[4], senador pela Bahia, a quem parece que poetas não servem para nada em política, mormente quando são moços, isto é, quando ainda conservam um pouco de entusiasmo e um pouco de convicção.

Quando aquele senador disse algumas frioleiras nesse sentido perante o senado brasileiro, tive eu a honra de consagrar o fato nesta revista, acompanhado por alguns comentários de casa. O ilustre varão cantou daí a dias uma palinódia muito mal arranjada, sob pretexto de retificação[5].

Não, eu não sou dos que acham que os poetas são incapazes para a política. O que penso é que os poetas deviam evitar descer a estas coisas tão baixas, deviam pairar constantemente nas montanhas e nos cedros – como condores que são.

Afinal de contas, os homens que não são sérios e graves, são exatamente os homens graves e sérios. Demócrito continua a ter razão: só é sério aquilo que o não parece.

Mas eu insisto em lamentar que juntasses à tua solidão o teu silêncio. Quisera saber de ti, por que motivo fizeste emudecer a lira tão auspiciosa e apagar a inspiração tão prometedora. Contos largos, talvez. Ninguém cala a voz íntima e impetuosa, por causas símplices e passageiras; escreve daí um folhetim, em que me contes todas essas coisas.

Já te disse como e por que pensei em ti; agora vou dizer-te o modo por que pensaste em mim.

Ah! tu cuidavas que o anônimo te encobria[6]! Tive quem mo revelasse, e nem precisava, porque era ler aquelas cinquenta linhas de prosa da *Alvorada Campista*, para ver-te logo, tal qual és, tímido, receoso, delicado.

Se Casimiro de Abreu[7] fosse vivo, e estivesse em Campos, ainda eu poderia hesitar. Éreis ambos os mais tímidos, os mais delicados, os mais receosos caracteres que tenho visto. Mas Casimiro lá se foi caminho da eternidade, não vejo outro que pudesse escrever aquilo e por aquele modo.

Pois a publicação de um autógrafo meu[8], só porque não tinhas autorização, carecia de tantas escusas, de tantos rodeios, tantos sustos, tantos perdões? Não tinhas mais do que publicá-lo, embora me não conviesse – e está longe disso – era coisa sem grande resultado.

Se algum efeito mau produziu essa publicação, foi o do desgosto de não ter o autógrafo comigo, porque o incluía no meu livro, de que ainda não te mandei um exemplar, por não ter sobeja confiança no correio, e não saber ao certo aonde devia mandá-lo.

Além deste, produziu outro efeito mau no meu espírito a tua publicação. É que eu preferia, em vez dos meus versos, ter versos teus, compostos agora, lá na tua solidão. Em resumo, em vez de dares à publicidade as obras alheias, cujos originais possuis, devias revelar ao público as novas meditações da tua musa, os teus melhores *sonhos* e as tuas *sombras* mais belas[9].

Se os olhos de algum hipócrita correm agora por estas colunas, não hesito em crer que está naturalmente pensando entre si que estas últimas linhas nada têm de sinceras; mas como escrevo para ti, que me acreditas, importo-me mediocremente com o juízo que possa fazer o referido hipócrita, – se algum me lê.

Ora, eis aí tudo o que eu tinha para te dizer, aproveitando a via do folhetim, na esperança de que ele chegará às tuas mãos.

Concluo repetindo – que não podes nem deves deixar a musa em ócio, porque, além de um pecado, seria uma desconsolação. Se és feliz, escreve; se és infeliz, escreve também. O remédio assemelha-se um pouco às panaceias universais inventadas pelos charlatães, mas também é o único remédio que não se vende, porque Deus o dá aos seus escolhidos. É inútil dizer que para ser escolhido não basta rimar algumas estrofes em horas de desfastio, – é preciso sentir a poesia, como tu, e morrer com ela, como Casimiro de Abreu.

[Machado de Assis]

---

1 ∞ Carta aberta publicada em 22/11/1864, com a seguinte introdução: "As primeiras linhas desta revista são dirigidas a Teixeira de Melo, autor de *Sombras e sonhos*, atualmente em Campos.". Assinale-se que esta carta, saída na imprensa, contém uma das mais vigorosas manifestações pessoais de Machado de Assis, em que este usa publicamente expressões fortes, faz o testemunho apaixonado de fé em seu ofício, fala sem rodeio e desabridamente do seu desencanto com os homens e reafirma o valor de uma amizade dos primeiros tempos. É um texto surpreendente. (SE)

2 ∞ José Alexandre Teixeira de Melo, após concluir o curso de medicina em 1859, voltou no ano seguinte à sua cidade natal, Campos dos Goitacases, onde exerceu a clínica médica, e colaborou muito esparsamente na imprensa local até 1875, quando retornou à corte. (SE)

3 ∞ Alusão ao principal personagem de *O Misantropo* de Molière. Alceste diz sempre a verdade e, por sua franqueza inflexível, vive à margem da sociedade, cujos vícios e hipocrisia despreza. (SPR)

4 ༄ Francisco Gonçalves Martins (1807-1872), oriundo da oligarquia baiana, estudou humanidades e direito em Portugal; envolveu-se na guerra civil portuguesa (1824--1826), que opôs os partidários de D. Pedro IV aos de D. Miguel, tendo participado do Batalhão Acadêmico. Ao retornar ao Brasil em 1830, exerceu a advocacia e o jornalismo; entrou na magistratura, tornando-se depois desembargador e ministro da Corte Suprema do Império. Na vida pública, foi deputado geral de 1834 a 1848, e presidente da província da Bahia (1850-1852; 1868-1871); senador a partir de 1851. (SE)

5 ༄ A respeito dessa questão entre Machado de Assis e o barão de São Lourenço, ver crônica de 12/06/1864, do *Diário do Rio de Janeiro*. (SE)

6 ༄ "Anônimo" era o pseudônimo usado por Teixeira de Melo quando escrevia nos jornais da corte, no período da juventude em que conviveu com Machado de Assis e Casimiro de Abreu*; depois, ao colaborar nos periódicos de sua terra natal – *Alvorada Campista* (fundado 1859), *Monitor Campista* (f. 1834), *Regeneração* (f. 1879), recorreu ao antigo pseudônimo. Isso permitiu ao perspicaz Machado de Assis reconhecer o antigo companheiro das reuniões no escritório de Caetano Filgueiras*. Ver em [22], carta de 22/07/1864. (SE)

7 ༄ Teixeira de Melo, ao participar da fundação da Academia Brasileira de Letras, escolheu exatamente Casimiro de Abreu como patrono da Cadeira 6. Sobre o poeta da saudade, ver em [1], carta de 19/07/1860. (SE)

8 ༄ Possivelmente trata-se de um poema, já que Machado fará referência mais abaixo nesta carta a seu livro lançado dois meses antes – *Crisálidas*, dizendo: "Se algum efeito mau produziu essa publicação, foi o do desgosto de não ter o autógrafo comigo, porque o incluía no meu livro, de que ainda não te mandei um exemplar, por não ter sobeja confiança no correio, e não saber ao certo onde devia mandá-lo.". (SE)

9 ༄ Alusão ao livro de estreia de Teixeira de Melo – *Sombras e Sonhos* (1858), Tipografia de Teixeira e Cia. Composto de poemas acentuadamente líricos, de sabor levemente erótico, o livro foi bem recebido pela crítica que lhe foi contemporânea. Reinaldo Franco Montoro saudou o seu aparecimento no *Diário do Rio de Janeiro*, em 29/09/1858; e Sílvio Romero o incluiu em sua *História da Literatura Brasileira*. (SE)

[31]

> De: JOAQUIM NABUCO
> *Fonte:* Manuscrito Original, Arquivo ABL.

Rio de Janeiro, 1.º de fevereiro de 1865.

Meu caro Senhor.

Tenho em vista o diário[1] de ontem: na crônica *Ao Acaso*, deparo com algumas linhas ao meu respeito, caídas de sua pena: li e reli o que sobre mim escreveu, e depois de meditar sobre estas linhas decidi-me a aventar sobre elas as duas considerações, que se seguem[2].

Não sou poeta; as minhas toscas composições, escritas nas minhas horas vagas, ainda não pretendem a tanto; o título pomposo de *poeta*, que, por extrema bondade e complacência, dignou-se me aplicar, poderia, esmagando a minha nula valia, encher-me de um orgulho sem fundamentos, que me elevasse acima do que eu realmente sou, se porventura não tivesse a indestrutível convicção de que ele verdadeiramente me não pertence, e de que me foi aplicado por um poeta, que, talvez por simpatia[3] ou por outro qualquer motivo, desejando estender-me a sua mão de apoio e de animação, me deu títulos superiores às qualidades, que realmente eu possuo.

Escrevo versos, é certo: porém estes versos, sem cadência e sem harmonia, não podem elevar o seu autor à altura de poeta, se bem de inferior plaina: agradeço portanto o título, que me não pertence; aceitá-lo, ou tacitamente deixá-lo passar, seria pretender àquilo, a que jamais poderei aspirar; seria encher-me de um falso orgulho, julgando meritório um título, que só a benevolência e a complacência me poderiam conferir.

Esta é a primeira consideração, que a leitura de suas linhas sugeriu em minha mente; de mais cabe-me dizer-lho: de uma certa idade em diante pretendo me não mais aplicar à poesia; nesta idade em que minha inteligência ainda não pode discutir sobre o positivo e o exato, deixo que a pena corra sobre o papel, e que minha acanhada imaginação se expanda nas linhas, que ela compõe; mas, quando as minha faculdades concentradas pelo estudo e pela meditação se puderem aplicar ao positivo, e ao exato, deixarei de queimar incenso às musas do Parnaso, para me ir alistar na fileira dos mais medíocres apóstolos do positivismo, e das ciências exatas: é um protesto para cujo cumprimento peço a Deus força de vontade e firmeza de resolução. Entendo, meu caro poeta, que desde uma certa idade a nossa imaginação perde de seu vigor; as utopias, e as fantasias, que alimentam a imaginação dos poetas cessam desde que ele penetra numa vida, cujas vicissitudes lhe demonstram o absurdo dos seus cálculos, e cujos caprichos e contrariedades são a perfeita antítese dos sonhos dourados de sua fantasia e dos prazeres, e das vigílias felizes que, em seus cálculos de utopista e de poeta, ele um dia concebeu.

É por isso que por ora dou asas à minha imaginação: mas um dia virá, e este dia talvez esteja perto, no qual me desligue completamente desse mundo de visionários, para ir tomar parte no grêmio daqueles, que, mais chegados às realidades da vida, consideram este mundo como ele realmente o é. São estas as duas considerações, que por ora julguei dever fazer às linhas a meu respeito.

Disponha do pouco préstimo daquele seu

Criado obrigado,
Joaquim Nabuco[4]

Ilustríssimo Senhor
Machado de Assis
Semana Ilustrada de J. N.[5]

---

1 ∞ *Diário do Rio de Janeiro*. (IM)

2 ∞ É esta saudação de Machado:

"Já que falo em poetas, escreverei aqui o nome de um jovem estreante da poesia, a quem não falta vocação, nem espontaneidade, mas que deve curar de aperfeiçoar-se pelo estudo. É o sr. Joaquim Nabuco. Tem 15 anos apenas. Os seus versos não são decerto perfeitos: o jovem poeta balbucia apenas; falta-lhe compulsar os modelos, estudar a língua, ultimar a arte; mas se lhe faltam os requisitos que só o estudo pode dar, nem por isso se lhe desconhece desde já uma tendência pronunciada e uma imaginação viçosa. Tem o direito de contar com o futuro." (*Diário do Rio de Janeiro*, 31/01/1865). (IM)

3 ∞ Possível alusão a Sizenando Nabuco de Araújo*, irmão mais velho do missivista e amigo íntimo de Machado. (IM)

4 ∞ A primeira missiva do jovem de 15 anos para o escritor dez anos mais velho assinala o início da grande amizade, que se refletiu numa troca epistolar de excepcional importância. (IM)

5 ∞ É interessante observar que esta carta, ao invés de ser mandada para o *Diário do Rio de Janeiro* (uma espécie de endereço oficial, jornal onde o incansável redator e folhetinista revelava o próprio nome), fosse remetida para a *Semana Ilustrada*, revista humorística em cujas páginas Machado raríssimas vezes deu pistas sobre sua autoria nos textos publicados durante longos anos de colaboração. Galante de Sousa (1955) e outros estudiosos oferecem maiores esclarecimentos. A respeito da revista, ver também em [41], carta de 09/06/1865. (IM)

[32]

De: JOAQUIM SERRA
Fonte: Cartas de Joaquim Serra a Machado de Assis.
Revista da Academia Brasileira de Letras, III, Rio, 1911, p. 58-74.

Paraíba, 14 de fevereiro de 1865.[1]

Meu amigo,

Antes de ler esse livro[2], repare bem para a dedicatória da segunda página.

Não sabe? Eu era um pobre provinciano, cujo nome nunca foi proferido neste mundo luzido onde V*ossa Mercê* brilha; uma vez ouvi pronunciar-se o meu nome, e a voz generosa, que o fazia, acercava-o de imerecidos favores. Essa voz, sabe, foi a sua. Contraí, de então, a dívida de solicitá-lo para meu guia, quando quisesse passar além do campanário de minha paróquia. Hoje, que tinha de mandar correr terras um pobre pagãozinho, que chamo meu filho, antes de lançá-lo fora dos muros paternos, levei-o à pia batismal, convidando para seu padrinho aquele, a quem eu devi a animação para a viagem. Aí tem o seu afilhado; defenda o pobrezinho, que por si só nada vale. Aceite um abraço do

J. Serra

---

1 ◦ Joaquim Serra foi nomeado secretário de governo da província da Paraíba em 18/08/1864. Sobre este assunto, ver em [29], carta de 16/11/1864. (SE)

2 ◦ Acerca do livro, eis o comentário de Machado de Assis, no *Diário do Rio de Janeiro* de 01/03/1865: "Guardamos para a última coluna a notícia de um livrinho de versos que acabamos de receber da Paraíba do Norte. Tem por título *Mosaico*, e por autor Joaquim Serra, jovem maranhense, de cujo talento já temos apresentado aos leitores irrecusáveis provas". Ver em [29], carta de 16 /11/1864, que dará início à amizade entre ambos. (SE)

[33]

De: FAUSTINO XAVIER DE NOVAIS
Fonte: Manuscrito Original, Arquivo ABL.

Rio de Janeiro, 17 de fever*ei*ro [de 1865.][1]

Meu caro Machadinho.

Estou capitalista[2]. Já não saio da Praça do Comércio[3]. As malditas Musas já me deram com o esconderijo, e começam a maçar-me, com impertinências que eu passo para ti. Aí vai um livro de versos. Lê-o, e fala dele no *Diário*. Não te peço que dês sopapos na consciência; rogo-te só que tenhas em lembrança que o poeta Sá[4] é íntimo e antigo amigo do

Teu do *Coração*
F. X. de Novais.

1 ∾ Esta carta e a de 14 de julho [42], sem indicação do ano, devem ser de 1865. Embora nenhuma referência biográfica até agora consultada indique precisamente quando Faustino Xavier de Novais obteve o emprego de estatístico da Praça do Comércio, foi através de suas cartas a Alexandre Herculano que chegamos a esta conclusão. Em 07/09/1865, Faustino informa:

"A respeito das letras, fiz à literatura portuguesa o grande favor de morrer para elas. Empregado na Praça do Comércio, cabe-me a poética missão de farejar os armazéns da Alfândega, para poder tomar nota, num livro do meu tamanho, dos legumes e mais iguarias que nos manda a Europa." (Baião, *in* Anais da Academia de História, IV, Lisboa. 1953). (IM)

2 ∾ Sempre irônico, Faustino declara que está "capitalista". Na verdade, a obtenção do modesto emprego será detalhada na carta de 08/01/1866, também a Herculano:

"Não sei de que modo lhe falei da minha posição comercial! Vejo pela sua carta que me supõe negociante de grosso trato! Pois saiba que nem de fino trato! Criou-se na Praça do Comércio uma repartição de estatística e, aqui baixinho, essa criação foi pretexto de que se valeram alguns amigos para me darem um ordenado mensal. O que faço, pouco ou nada vale, porque não há dados para coisa alguma cá na freguesia, onde ninguém cuida do *ontem* – nem tampouco do *amanhã*. O meu amigo queixa-se do que por lá vai? Não sei o que diria se por aqui vivesse o tempo necessário para conhecer bem o estado de desleixo em que se acham todas as repartições públicas, sejam do governo ou não. Ficava pasmado! Guarde pois o seu vinho e o seu azeite, que não lho quero negociar." (IM)

3 ∾ A partir da vinda da família real para o Brasil, deram-se as primeiras tentativas de organização do mercado. Surgiu aí o conceito de Praça de Comércio, algo bem parecido com a noção de pregão organizado. Instalada no belíssimo prédio construído por Grandjean de Montigny (hoje Casa França-Brasil), posteriormente, transferiu-se para a rua Direita (atual Primeiro de Março). (IM/SE)

4 ∾ O livro deve ser *Saudades* (1863) do advogado e poeta português **José Luís Vieira de Sá Júnior** (1829-1871) que colaborara em *O Bardo*, jornal de poesias fundado por Faustino e que circulara em Portugal entre 1852 e 1855. Magalhães Jr. (1981), indagando "quem seria este obscuro Sá", propôs o nome do poeta e teatrólogo português Carlos Augusto de Sá, nascido em 1827, e radicado no Brasil, autor do poema herói--cômico satírico *A Chapeleida* (1857), dividido em "oito encapelações". Embora esta obra se aproxime da veia literária do missivista, sua publicação, em 1857, e o sucesso que logo obteve não justificam o tardio pedido de um comentário. (IM)

[34]

De: OLÍMPIA GONÇALVES DIAS
Fonte: Fundação Biblioteca Nacional.
Diário do Rio de Janeiro, 1865. Setor de Periódicos.
Microfilme do original impresso.

Ao Ilustrado *AUTOR* DO FOLHETIM – *AO ACASO* –
PUBLICADO NO *DIÁRIO* DE 7 DO CORRENTE[1]

Rio de Janeiro, 8 de março de 1865.

Peço vênia ao ilustrado *Autor* do folhetim – *Ao Acaso* – para desfazer alguns enganos que houve nas notícias que deu neste *Diário* de ontem, a respeito do aparecimento de alguns manuscritos de meu marido Antônio Gonçalves Dias[2].

Quando aqui chegou o anúncio publicado na capital do Maranhão pelo *Senhor Doutor* Antônio Henriques Leal[3], meu bastante procurador naquela cidade, mandei-o reimprimir nesta, para pedir às pessoas que porventura tivessem em seu poder manuscritos do meu finado marido, o benefício de mos entregarem, prometendo qualquer gratificação etc., tudo como se pode ler no *Jornal do Comércio*, no *Diário do Rio* e no *Mercantil* de 17 de janeiro. Resultou a restituição dos manuscritos indicados na notícia feita pelo modo mencionado, e publicada no Maranhão, cuja notícia veio pelo paquete chegado a 3 do corrente, sendo impressa neste diário a 5.

Deu-se, porém, um engano nesta notícia, que se pode explicar bem.

No primeiro período da notícia se diz: *No dia seguinte pela manhã entregou-lhe o porteiro* etc.[4]

Este foi o engano: o anúncio foi publicado no dia 17 de janeiro[5], e a restituição dos manuscritos se efetuou, pelo modo noticiado, daí a 5 dias, no domingo 22.

No dia seguinte 23 saindo o paquete para o norte, enviei a notícia da restituição ao meu procurador: desta circunstância proveio, naturalmente, o engano na redação da notícia chegada do Maranhão a 3 do corrente.

Perdoar-me-á o ilustre folhetinista em me não parecer *singular* esta restituição; era inesperada e foi pouco comum por conscienciosa e desinteressada.

Competentemente aconselhada, fiz protesto contra qualquer publicação de trabalhos literários do meu marido, que não estivessem por ele autorizados em contratos legais, como se pode ver nas — *Publicações a pedido* —, nos *Jornais do Comércio* (sic), neste *Diário* e no *Correio Mercantil* de 5 de fevereiro próximo passado; e nesta ocasião agradeci a pessoa que me restituiu os manuscritos, que foram expressamente indicados[6]. O ilustrado folhetinista pode verificar isto mesmo nesses jornais, que são os órgãos de maior publicidade nesta Corte.

A imprensa do Maranhão, diz o ilustrado folhetinista, *deu-nos uma boa notícia, que aliás deveria ter sido conhecida antes nesta corte, onde se deu o fato. É a de terem aparecido os manuscritos dos dramas de Gonçalves Dias* etc.

É pois evidente que *Sua Senhoria* se enganou, visto que desde o dia 5 do mês passado, foi esta notícia bem pública nesta Corte.

Resta-me manifestar os agradecimentos ao distinto escritor do folhetim, pelos votos que fez a bem do aparecimento de muitos outros manuscritos do meu marido, que ainda existem extraviados, parecendo-me que até neste caso está o 1.º volume do seu relatório ao governo sobre os trabalhos da comissão científica, que com toda certeza terminou, (apesar de muito doente) mostrando o volumoso e importantíssimo manuscrito a quem o via, três dias antes da sua última partida: e que se não sabe se o levou, ou deixou para ser entregue ao governo, não havendo na secretaria do império notícia alguma positiva do recebimento desse notável autógrafo.

Acho-me na absoluta impossibilidade de mandar fazer uma nova edição dos trabalhos literários de meu marido, ou mais enriquecida com os originais que se possa ainda haver, ou mesmo com os que estão colhidos. Mas tenho esperança de que, se for auxiliada neste empenho pelo meu procurador, o *Senhor Doutor* Antônio Henriques Leal, um dos mais ilustrados e verdadeiros amigos do meu finado marido, cuja honradez e excelente caráter são bem conhecidos, em quem deposito toda a minha confiança, e que me ampara na minha deplorável viuvez, se conseguirá esta publicação.

Olímpia da Costa Gonçalves Dias[7]

---

1 ❧ Fonte citada, p. 3, "A pedido". Olímpia, que se casara em 1852 com Antônio Gonçalves Dias (1823-1864), estava separada do marido desde 1856. (IM)

2 ❧ A morte trágica de Gonçalves Dias deve ser relembrada, para melhor compreensão desta carta. Em Paris, devastado pela doença e pelo falecimento súbito do amigo Odorico Mendes, que lhe confiara manuscritos e seria seu companheiro no retorno à terra natal, o poeta decidiu partir do Havre para o Maranhão no veleiro *Ville de Boulogne* em 10/09/1864; era o único passageiro. Lúcia Miguel Pereira (1943) relata:

> "Reduzido à só companhia dos marinheiros, passaria cinquenta e três dias no mar; [...] quase mudo como estava, com a tosse a embargar-lhe a voz. / Um mês antes, a 10 de agosto, completara quarenta e um anos e queria a vida. [...] Precisava terminar a *História dos Jesuítas*, escrever o relatório dos seus trabalhos na Comissão Científica, desses trabalhos que seriam mais um elogio dos seus 'caboclos' tão amados. / Seriam esses os manuscritos que trazia numa maleta de couro na cabine, cuja chave conservava pendurada ao pescoço? / [...] Afinal, avistou-se a terra do Brasil. Era a tarde de Finados. [...] O moribundo pôde crer que se realizava o voto formulado aos vinte anos, voto de maranhense amante de sua terra. / *Não permita Deus que eu morra / Sem que eu volte para lá;* [...] */ Sem que ainda aviste as palmeiras / onde canta o sabiá.*"

Na madrugada de 3 de novembro, o barco bateu no baixio de Atins, próximo à vila de Guimarães, e fendeu-se ao meio, defronte à costa maranhense. Segundo a eminente biógrafa, abriu-se inquérito policial sobre as circunstâncias da tragédia: o poeta, dado como morto, permanecera em sua cabine, que submergiu logo após o naufrágio do *Ville de Boulogne*, enquanto toda a tripulação do veleiro conseguia se salvar numa chalupa. Prossegue Lúcia Miguel Pereira:

> "Quanto à bagagem, falaram as testemunhas em três malas no porão e um saco de viagem, havendo o criado declarado a Leal [ver nota 3] que havia ainda uma maleta de couro, cuja chave o poeta tinha ao pescoço, com objetos de ouro, dinheiro e muitos manuscritos. Quando a recebeu Leal, vinha violada, contendo uma dentadura, roupas e calçados, **mas nenhum manuscrito**." (IM)

3 ❧ Antônio Henriques Leal (1828-1885), biógrafo, crítico, historiador e jornalista maranhense, também doutor em medicina e deputado provincial. Muito amigo de

Gonçalves Dias, empenhou-se (**motivo desta correspondência**) na edição das *Obras Póstumas* (1868-1869), que traz fundamental notícia biográfica. No final de dezembro de 1864, publicara, através da imprensa do Maranhão, informações circunstanciadas sobre a morte de Gonçalves Dias, requisitando às testemunhas e ao público a devolução dos manuscritos (ver nota 5). Este pedido deu origem às manifestações de Olímpia Gonçalves Dias, que mereceram comentários e resposta de Machado, admirador do grande poeta romântico desde a meninice; do seu segundo e último encontro com Gonçalves Dias, na redação do *Diário do Rio de Janeiro*, ele registrou: "Fiquei a olhar pasmado, com todas as minhas sensações de adolescente." (IM)

4 ∞ No folhetim, Machado escrevera: "Logo no dia seguinte aparecera-lhe em casa um preto que entregou os dramas de que falamos e desapareceu. Não se encontrou somente os dramas na carta entregue pelo preto; encontrou-se alguns trabalhos sobre a instrução pública e também várias poesias". (IM)

5 ∞ Trata-se de uma publicação a pedido (*Diário do Rio de Janeiro*, 17/01/1865), intitulada *Manuscritos de Gonçalves Dias*:

"A Viúva de Antônio Gonçalves Dias pede a transcrição do anúncio publicado nos periódicos da cidade de S. Luís do Maranhão pelo procurador bastante da mesma viúva naquela cidade o Sr. Dr. Antônio Henriques Leal, e roga a qualquer pessoa que nesta corte tenha em sua mão alguns manuscritos de seu finado marido haja, por bondade, de lhos mandar entregar, rua do Lazareto da Gamboa n.º 3 onde reside com seu pai o Diretor do Instituto dos Meninos Cegos." Sobre o Instituto, ver em [45], carta de 29/01/1866.

Em seguida, vem a solicitação de Leal:

"O abaixo-assinado roga às autoridades dos distritos onde forem parar os salvados da barca francesa *Ville de Boulogne* que façam constar aos condistritanos que ele gratificará generosamente a quem lhe apresentar os manuscritos de Gonçalves Dias, prometendo guardar o mais rigoroso sigilo acerca do nome do apresentante, se assim o exigir, debaixo das formas e com as garantias que quiser. / Se porventura alguém os retém para no futuro fazer uso deles, como obras próprias, declara mais que tal fraude não lhe poderá aproveitar, já porque o estilo do poeta denunciá-lo-ia, já por existirem de todos eles vestígios, como sejam dois atos incompletos da *Noiva de Messina*, os quatro primeiros cantos dos *Timbiras* publicados, dez poesias soltas, a tradução alemã do *Boabdil* e uma cópia do drama *Beatriz de Cenci* de 1845. / Quem, pois, inculcar ou descobrir esses preciosos manuscritos, além da recompensa prometida, fará relevante serviço às letras pátrias, e poderá contar com a gratificação da mulher, parentes e amigos do infeliz poeta. / Dr. Antônio Henriques Leal / Maranhão, 24 de dezembro de 1864." (IM)

6 ◦∾ O agradecimento menciona os dramas *Boabdil* e *Beatriz de Cenci*. (IM)

7 ◦∾ No folhetim "Ao Acaso", escreve Machado de Assis em 21/03/1865:

"Devemos começar esta revista por uma reparação. / Apesar de mencionada entre as nossas notas, esqueceu-nos dar na última revista uma breve resposta à Sra. D. Olímpia da Costa Gonçalves Dias. / A viúva do poeta, tomando em consideração algumas linhas que escrevemos acerca do achado dos dramas *Beatriz de Cenci* e *Boabdil*, respondeu-nos por esta folha, retificando alguns enganos que nos tinham escapado. / Um deles era a publicação do fato, que dissemos ter sido feita no Maranhão, antes de ter sido feita no Rio de Janeiro. A Sra. Gonçalves Dias lembra-nos que a primeira notícia foi dada nos jornais do Rio, a 5 de fevereiro. Confessamos que nos escapou a notícia, e aceitamos cordialmente a retificação. / O segundo engano foi quanto ao dia em que foram entregues os manuscritos. Dissemos que fora no dia seguinte ao do primeiro anúncio, quando essa entrega só se efetuou cinco dias depois. Nesse ponto, a culpa não é nossa; fomos guiados pela notícia do Maranhão. / Quanto ao agradecimento que a viúva do poeta nos dá pelos votos que fizemos pelo aparecimento de todos os manuscritos extraviados, não podemos aceitá-los, senão por pura expressão de delicadeza: esses votos constituem um dever de todo aquele filho do país em que tamanho poeta floresceu e viverá." (IM)

[35]

De: O AMIGO DA VERDADE
Fonte: Fundação Biblioteca Nacional.
"Ao Acaso". *Diário do Rio de Janeiro*, 1865.
Setor de Periódicos. Microfilme do original impresso.

AO ILUSTRADO REDATOR DO "AO ACASO"
CARTA I[1]

Rio de Janeiro,

Meu caro amigo.

Na "Revista da Semana" do dia 21 de fevereiro próximo passado, sob a epígrafe supramencionada, vos dignastes de fazer alusão a este vosso reconhecido amigo, dizendo:

"Sabemos que estas linhas vão ser lidas por um amigo nosso[2], que olha as coisas por um modo diverso, e que, sobretudo, toma muito a peito a defesa pessoal do imperador Maximiliano[3]. Folgamos em mencionar de passagem que as intenções daquele príncipe nunca foram suspeitas para nós. Cremos que ele sinceramente deseja fazer um governo liberal e plantar uma era de prosperidade no México.

A modificação do gabinete mexicano, e o rompimento com o núncio do papa, são os recentes sintomas das disposições liberais de Maximiliano[4]. Além disso, o nosso amigo afirma com razão que o novo imperador, moço, ilustrado, liberal, nutre a legítima ambição de guiar uma nação enérgica e robusta a uma posição digna de inveja. A origem espanhola do México, acrescenta o nosso amigo, influiu poderosamente no espírito de Maximiliano, que nutre decidida simpatia pela raça do 'Cid', cuja língua fala admiravelmente.

Estamos longe de contestar nada disto; mas precisamos acaso acrescentar uma verdade comezinha, a saber, que as melhores intenções deste mundo e os esforços mais sinceros não dão a menor parcela de virtude àquilo que teve origem no erro, nem transformam a natureza do fato consumado?"

Para responder dignamente às proposições por vós emitidas, tanto nesta revista como em outras ocasiões públicas e de intimidade, relevar-me-eis que vos escreva algumas cartas, nas quais tratarei de ser breve, discreto e verdadeiro. *Esto brevis et placebis*[5].

Compenetrado da vossa vontade, desnecessário me parece repetir-vos que, sobretudo, sou americano, e, depois de tudo, americano; porque acredito que a "excelência das instituições", como nota o *Senhor* Escandón, "não depende do hemisfério nem da latitude em que foram adotadas", — senão da índole, do caráter, da educação e das convicções dos homens que formam as nações.

Antes, porém, de entrar em matéria, ser-me-á lícito dizer duas palavras sobre as frases sublinhadas da análise rápida que fizestes do discurso pronunciado pelo *Excelentíssimo Senhor Don Pedro Escandón*, enviado extraordinário e ministro plenipotenciário de *Sua Majestade* o imperador

Maximiliano I, no ato de apresentar as suas credenciais a S*ua* M*ajestade* o Imperador, o S*enho*r D*om* Pedro II, notificando ao mesmo augusto senhor a elevação ao trono mexicano do seu monarca.

Eis aqui o trecho a que quero responder antes de elucidar a tese principal das minhas cartas:

"Nada temos que ver", dizeis, "com o discurso do embaixador mexicano. É natural que S*ua* E*xcelência* ache no presente estado de coisas de seu país uma obra justa e duradoura. Sendo assim, não nos demoraremos em desfiar algumas expressões do referido discurso; não indagaremos quais são os *recíprocos interesses* entre os dois impérios, nem criticaremos a *identificação de governo* existente entre os dois países."

É preciso que nos entendamos, para que as minhas futuras cartas sejam recebidas por vós com a benevolência com que a vossa ilustração costuma aceitar as opiniões alheias, baseadas na convicção, na verdade e na justiça.

Ignoro a impressão que as vossas palavras haverão produzido no espírito do alto funcionário mexicano, que deve naturalmente tê-las lido; mas posso glosar – se de glosa carecem as suas expressões claras, terminantes e lógicas, – o texto de seu discurso.

Não quereis indagar quais são os recíprocos interesses entre os dois impérios: e eu tomo a liberdade de chamar a vossa ilustrada atenção para as palavras do diplomata mexicano, e ouso perguntar-vos se era necessário esmerilhar quais são ou podem ser os *recíprocos interesses* entre os dois impérios.

Além disso, diz S*ua* E*xcelência* o S*enho*r Escandón no supramencionado discurso, "para que os vínculos da amizade e dos recíprocos interesses, que *devem unir* ambos os impérios, *sejam* tão estreitos e sinceros como os que felizmente ligam as duas famílias reinantes, etc."

Notai que o distinto diplomata mexicano não diz *unem*, senão *que devem unir* no futuro: porque bem sabia ele que acabava de ser acreditado na corte do Brasil; que a distância, que separa os dois impérios, é grande; que não existiram até agora as mínimas relações entre os dois povos; mas não deixava de enxergar para o porvir que esses interesses podem e hão de chegar a ser mútuos, política e comercialmente falando: e deseja, para esse tempo, que os vínculos de amizade e recíprocos interesses, entre ambos os impérios, sejam tão estreitos e sinceros como os que felizmente ligam os das duas famílias reinantes.

A essa delicada e americana frase, dita com toda a unção da amizade mais sincera, não devíeis vós, meu caro e ilustrado redator da *Semana*, responder *não querendo indagar quais são os recíprocos interesses entre os dois impérios*.

Eu prometo fazer-vos ver nesta série de cartas, — que me concedestes a licença de dirigir-vos, — que esses recíprocos interesses entre os dois impérios poderão ser com o correr dos tempos mais transcendentais e valiosos, em política e comércio, do que parece ao primeiro lance de olhos.

Relevai-me ainda que faça uma simples observação sobre a frase — "nem criticaremos a identificação do governo existente entre os dois países".

Como! E acreditais que pode merecer uma censura ou crítica a *identificação* em origem, raça, crença e *governo* dos dois povos?

Não são, porventura, os dois países uma monarquia constitucional, um governo monárquico-moderado, dois povos que proclamaram este sistema — arco-íris das ideias de ordem, autoridade, liberdade e dignidade nacional? Não é o seu estado político presente o resultado das suas próprias convicções?

Enxergo a vossa resposta, entrevejo as vossas objeções, estudei já os vossos argumentos em perspectiva, ponderei a sua força e estou disposto a encetar esta melindrosa discussão.

Vós dizeis, — fazendo referência à resposta de *Sua Majestade* o imperador do Brasil, ao enviado extraordinário e ministro plenipotenciário de *Sua Majestade* o imperador do México, — "que as potências fracas, neste caso, imitam as potências fortes: suportam mais esta travessura do tutu[6] das Tulherias".

Perdoai, se eu não admito este *mot heureux de circonstance*[7].

O povo mexicano não recebeu o seu monarca atual como uma imposição de Napoleão III.

Para esclarecer esta questão, são acanhados os limites da presente carta. Dignai-vos de esperar ainda alguns dias, para eu poder manifestar-vos que a monarquia mexicana é o resultado da convicção, da amargosa experiência, da dedução lógica dos fatos, da vontade refletida de um povo enérgico e robusto que, como diz o *Senhor* Escandón no seu discurso, *teve o acerto de confiar os seus destinos a um Maximiliano I, e a fortuna de receber em troca a ordem e a paz, fundamentos indispensáveis da liberdade bem entendida*, depois de ter sofrido, durante quarenta anos, todas as agonias da anarquia, todos os soçobros da revolução, todas as misérias das ambições dos caudilhos, e todas as fúrias dos demagogos aventureiros, que só podem e sabem pescar em águas turvas.

Vosso deveras
"O amigo da verdade"[8]

---

1 ⁘ Carta aberta publicada no folhetim de 21/03/1865. Neste, Machado aborda vários assuntos e depois anuncia: "Passemos agora a um assunto de política. Trata-se do México. Recebemos uma carta que nos apressamos a transcrever nestas colunas, dando-lhe em seguida a resposta conveniente." (IM)

2 ⁘ Para Magalhães Jr. (1981), o autor da carta seria o próprio Saldanha Marinho, diretor do *Diário do Rio de Janeiro*. É difícil concordar com esta hipótese, pois o signatário, que se declara "estadista", em [38], carta aberta de 02/04/1865, acrescenta:

> "Não estranheis, meu caro, que não responda imediatamente às vossas observações; porque não ignorais que **sou homem muito ocupado; circundam-me diversas atenções, às quais devo consagrar o meu trabalho, as minhas vigílias, o tempo talvez do meu sono, e, por conseguinte, serei demorado nesta agradável tarefa, como em outras da mesma natureza, que me servem de descansos no meio da afanosa vida que leva, há já alguns anos** / Este vosso deveras, / *O amigo da verdade*."

Tão importante figura poderia ser identificada? Cabe enfatizar que Machado, o veemente poeta de "Epitáfio do México" (1863), tratara com dureza o parlamentar Filipe Lopes Neto, como um "glorificador da invasão do México": "Pensa S. Ex.: / Que o novo império não é o resultado da invasão francesa [...]". (*Diário do Rio de Janeiro*, 20/06/1864). (IM)

3 ∾ Ferdinand Maximilian Joseph von Habsburg (1832-1867). Irmão do imperador da Áustria, Francisco José, era primo de D. Pedro II, também Habsburgo por parte materna. Homem culto, viajante, Maximiliano esteve no Brasil em 1860. Sua viúva, Carlota da Bélgica, mereceu um comovente poema de Machado – "La Marchesa de Miramar – em *Falenas* (1870). (IM)

4 ∾ Depois que Benito Juarez decidiu suspender por dois anos o pagamento dos juros da dívida externa do México, a Inglaterra, a Espanha e a França intervieram militarmente no país (1861). Diante da reação negativa dos Estados Unidos, a Inglaterra e a Espanha se retiraram, e as tropas francesas aproveitaram a ocasião para implementar o grande projeto de Napoleão III de criar na América um império católico, capaz de fazer frente à influência norte-americana. A coroa imperial é oferecida ao Arquiduque austríaco Maximiliano, que aceita (1864). Mas o novo imperador só é apoiado politicamente pelo partido clerical, e somente se sustenta com a ajuda militar das forças francesas. Elas serão chamadas de volta, diante da hostilidade de Washington. Abandonado pelo seu único aliado, Maximiliano é derrotado e fuzilado pelas tropas de Juarez (1867). (SPR)

5 ∾ Sê breve e agradarás. (IM)

6 ∾ Bicho-papão, referindo-se a Napoleão III. (IM)

7 ∾ Dito espirituoso de circunstância. (IM)

8 ∾ Machado responde a esta carta na mesma crônica de 21/03/1865, nos seguintes termos:

"Agradecemos ao *Amigo da Verdade*, que também é nosso amigo, as expressões de extrema benevolência e apurada cortesia, com que nos trata. Devêramos, talvez, mutilar esta carta, suprimindo os benévolos epítetos que o nosso dever não pode aceitar sem constrangimento; mas, para os homens de bom senso, isso seria simplesmente mascarar a vaidade. De pouco trata esta carta. / O *Amigo da Verdade* promete entrar em outras explanações nas cartas posteriores; reservamo-nos para essa ocasião. / Mas, o *Amigo da Verdade*, referindo algumas frases nossas da revista de 21 do passado, repara que houvéssemos estranhado no discurso do Sr. D. Pedro Escandón as expressões – *recíprocos interesses* – entre os dois impérios, – e a *identificação de governo* – entre os dois países. / Nossa resposta é simples. / Falando das duas frases do embaixador mexicano, fizemo-lo em forma de exclusão. Não quisemos torná--las essenciais para as observações que íamos apresentar. Todavia, não será exato dizer que, fazendo aquele ligeiro reparo, não tivéssemos uma intenção: tivemo-la e confessamo-la. / Em nossa opinião o império do México é um filho da força e uma sucursal do império francês. Que reciprocidade de interesses podia haver entre ele e o império do Brasil, que é o resultado exclusivo da vontade nacional? O *Amigo da*

Verdade promete mostrar que os interesses políticos e comerciais entre os dois países são mais transcendentais do que se pensa. Não tínhamos em vista a comunidade dos interesses comerciais e as conveniências de ordem política. Subentendíamos os interesses de ordem moral, os interesses mais largos e duráveis, os que não recebem a impressão das circunstâncias de um momento. A justiça universal e o espírito americano protestam contra a reciprocidade desses interesses entre os dois impérios. / Ocorriam outras circunstâncias, ao escrevermos aquelas linhas. / Estava reunido em Lima, capital do Peru, um congresso americano destinado a celebrar a aliança dos Estados da América do Sul. Não sabemos por que razão deixou o Brasil de figurar naquele congresso. O espírito político do governo imperial não nos dá ocasião de supor que ele fosse movido por grandes razões de Estado. Mas o fato é que o Brasil não teve representante no congresso, e eis aqui como a democracia americana traduz o nosso procedimento: antipatia do Império para com os interesses americanos. É sem dúvida uma ilusão; a nação brasileira não conhece, nem se comove por outros interesses; mas a verdade é que o procedimento do Brasil produziu aquela opinião. / Isto quanto ao Brasil. / Quanto ao México, é sabido que os Estados Unidos nunca viram com bons olhos a invasão francesa naquele país, e a mudança do antigo estado de coisas. As circulares do Sr. Seward deram a entendê-lo claramente; mais tarde o congresso de Washington votou uma moção contrária ao novo governo do México. O voto do Congresso não obriga a política dos Estados Unidos; mas eis que o senado americano, por proposta do Sr. Wade (do Ohio), decidiu que no orçamento dos consulados a palavra *México* fosse substituída pelas palavras *República Mexicana*. 'Há dois governos no México, disse aquele senador: nós só podemos reconhecer o da república; nada temos que deslindar com o império'. – A proposta do Sr. Wade foi votada. E este voto é decisivo para a política dos Estados Unidos. / Assim é que, os dois impérios da América, – um repudiado pela democracia do norte, – outro esquivando-se a entrar na liga da democracia do sul, – ficariam sendo a dupla Cartago do continente, e isolar-se-iam cada vez mais, se acaso se estabelecesse essa *reciprocidade de interesses* de que falou o Sr. Escandón. / Que o México mantenha o isolamento, e inspire as desconfianças, é natural, é lógico, porque é esse o resultado da sua origem irregular. Mas o Brasil não pode ter comunhão de interesses nem de perigos, com o México, porque a sua origem é legítima, e o seu espírito é, antes de tudo, americano. / O *Amigo da Verdade* lembra que a frase do Sr. Escandón nesta parte é uma aspiração, um voto; fica respondido esse reparo: o México pode ter semelhante aspiração, não deve tê-la o Brasil. / Nem interesses recíprocos, nem governo idêntico. 'A questão, – dizia Félix da Cunha no *Mercantil* de Porto Alegre, a propósito do México em 1863, – não é de identidade de títulos, ainda que divergente de fins, é de direito e de justiça, é de segurança própria e conveniência comum'. / Isto dizia o ilustre jornalista, mostrando ao Brasil a conveniência de não ter outros interesses que não sejam os das suas irmãs americanas. / Sim, entre o México e o Brasil há apenas a identidade do título, nada mais. Precisamos acaso entrar na demonstração de que é esse o único ponto de semelhança? Isso nos faria saltar fora do círculo que o *Amigo da Verdade* nos fecha; aguardamo-lo para depois. / Para provar as asserções da primeira carta, corre ao nosso ilustrado amigo o dever de provar a legitimidade do império do México. Diz ele que prevê os nossos argumentos; não diremos outro tanto a respeito dos seus, pois que se nos afigura impossível achá-los contra os acontecimentos notórios de ontem. Quaisquer, porém, que sejam os argumentos do nosso ilustrado amigo, nós só lhe oporemos fatos, contra os quais os argumentos não prevalecem. / E agora, como mais tarde, a conversa que entretivermos não pode sair do terreno da lealdade e do mútuo respeito. O *Amigo da Verdade* faz bem em supor em nós uma opinião cordial e tolerante. Nada mais absurdo e aborrecido que as opiniões violentas e despóticas; nem o nome de opiniões merecem: são puramente paixões, que por honra nossa, não alimentaremos nunca. / Há homens que da simples contradita do adversário concluem pela incompetência dele. As amizades, na vida comum, os partidos, na vida política, nunca deixaram de sofrer com a existência desses homens, para os quais só a convicção própria pode reunir a ilustração, a verdade e a justiça. / Pois que o *Amigo da Verdade* é da classe dos tolerantes e dos refletidos, e é dotado de perspicácia suficiente para reconhecer-nos igualmente refletidos e tolerantes, a nossa conversa, isenta de azedume, fará uma diversão ao folhetim, e levará ao espírito de um de nós alguma soma de verdade e mais um laço de afeição recíproca." (IM)

[36]

De: NUNO ÁLVARES PEREIRA E SOUSA
Fonte: Manuscrito Original, Arquivo ABL.

Rio *de Janeiro*, 16 de março de 1865.

Meu caro Machado de Assis.

O portador destas linhas é o meu bom amigo o *Senhor* José Ferreira Pimentel Bellosa [?][1]. A seu pedido te escrevo, a fim de que te empenhes calorosamente com o nosso poeta o Chico Guimarães[2], para na organização de seu corpo de voluntários[3] requisitar para uma das vagas de

Alferes, o 1.º Cadete do 5.º Batalhão de Infantaria[4], Marcos Aurélio de Farias Bourguin [?], meu comprovinciano e moço muito distinto. Não tenho relações com o Pinheiro Guimarães, por isso te importuno e insistentemente peço-te que uses de toda a tua influência para alcançarmos aquela nomeação.

   É inútil repetir-te o afeto
  com que de todo o coração sou
      Teu
    Nuno Álvares.

---

1 ∾ Não há certeza quanto às formas antroponímicas – Bellosa e, mais abaixo, Bourguin; por isso a ressalva fazendo uso do [?]. (SE)

2 ∾ Francisco Pinheiro Guimarães, filho (1832-1877), 2.º cirurgião-médico da Armada Nacional e Imperial, durante a Guerra do Paraguai, no posto de coronel, organizou o 4.º Batalhão do corpo de Voluntários da Pátria que saiu do Rio de Janeiro. O corpo de Voluntários foi criado pelo governo imperial a 07/01/1865, vinte e cinco dias após o Paraguai ter declarado formalmente guerra ao Brasil e iniciado a invasão do Mato Grosso. Chico Guimarães foi também jornalista, poeta e dramaturgo. A peça *História de Uma Moça Rica*, que estreou em 04/10/1861, fez retumbante sucesso tanto de público quanto de crítica, em razão dos temas nela tratados. Sobre Pinheiro Guimarães, ver crônica de 15/10/1877, escrita sob o pseudônimo de "Manassés", em que Machado de Assis faz o necrológio do amigo de juventude. (SE)

3 ∾ Quando irrompeu a Guerra do Paraguai (1864-1870), o precário exército brasileiro contou com o alistamento de voluntários, numa febre de patriotismo estimulada pelo governo imperial e enaltecida pela imprensa. Rapazes e, mesmo, homens maduros da elite partiram sem imaginar as provações dos combates nem que muitos deles morreriam. Além de numerosos artigos sobre a guerra, Machado de Assis escreveu o poema "A Cólera do Império" (*Diário do Rio*, 17/05/1865) e incluiu a adesão dos voluntários da pátria na trama de *Iaiá Garcia* (1878), assim como no conto melancólico "Um Capitão dos Voluntários". (IM)

4 ∾ O 5.º Batalhão de Infantaria situava-se na atual praça do Panteão, no centro de São Luís, no Maranhão. (SE)

[37]

> De: LUÍS GUIMARÃES JÚNIOR
> *Fonte*: Manuscrito Original, Arquivo ABL.

Recife, 21 de março de 1865.[1]

Machado, meu amigo e meu irmão,

Aqui estou aqui estarei e sempre comigo as sombras de um desgosto, que me há de matar, eu o sei. Tenho sofrido o que é possível sofrer quando a desgraça e o pensamento sombrio chegam a enlutar uma cabeça cheia de quimeras como esta que trago por cima dos ombros. Sabes por que sofro? Compreendes-me? Ah! meu amigo, como me passam pela imaginação aquelas noites em que conversávamos até o romper da aurora, e como eu sinto a ausência de uma alma como tua em que derrame as minhas lágrimas!

Não tenho gosto para mais nada; se escrevo é por vaidade, por capricho, por estupidez.

Lembra-me, lembra-me, lembra-me sempre.

Nem sei o que te escrevo. Adeus, vê se a nossa boa Gabriela[2] vem para cá.

Adeus e escreve-me; lembra-te de um desgraçado que não sabe se terá a ventura de tornar a ver-te.

      Teu e teu sempre
        Luís

Ilustríssimo *Senhor*
Joaquim Maria Machado de Assis
Diário do Rio
Rua do Rosário *Corte*

---

1 ∾ Transferindo-se para Recife, Guimarães Júnior ali prosseguiria o curso jurídico até a formatura em 1869. (IM)

2 ∾ Certamente a atriz Gabriela da Cunha. Ver em [I], carta de 19/07/1860. (IM)

[38]

De: O AMIGO DA VERDADE
Fonte: Fundação Biblioteca Nacional. "Ao Acaso".
Diário do Rio de Janeiro, 1865. Setor de Periódicos.
Microfilme do original impresso.

AO ILUSTRADO REDATOR DO "AO ACASO"
CARTA II[1]

Rio de Janeiro, em 2 de abril de 1865.

Meu caro amigo.

Para provar-vos que o povo mexicano procedeu nas derradeiras circunstâncias políticas que atravessa, com vontade refletida e *de próprio motu* e não por imposição de ninguém, torna-se necessário que me concedais espaço para recordar alguns dos muitos fatos históricos que caracterizam o espírito monárquico desses enérgicos e robustos mexicanos, cujo nobre orgulho nacional não consentiria nunca na imposição de um estrangeiro.

Não podemos negar, depois de um estudo sério e consciencioso dos nossos povos que o caráter da raça latina, em geral, e da ibera, em particular, é devotado à monarquia; porque crença religiosa, tradição e costumes seculares secundam essa tendência política.

Os descendentes dos Césares romanos preferem, em geral, a púrpura à casaca preta do burguês.

Os primeiros chefes da independência hispano-americana bem convencidos estavam desta verdade.

Se eu desejasse divagar pelos países norte e sul-americanos, embora não latinos os primeiros na sua totalidade, fácil me seria trazer à vossa erudita lembrança a coroa dos Incas, oferecida pelos peruanos ao bravo militar San Martin[2] nos alvores da independência sul-americana: nada dificultoso ser-me-ia apresentar-vos documentos preciosos, pela leitura dos quais veríeis que os argentinos ofereceram oficialmente, em 16 de maio de 1815, cinco anos depois de se declararem independentes, o cetro argentino a um infante da Espanha, ao *Senhor Dom* Francisco de Paula, pai do atual consorte da *Senhora Dona* Isabel II[3], que ainda vive. Nem custar-me-ia muito trabalho fazer-vos ver que eram numerosas e importantes as sociedades monarquistas, cujo fim era coroar um rei. A casa do *Doutor* Tagles[4] era o principal ponto de reunião dos realistas e a estas assembleias noturnas assistiam os homens mais prestigiosos da cidade de Buenos Aires, figurando entre eles os mesmos que dirigiam, em 1820, o carro vacilante da revolução. E que necessidade há de mencionar a chegada a Buenos Aires, em dezembro de 1820, do brigue de guerra espanhol *Aquiles*, conduzindo a bordo, por causa das repetidas instâncias dos membros das sociedades monarquistas argentinas, uma comissão enviada pela corte de Madrid? Nem julgo conveniente manifestar neste lugar a razão porque os espanhóis não assentiram às proposições dos monarquistas argentinos.

Também não quero lembrar outras tentativas da mesma ordem feitas no Estado Oriental do Uruguai em duas épocas; nem quero falar-vos da viagem de Flores[5] do Equador à Europa, há cerca de 20 anos, para colocar no trono de Quito, um rei; nem é meu intento fazer-vos ver que Paez[6] e um poderoso partido da Venezuela tiveram, em 1842 ou 43, a mesma ideia; nem vos repetirei que os inimigos das glórias do Grão Capitão, Simón Bolívar, viam no fundador de cinco repúblicas um futuro príncipe; nem, por fim, vos dizer com a história na mão que os cidadãos norte-americanos ofereceram em diversas épocas, a Washington, a Jefferson e a Adams a coroa dos Estados Unidos, que eles, – prudentíssimos, não aceitaram, porque se lhes não ocultava que careciam do prestígio que dá a realeza herdada dos séculos.

Estas e outras muitas citações, que fácil me seria relatar-vos, provariam e provam que os neolatinos, que os filhos dos gloriosos aventureiros europeus, vindo às Américas no século XV e seguintes, preferem a púrpura dos Césares à casaca preta do burguês. Nem me digais que a existência das repúblicas hispano-americanas fala alto e bom som contra estes fatos históricos isolados; porque forçar-me-íeis a sair do círculo que, por valiosas razões, devemos percorrer, vós e eu, sem traspassarmos os seus limites. Lembrai-vos que vós e eu somos tolerantes e eminentemente americanos.

Até agora não proferi uma palavra sobre o império mexicano; mas foi de propósito; porque devo lançar um olhar retrospectivo sobre esse vasto, belo, rico e populoso país, para chegar vagarosamente dos Montezumas aos Maximilianos.

Não se pode negar que a tradição é uma segunda natureza dos povos: o tempo, de envolta com a civilização, – que é consequência lógica da tendência do homem à perfectibilidade –, pode modificar os sulcos profundos da tradição; nunca, porém, apagá-los.

Antes de entrarmos nos pormenores dos acontecimentos que motivam estas cartas, é necessário que digamos os elementos de que compõe-se a massa nacional mexicana; pois, estes são dados importantíssimos para estabelecermos a opinião nacional, o espírito público do povo e as suas tendências naturais.

Não pertencemos ao número de estadistas que olham só para o presente das nações; professamos outra fé: estudamos o passado, que é sempre bom guia para o futuro.

A população do vasto e delicioso império mexicano é composta – 1.°, dos descendentes dos espanhóis e dos europeus, particularmente dos primeiros, dos quais, apesar dos banimentos de 1828 e 1829, existe ainda naquele país um número avultadíssimo; – 2.°, de indígenas que são mais da metade de toda a população; 3.°, de um número muito acanhado de *leperos*, – mestiços, – mulatos e negros, que habitam, especialmente, no litoral, sendo aliás mui pouco considerados pela maioria nacional.

A população mexicana está orçada por Ackerman, Ilint, Ward, Brigham, Morse, Lesage, Torrente, von Humboldt, Montenegro, Prescott, Alamán[7] – o correto historiador mexicano – em 8 milhões, pouco mais ou menos; mas estes cálculos foram feitos há meio século; e, segundo dados mais recentes e fidedignos, o México atual contém 11 milhões de habitantes. Destes onze milhões, sete são de indígenas; três de descendentes de espanhóis e um milhão de mestiços, pardos e negros.

Desnecessário me parece repetir-vos que os filhos dos espanhóis são, no México, mais adictos ao sistema monárquico do que ao republicano, — posto que descendem de famílias fidalgas da antiga nobreza espanhola, os quais, mesmo nos dias da república, conservavam os títulos dos seus ascendentes, sendo conhecidas muitas famílias pelos nomes de marquês, conde etc., etc.: ou membros do clero — numeroso de *per si* e monárquico por convicção.

Os indígenas mexicanos são realistas ou imperialistas por tradição, natureza e costumes, e a duras penas, ajustaram-se, durante os últimos 40 anos, — ao sistema republicano. E como podiam esquecer os descendentes dos Montezumas os seus imperadores? Imaginai que os livros sagrados mexicanos fazem remontar a sua antiguidade monárquica a mais de 50 séculos antes da era cristã, e a monarquia dos Toltecas ao século 5.º do cristianismo, com cuja data concorda Humboldt. E como podem esquecer os indígenas mexicanos os seus imperadores, quando olham para a pirâmide de Choluta, cuja base quadrada é o dobro da maior do Egito, e para a vastíssima cidade Tula, — da qual são arremedos Pompeia e Herculanuum (*sic*)? E como podem esquecer os mexicanos os nove reis Toltecas, os treze reis Chichimecas e os onze imperadores mexicanos, fundadores da mais bela e suntuosa nação do novo mundo?

A glória, o esplendor, a grandeza dos antigos mexicanos obumbra ainda hoje os olhos dos seus descendentes, e lembram-se com profunda saudade dos tempos magníficos dos Montezumas, rezando as suas tradições e livros sagrados a profecia de que com o correr dos tempos, depois de muitas calamidades e terríveis dissabores nacionais, havia de chegar dos países remotos do Oriente um príncipe que elevá-los-ia da prostração ao auge da prosperidade, da grandeza, ressuscitando o império que, pérfida, e desumanamente fez desaparecer o conquistador com a morte de Guatemozin[8], seu último imperador.

Estas são as reminiscências tradicionais tão profundamente religiosas e sagradas para aqueles povos de aspecto grave, melancólico e misterioso em tudo, que a forma republicana lhes foi sempre antipática, embora a tolerassem por ser-lhes imposta pela força que residia nos descendentes dos seus primeiros conquistadores.

Antes de chegarmos a falar do *pronunciamento* do presbítero Don Miguel Hidalgo, pároco da vila "Dolores"[9]; precedido pela perseguição feita ao vice-rei Iturrigaray, acusado pelos espanhóis de afeto aos mexicanos; antes de falarmos do brado da independência, da revolução continuada por Morelos; antes de falarmos da constituição de Chilpaneingo e de Apatzingan; antes de mencionarmos o plano de Iguala, o tratado de Córdova, e a reunião do primeiro congresso mexicano; antes de vermos elevado ao trono do império, em 1822, a Don Agostinho I – Iturbide[10] – e de lermos em algumas moedas o nome de Antônio I – López de Santana[11], etc., etc., é necessário que digamos que, depois de ter (*sic*) desaparecido os antigos imperadores mexicanos, durante 300 anos, governaram aquele vasto império sob a denominação da "Nova Espanha" os vice-reis espanhóis que, para serem reis unicamente lhes faltava o título e a coroa; porque as prerrogativas, – incluindo o sistema absoluto, – residiam nas suas mãos.

Ora bem, meu caro e ilustrado redator do *Ao acaso*, um povo, cujas tradições são as supramencionadas; um povo, que lembra-se com saudade pungente de três dinastias gloriosas, pelos estrondosos feitos de armas, pela prosperidade fabulosa de que gozou, pela riqueza imensa que o distinguiu em tempos imperiais, pela opulência em que o embalaram no berço do seu esplendor monárquico, pelo renome que o tornou notável desde séculos mais remotos até os nossos dias, pela civilização de que tantos e tão prodigiosos vestígios nos legou, não pode deixar de ser monarquista por tradição, por natureza, por gratidão, por dever, particularmente comparando as antigas glórias com o estado miserável da república, durante quarenta anos, em que não puderam gozar um dia de paz, em que viram-se ameaçados por serem absorvidos por uma raça inteiramente contrária à sua religião, à sua língua, aos seus costumes, ao seu caráter, em que olhavam para os seus bens como coisas fortuitas, em que tinham tantos tiranos quantos caudilhos, e tantas desgraças quantas espadas fazia (*sic*) lampejar a ambição e a instabilidade do sistema.

Povos nutridos com essas tradições, e fustigados por essa amargosa experiência, almejam pelo momento da sua felicidade, que é para eles o das tradições gloriosas e caras ao santo orgulho nacional.

Estes são os alicerces mais antigos desta monarquia que observais, levantando-se majestosa das ruínas da república no hemisfério setentrional; esperai pelas pedras angulares e pela conclusão do edifício.

Não estranheis, meu caro, que não responda imediatamente às vossas observações; porque não ignorais que sou homem muito ocupado; circundam-me diversas atenções, às quais devo consagrar o meu trabalho, as minhas vigílias, o tempo talvez do meu sono, e, por conseguinte, serei demorado nesta agradável tarefa, como o sou em outras da mesma natureza, que me servem de descansos no meio da afanosa vida que leva, há já alguns anos

Este vosso deveras,
"O amigo da verdade."[12]

---

1 ∾ Publicada em 11/04/1865, precedida pelas seguintes palavras de Machado: "Damos todo o espaço da revista à seguinte carta que nos dirige o *Amigo da Verdade*. É a segunda da série que o nosso amigo nos prometeu escrever a propósito do México." Galante de Sousa (1955) menciona uma terceira carta, de 19/07/1865. Tal carta não é publicada neste volume porque em maio desaparecera o folhetim "Ao Acaso" de Machado. (IM)

2 ∾ O general argentino José Francisco de San Martin y Matorras (1778-1850), militar e estadista, eleito *protector* do Peru em 1821. (IM)

3 ∾ Isabel II de Espanha (1830-1904), coroada em 1833, abdicou em 1878. Casou--se com Francisco de Assis de Bourbon, Duque de Cádiz. (IM)

4 ∾ Possível referência a Juan Bernardo de Tagle (1779-1825), político e militar peruano. (IM)

5 ~ Juan José Flores y Aramburu (1800-1864), militar, estadista e primeiro presidente do Equador. (IM)

6 ~ José Antonio Paez (1790-1873), chefe militar nas guerras de independência e presidente da Venezuela por três vezes. (IM)

7 ~ Dos nomes citados podem-se confirmar: Jedediah Morse (1761-1826), geógrafo, pai do inventor do telégrafo Samuel Morse; Lesage ou A. Le Sage (Emmanuel-Auguste Dieudonné, Conde de las Casas, 1766-1845), autor do *Atlas Historique, Généalogique, Chronologique et Géographique* (1803); Alexander von Humboldt (1769-1859), famoso naturalista e explorador alemão; William Hickling Prescott (1796-1859), autor da *História da Conquista do México* (1843) e Lucas Ignacio Alamán y Escada (1792-1853), um dos mais importantes estadistas e intelectuais mexicanos, autor de *Disertaciones sobre la Historia de la República de México* (1844-1849) e *Historia de México desde* [...] (1849-1852). Resta como suposição ser Brigham o missionário Hiram Brigham I (1789-1869). (IM)

8 ~ Imperador capturado por Hernán Cortés em 1521, supliciado e enforcado três anos depois. (IM)

9 ~ Miguel Hidalgo y Costilla (1753-1811), patriota mexicano, influenciado pelos enciclopedistas franceses, chefe da insurreição nacional de 1810 e fuzilado como traidor. O "grito de Dolores" (*Viva Nossa Senhora de Guadalupe! Morra ao mau governo! Morram os 'guachupines'!*), a 16/09/1810, dando início ao movimento contra o domínio espanhol, fez daquele dia a data oficial da independência do México. (IM)

10 ~ Augustín Itúrbide (1783-1824), militar, político e primeiro imperador do México. (IM)

11 ~ Antonio López de Santa Ana (1794-1876), militar e político, proclamou a república em 1833, depois de tumultuada atuação (presidente e vice-presidente várias vezes), foi nomeado grande marechal do império mexicano por Maximiliano. (IM)

12 ~ Machado acrescenta apenas este comentário:

> "Como se vê não temos que responder às apreciações históricas que o *Amigo da Verdade* faz nestas páginas. Em nossa opinião elas nada podem influir na sequência dos fatos que deram em terra com a república mexicana. / Aguardamos entretanto o desenvolvimento da ideia do *Amigo da Verdade*, para dar-lhe uma resposta completa e definitiva."

Não houve tal resposta. O folhetim "Ao acaso" foi publicado, pela última vez, em 16/05/1865. (IM)

[39]

> De: LUÍS GUIMARÃES JÚNIOR
> *Fonte:* Manuscrito Original, Arquivo ABL.

Recife, 7 de abril [de 1865.][1]

Meu muito querido.

Esta vai às pressas. O correio não tarda a fechar-se sem exceção de pessoa. Li o teu folhetim, o teu belo folhetim em que se fala do simpático e infeliz *Félix* da Cunha[2]. A tua pena é mais feliz que a minha, sabes ocultar debaixo de um estilo feiticeiro e móbil o que tens na alma de doloroso e de duvidoso. Tenho sofrido, é inútil dizer-te.

Recebeste uma carta minha? A nossa querida artista vem ou não vem?[3]

Adeus e ama-me. Sou cada vez mais teu irmão, teu amigo, teu *enfeitiçado*

Luís.

Ilustríssimo Senhor
Joaquim Maria Machado de Assis
Rua do Rosário 84
Escritório do *Diário do Rio*
Rio de Janeiro

---

1 ~ O local e as referências seguintes legitimam o ano de 1865. (IM)

2 ~ Félix da Cunha (1833-1865), escritor, jornalista e político gaúcho, falecera em Porto Alegre a 21 de fevereiro. Machado evocou-o em "Ao Acaso", no *Diário do Rio de Janeiro* de 15/03/1865:

> "Era um grande lutador Félix da Cunha. Era uma inteligência e uma consciência, na acepção vasta destes dois vocábulos. Jovem ainda, soubera criar um nome que se estendeu desde logo em todo o país, e tornou-se uma das estrelas da bandeira liberal. [...] A imprensa rio-grandense e a fluminense já deram à memória de Félix da Cunha a homenagem devida de veneração e saudade. Em breve todo o Brasil terá prestado esse último dever à memória do patriota. / Para todos, – e todos o admiravam, – era Félix da Cunha um grande talento, um combatente leal, um enérgico tribuno. Mas para os que o conheciam de perto, era mais: era o bom Félix. Aliava a uma inteligência superior um coração generoso; rara aliança que os povos devem ter diante dos olhos como lições eternas." (IM)

3 ⚬ Gabriela da Cunha, cuja presença já fora reclamada. Ver em [37], carta de 21/03/1865. (IM)

[40]

De: JOAQUIM FERRÃO
Fonte: Manuscrito Original, Arquivo ABL.

São Cristóvão, 1.º de junho de 1865.

Ilustríssimo Amigo e Senhor

Está doente? Nem ontem, nem antes de ontem! Ontem mandei buscar bilhete[1] de camarote para São Januário[2] na suposição de que viria, como no-lo havia prometido, e não fomos porque o esperamos; diga-nos, pois, se está doente, porque assim o supusemos, e estamos com cuidado.

Se estiver com a Senhora Dona Gabriela[3] e Cardoso[4], peço-lhe que nos recomende, e creia-me com toda a consideração

Seu muito afeiçoado e Criado Obrigado
Joaquim Antônio da Silva Ferrão.

---

1 ⚬ O bilhete seria para a comédia *Agonias de Pobre*, de José Cândido dos Reis Montenegro (1845-1895), autor com diversas obras comentadas por Machado de Assis em seus folhetins no *Diário do Rio de Janeiro*. (SE)

2 ⚬ O Teatro São Januário estava arrendado a José Remígio de Sena Pereira (1826--1866), e o diretor da companhia era o ator Florindo Joaquim da Silva. São Januário foi o nome dado ao antigo Teatro da Praia de D. Manuel (1834), construído por uma companhia de atores portugueses em terreno cedido pelo governo, na rua do Cotovelo, entre a praia e a rua, sendo reinaugurado (1838) com o novo nome, em homenagem à princesa D. Januária (1822-1901), irmã de D. Pedro II. Apesar de ser uma sala confortável e de boas proporções, o teatro, segundo contemporâneos, fora construído numa região considerada perigosa, distante da freguesia do Sacramento, onde a maioria dos teatros se concentrava. Por causa disso, ganhou fama de mal frequentado, lugar impróprio às "boas famílias", servindo de pouso a companhias itinerantes ou grupos momentaneamente desalojados. Em 1859, passou a chamar-se Teatro de Variedades e, em 1862, passou a Ateneu Dramático. (SE)

3 ∽ Gabriela da Cunha foi apontada por Magalhães Jr. (1981) como a musa dos inspiradíssimos "Versos a Corina", publicados na imprensa a partir de março de 1864, e incluídos nas *Crisálidas*, em setembro do mesmo ano; contudo cabe ressaltar que não há consenso entre os biógrafos a respeito daquela que inspirou tais versos. Sobre Gabriela da Cunha, ver em [1], carta de 19/07/1860. Sobre "Versos a Corina", ver em [81], carta de 02/03/1869. (SE)

4 ∽ O ator português Manuel da Silva Lopes Cardoso (1835-1887), segundo marido da atriz Gabriela da Cunha, manteve relações de amizade com Machado de Assis por muito tempo, inclusive, foi o intérprete das comédias machadianas *O Caminho da Porta* e *O Protocolo*. Após uma temporada em Portugal, abandonou o teatro, mudando-se para a Bahia, onde fundou o jornal *A Gazeta de Notícias*. (SE)

[41]

De: FERREIRA DE MENESES
Fonte: Manuscrito Original, Arquivo ABL.

São Paulo, 9 de junho de 1865.

Meu Machado.

Ainda te não escrevi! Por quê?

Por tudo, menos por esfriamento da minha amizade para contigo e por esquecimento[1]. Hoje faço-o por duplo motivo: primeiro por saber de tua saúde e a de nossos amigos[2] Remígio, Quintino, Nabuco e Zaluar[3] e a segunda para te recomendar a composição musical de um nosso muito distinto patrício o *Senh*or Emílio do Lago[4], cujo nome já deves ter visto por mais de uma vez citado com elogio nos jornais desta província.

O *Canto da Coruja* é o nome desta linda serenata cujas melodia e inspiração fazem lembrar as de Got[t]schalk[5].

Peço-te que a dês a alguém para concertá-la e a recomendes ao público assim como o talento do seu feliz autor.

É portador desta carta o *Senh*or Henrique Luís talentoso professor de música que por amizade pelo companheiro e colega o *Senh*or Emílio do Lago e por desejo de conhecer-te também quis encarregar-se desta missiva.

>Espero em tua amizade
>Mando-te um abraço apertado
>e assino-me
>Teu de *Coração*
>J. Fer. Meneses[6].

Se puderes dize também alguma coisa a respeito na *Semana Ilustrada*[7].

---

1 ∾ Esses dois primeiros parágrafos são sugestivos de que Machado de Assis teria interpelado o amigo pela ausência de notícias, atitude senão pouco comum, ao menos pouco documentada nas cartas remanescentes do seu acervo epistolar. Outro exemplo disso, ocorre em [21], carta de 29/04/1864, na qual Luís Guimarães Júnior diz: "Recebi – graças a Deus! – a tua cartinha. Não tenho nem novos amores, nem tão pouco ausência da comédia alheia-me da tua lembrança e amizade. Quis que pela primeira vez tivesses a iniciativa. Cedo ou tarde tiveste. Graças a Deus!". (SE)

2 ∾ Quintino Bocaiúva* e Sizenando Nabuco*. Sobre José Remígio de Sena Pereira (1826-1866), ver em [59], carta de 25/11/1866.

3 ∾ O português Augusto Emílio Zaluar (1826-1882) chegou ao Rio de Janeiro em 1849, após abandonar o curso de medicina, para dedicar-se às letras; foi dos primeiros amigos de Machado de Assis, amizade feita no escritório de Caetano Filgueiras*. Juntamente com Remígio de Sena (1826-1866), Zaluar fundou na cidade de Petrópolis o periódico *O Paraíba*, que circulou de 02/12/1857 a 27/11/1859, e no qual colaboraram Machado de Assis, Quintino Bocaiúva, Francisco Ramos Paz* e Manuel Antônio de Almeida, o autor de *Memórias de um Sargento de Milícias*. Ver também em [22], carta de 22/07/1864. (SE)

4 ∾ Emílio Eutiquiano Correia do Lago (1837-1871), compositor, pianista, regente e professor, nascido em Franca (SP), onde fez os estudos iniciais com músicos da própria família. Transferiu-se para a cidade de São Paulo em 1860, ganhando fama de excelente professor. Segundo Renato Almeida (1942), sua melhor composição foi "O Canto da Coruja". (IM)

5 ∾ Louis Moreau Gottschalk, filho de um negociante judeu de origem inglesa e de uma haitiana crioula, nasceu em Nova Orleans, a 08/05/1829 e faleceu no Rio de Janeiro, em dezembro 1869, quinze dias após uma crise de apendicite, que o

surpreendeu durante um concerto no Teatro Lírico Fluminense. Gottschalk foi pianista e compositor de grande popularidade no século XIX, celebrizando-se, sobretudo, pelo arranjo pianístico do Hino Nacional Brasileiro. (SE/IM)

6 ⚭ O nome completo – José Inácio Gomes Ferreira de Meneses – até agora desconhecido – foi retirado de um pequeno e substancial volume de poemas, *Flores de Cheiro* (1863), publicado pela Tipografia Episcopal de Antônio Gonçalves Guimarães, na rua do Sabão, Rio de Janeiro. Divide-se o livro em quatro partes: *Soltas*, *Íntimas*, *Traduções* e *Estudo Crítico*. Sob a primeira rubrica, estão recolhidos os poemas de temática variada, como por exemplo, *Spleen e Cigarros*. Na segunda, os poemas pessoais, em que o poeta fala dos pais, dos irmãos e da amada. Na terceira parte, estão as suas traduções de versos de André Chénier (1762-1794), Charles Hubert Millevoie (1782-1816), Lord Byron (1788-1824), Ossian (o poeta escocês James Macpherson), Schiller (1759-1805) e Victor Hugo (1802-1885), dando uma boa indicação da sua filiação poética. Na última parte, *Estudo Crítico*, há um texto de Fagundes Varela (1841-1875), datado de 06/09/1863, em que o poeta de *Vozes da América*, analisando o livro, termina por dizer: "Depois do que acabamos de ver não duvido assegurar que, se o Sr. Ferreira de Meneses continuar na carreira que segue, será um das nossas mais belas Musas." Com isso, a suposição inicial de que aquele seria o nome completo do jornalista passou à certeza: José Inácio Gomes Ferreira de Meneses. (SE)

7 ⚭ A primeira revista humorística ilustrada da imprensa brasileira, fundada pelo jornalista e caricaturista alemão Henrique Fleiuss*. Existindo de 16/12/1860 a 19/03/1876, contou com nomes de peso como colaboradores, entre os quais, Machado de Assis, Bernardo Guimarães, Quintino Bocaiúva*, Joaquim Nabuco*, Pedro Luís* e Joaquim Manuel de Macedo. Eis o que dizia o *Almanaque Laemmert* de 1865, sobre ela: "*Semana Ilustrada*, jornal hebdomadário, ornado com caricaturas. Subscreve-se no largo de São Francisco, 16; a 5 $ por trimestre. Número avulso 500 rs.". (SE)

[42]

De: FAUSTINO XAVIER DE NOVAIS
Fonte: Manuscrito Original, Arquivo ABL.

Rio de Janeiro, 14 de julho [de 1865.][1]

Machadinho.

Tenho muita precisão de falar contigo, e, como és um Boêmio, incerto em toda a parte, ouso pedir-te que me procures na Praça[2], hoje, sem falta;

melhor seria que lá chegasses antes de começares os teus trabalhos. Entra naquele soberbo edifício, atravessa-o impávido, e *encaracola-te* por uma escada de caracol que hás de encontrar adiante do nariz³.

Se não quiseres arriscar assim a tua pudicícia, pergunta por mim no escritório da entrada, à esquerda.

Espera-te sem falta, o

Teu do *Coração*

F. X. de Novais.

---

1 ∾ Sobre o ano, ver em [33], carta de 17/02/1865. (IM)

2 ∾ Praça do Comércio. Ver em [33], carta de 17/02/1865. (IM)

3 ∾ Nos primeiros tempos do emprego, como estatístico da Praça do Comércio, Faustino ainda não recebera a visita do seu amigo Machadinho; por isso, as divertidas e minuciosas explicações. (IM)

[43]

Para: JOSÉ FELICIANO DE CASTILHO
Fonte: Fundação Biblioteca Nacional. "Folhetim".
Diário do Rio de Janeiro, 1865. Setor de Periódicos.
Microfilme do original impresso.

Rio de Janeiro, 15 de agosto de 1865¹.

Carta ao *Senhor Conselheiro José Feliciano* de Castilho

Mestre e senhor.

Conversemos de um grande poeta e de uma excelente obra, de Bocage² e dos *Primeiros amores de Bocage*. Tem Vossa Excelência, mais do que nenhum outro, o direito de ver o seu nome no alto destas linhas: foi Vossa Excelência, o primeiro que, depois de acurado estudo e prodigiosa investigação, nos deu uma excelente biografia do grande poeta, que serviu de fonte para outros trabalhos, e a que não duvidou recorrer o ilustre autor dos *Primeiro amores*. Tecer alguns aplausos a Vossa Excelência no meio dos aplausos ao autor da comédia, honrar a um tempo o biógrafo e o poeta, o historiador e o intérprete, é um dever de justiça literária, de que eu me não podia esquecer neste momento.

Acresce ainda que, por uma coincidência auspiciosa para as letras, na época em que o Senhor Mendes Leal[3] traçava a sua comédia, Vossa Excelência entrava em novas investigações acerca da vida de Bocage[4], e, à mesma hora, desenhava-se no pensamento do erudito e no pensamento do poeta a grande figura do autor da *Pena de Talião*[5].

É a Vossa Excelência, portanto, que eu devo dar conta das minhas reflexões acerca dos *Primeiros amores de Bocage*.

O que eu admiro, depois do talento, no autor do *Primeiros amores* é a dupla qualidade de fecundo e laborioso. De ordinário, a política, quando rouba um homem às letras, não o restitui, ou o restitui tarde. O Senhor Mendes Leal, solicitado pela deusa do tempo, nunca desertou do templo das musas, nem se filiou na igreja da política. Serviu à causa pública, quando o voto da nação o chamou a isso, mas voltou sempre à terra natal da poesia, onde se lhe abriram os olhos, e de onde encetou a carreira que tem percorrido até hoje. Um dia, resolveu o poeta afastar-se da política, e o voto popular aceitou a resolução, retirando-lhe o diploma de deputado; mas de volta ao templo das musas, alcançou ele outro diploma de maior alcance, sem circular nem luta, — escreveu esta, a melhor de todas as suas obras dramáticas. Os trabalhos do ministro não cansaram o poeta; as musas que o esperavam, receberam-no amantes e dóceis, e uma coroa de louros substituiu o chapéu ministerial. A pátria de Vossa Excelência tinha menos um militante ativo da política, mas a nossa pátria poética contava mais um monumento.

O assunto de Bocage não era fácil. É coisa reconhecida que os homens de pensamento são difíceis de transportar para o teatro, ao passo que aí se dão perfeitamente os homens de ação. Além disso, a própria figura de Bocage tem uma feição histórica com que a arte devia lutar. Mas de todas estas dificuldades poderia triunfar uma inteligência esclarecida. Tudo estava no modo por que o autor encarasse o assunto. Se ele atendesse à lição clássica, marcando o limite que separa a arte e a história; se, com a segunda vista da musa, soubesse tirar das entranhas do assunto e do tempo aquilo e tão somente aquilo que é digno da arte, fazendo-se imaginoso e intérprete, a obra devia ser necessariamente boa e o assunto fecundo. Este foi o caminho seguido pelo Senhor Mendes Leal, e eis aí por que, além de uma excelente comédia, deu-nos também uma lição profícua. A comédia é hoje um estudo descurado. Crismou-se de comédia uma forma sem sabor, sem dignidade, sem elevação; uma coisa que nem é a farsa nem a comédia, tirando um pouco ao insípido *vaudeville*, às vezes mais chulo, às vezes mais sério é verdade, mas daquela seriedade que consiste em não contrair os músculos do rosto, e nada mais.

Alguns talentos de certa ordem, lá como cá, libertaram-se dessa dependência de mau gosto, e vingaram um pouco os foros de Tália[6], nestes últimos tempos; mas além de serem reduzidas em número, as obras que serviram de protesto não visavam tão grande alcance que pudessem fazer uma revolução.

Escrevendo os *Primeiros amores de Bocage*, o autor, segundo declara, quis abranger em uma só obra os três gêneros da comédia, a de caracteres, a de costumes, e a de enredo. Nenhuma é fácil, e a primeira é sobremodo difícil. Precisava empregar para esses três gêneros, três elementos principais: — a invenção lhe forneceria a trama, a erudição o iniciaria na pintura do tempo, a observação lhe daria a análise dos caracteres. A obra era de afrontar ânimos acanhados; mas um talento de iniciativa, como o do autor, achava na grandeza do cometimento estímulo e força.

Os caracteres, — é esse um dos principais méritos da obra, — estão desenhados com suma perfeição [.] V*ossa* E*xcelênci*a terá notado, sobretudo, a arte suprema com que o autor transportou Bocage para a cena. A opinião geral a respeito deste homem extraordinário, como lhe chama Alexandre Herculano[7], é que era um devasso, dotado de um engenho que se afogava em genebra, cheio de vícios e defeitos. Bem sei que os biógrafos e os críticos esclarecidos, e à frente deles Vossa Excelência, souberam ver em Bocage a parte nobre dos afetos e dos impulsos generosos; mas, a lei da biografia é imperiosa, e os desregramentos do poeta, foram trazidos à luz, em toda a sua minuciosidade e plenitude. Uma coisa, porém, é a lei da biografia, e outra é a lei da comédia. Se a arte fosse a reprodução exata das coisas, dos homens e dos fatos, eu preferia ler Suetônio[8] em casa, a ir ver em cena Corneille e Shakespeare.

O autor dos *Primeiros amores de Bocage* tinha duas razões poderosas para pintar o Bocage que nos deu; a primeira é a ordem particular, e refere-se à época da comédia; então o autor de *Leandro e Hero*[9] entra na mocidade, ainda com o viço das primeiras ilusões, transbordando de afetos, e já movido pela musa da indignação contra os vícios e os homens do seu tempo; a outra razão é de ordem geral, e tem aplicação à vida inteira do poeta. O autor tão consciencioso e tão verdadeiro, compreendeu bem que as linhas símplices e características devem dominar os traços acidentais; o fundo do caráter e da índole de Bocage não eram os desregramentos referidos pela biografia e pela tradição oral. Se o autor fizesse deles a feição característica e saliente do poeta, tanto na época dos primeiros amores, como na dos últimos, teria desconhecido a lei do teatro, e a sua obra ficaria condenada a uma morte próxima. Mas, o Senhor Mendes Leal sabe perfeitamente a distância que há, entre os traços largos da pintura, e a implacável minuciosidade do daguerreótipo; não copiou a biografia, interpretou-a.

Assim que, veja Vossa Excelência como se houve ele no desenlace da comédia. Eu leio na biografia de Bocage, escrita por Vossa Excelência, que a causa de ausentar-se de Lisboa o poeta foi o receio de que o conde de São Vicente se vingasse dele por motivo de pasquins que se lhe atribuíam, e que diziam respeito a uma morte praticada no beco da Espera. Nada disto se refere na comédia; aí o motivo da partida do poeta para a Índia é um generoso sacrifício de amor. Pois bem! é com ambas as mãos que eu aplaudo este desenlace, tão lógico e tão digno de comédia e de Bocage e me parece ele. Bocage amava estremecidamente na ocasião de deixar Portugal; os versos que então escreveu dão prova disso; era ele capaz de um sacrifício? era. E de mais, retirando as suas pretensões à filha de Dona Felícia, conservava ele a sua cara independência, e abria diante de si horizontes novos e campo desconhecido. Aí está Bocage.

A mesma arte empregada na pintura de Bocage, presidiu a dos outros caracteres; o comendador e o morgado são completos; um, empachado de erudição, astuto como um jesuíta que é, menos a roupeta; o outro, filaucioso, tolo, fanfarrão; ambos ridículos e imorais; a morgada Dona Felícia, Manuel Simões, Marialva, Mendes, Dona Maria Joana, todos enfim, no primeiro, como no segundo plano, têm a feição histórica e a feição humana, procedem do tempo e falam a todos os tempos, condição essencial na arte. Todos esses grupos formam o quadro onde se destaca a figura de Bocage, e são igualmente o resumo da sociedade portuguesa, nos fins do século XVIII.

Dizendo que a comédia do Senhor Mendes Leal é uma boa comédia de costumes, eu não me refiro aos calções, aos móveis e ao pregoeiro do *testamento da velha*. Isso, que satisfaz os olhos dos curiosos, não é o estudo dos costumes do tempo, e do espírito da sociedade. Esse estudo, que tem mais valor aos olhos da crítica, é feito pelo Senhor Mendes Leal com raro discernimento e cuidado, e se outros méritos faltassem à peça, aquele a faria recomendável no futuro.

No meio deste quadro, e para ligar os diversos caracteres que aí se agitam, imaginou o autor uma ação simples e natural. Esta simplicidade é a parte que se considera mais fraca da peça; eu não condeno a simplicidade, nem reclamo as peripécias; nada mais simples que a ação do *Misantropo*, e contudo eu dava todos os louros juntos do complexo Dumas e do complexo Scribe[10] para ter escrito aquela obra-prima do engenho humano. O que eu reconheço, — e é este o único reparo que dirijo à comédia, — é que durante algum tempo, aquela mesma ação simples parece despir-se de interesse. Mas esse reparo não me saltou logo aos olhos, tanto sabe o autor interessar, mesmo quando a ação se recolhe aos bastidores.

Finalmente, para dar-lhe completa conta das impressões que recebi com a leitura e a representação dos *Primeiros amores de Bocage*, resta-me aplaudir o estilo da comédia, estilo elevado, brilhante, loução, cheio de imagens, não a rodo, mas aquela necessária economia poética, estilo verdadeiramente português, verdadeiramente de teatro: — prosa tão superior, que me consola de se haver proscrito os versos da cena, como antes me consolara a prosa de *Camões*, de Castilho Antônio, como ainda antes me consolara a prosa do *Frei Luís de Sousa*[11], de Garrett.

Novas produções nos promete o autor dos *Primeiros amores de Bocage*. Conto que sejam dignas irmãs desta. E se a política for solicitá-lo de novo, as musas agradecerão ao poeta, se, à semelhança de Diocleciano, preferir a vida calma de Salona, às contínuas agitações do governo da república.

Desculpe V*ossa* E*xcelênci*a o haver-lhe tomado tempo, e creia na sinceridade com que sou

   Criado e admirador de V*ossa* E*xcelênci*a
   Machado de Assis.

---

1 ∽ Esta carta aberta é um longo comentário sobre a peça de José da Silva Mendes Leal — *Os Primeiros Amores de Bocage*, cujo personagem principal era o poeta português recentemente biografado por José Feliciano de Castilho, biografia a que Mendes Leal havia recorrido para compor o texto. No anúncio saído no *Diário do Rio de Janeiro*, consta que se trata de um drama em cinco atos, com estreia no sábado, dia 12/08/1865, no Teatro Ginásio Dramático, tendo entre os atores, além de Furtado Coelho (Bocage), Jacinto Heller (Marquês de Marialva), Antônio José Areias (Manuel Simões), Dias Guimarães (Sebastião de Brito), Antonina Marquelau (D. Maria Joana, Morgada de Valmoreno), Eduardo José da Graça (Luís Manuel), Silva Leal (Zé da Mota) e Francisco Correia Vasques (Bartolomeu, Morgado de Gesteira). Maria Amália Monteiro (D. Felícia de Montoso). Registre-se que o uso do vocábulo drama para as comédias havia se generalizado. Sobre o uso desta palavra, ver em [8], carta de 1862. (SE)

2 ∽ Manuel Maria du Bocage (1765-1805) parece ter sido desde cedo dominado pela ideia de predestinação sentimental e trágica segundo o modelo camoniano; assentou praça aos quatorze anos e depois foi para a Academia Real de Marinha; mas dissipou os cinco anos seguintes numa vida desregrada. Sempre orientado pelo paralelismo com a vida de Camões, embarca em 1786, passando pelo Rio de Janeiro, em direção a Goa. Em 1790, retorna a Lisboa, frequentando os salões arcádicos do Conde de Pombeiro, mas cedo se indispõe com seus confrades, passando a satirizá-los. Em

1797, é preso e processado por sua irreverência antimonárquica e anticatólica. Depois de meses na prisão do Limoeiro e nas masmorras inquisitoriais, ao cabo de diversas súplicas e retratações, é transferido para o convento de São Bento e, depois, para o dos Oratorianos, de onde sai conformista, regrado e precocemente envelhecido, recolhendo-se a uma vida simples. (SE)

3 ∞ José da Silva Mendes Leal (1820-1886), escritor da fase final do romantismo, publicou poesia, ficção e história, mas notabilizou-se como dramaturgo, cujo sucesso no teatro teve início em 1839, com o drama histórico *O Homem da Máscara Negra*. Foi também diretor da Biblioteca Nacional de Lisboa, jornalista, diplomata e político. Como jornalista, colaborou na *Revista Universal* e em *O Panorama*. Na política foi deputado e ministro; terminou a carreira como ministro plenipotenciário de Portugal em Madrid e Paris. (SE)

4 ∞ No microfilme do *Diário do Rio de Janeiro* da Biblioteca Nacional de 12/04/1867, encontrou-se uma nota na seção "Semana Literária" que consubstancia essa afirmativa de Machado de Assis: "A obra a que nos referimos e que acaba de ser publicada pelo editor Garnier é o estudo da vida e os excertos de Bocage, pelo Sr. conselheiro José Feliciano de Castilho. Um poeta de gênio julgado por um juiz de pulso." (SE)

5 ∞ Poema em que Bocage satiriza o padre e escritor José Agostinho de Macedo (1761-1831), dono de grande vivacidade intelectual e extraordinária memória, mas sobretudo, com uma imensa vocação para governar os próprios interesses, o que lhe permitiu fazer uma carreira de sucesso numa época cheia de agitação e incerteza. A pena ou lei de talião, título do poema satírico, consiste na defesa da rigorosa reciprocidade entre o crime praticado e a pena infligida, muito apropriadamente chamada de *retaliação* e, popularmente, expressa na máxima *olho por olho, dente por dente*. Pela lei de talião (do latim *lex talionis*: *lex*, lei e *talis*: tal, parelho), um criminoso deveria ser punido *taliter*, ou seja, punido talmente, de maneira igual ao dano que causou a outros. (SE)

6 ∞ A musa da comédia. As musas são filhas de Mnemósine, a personificação da Memória, com Zeus. Após a derrota dos Titãs, adversários tenazes do espírito consciente, que prefiguram as forças brutas da terra e os desejos em atitude de revolta contra o espírito, os deuses pediram a Zeus que criasse divindades capazes de cantar a grande vitória dos olímpicos. Então, Zeus durante nove noites consecutivas partilhou o leito de Mnemósine, que, no tempo certo, deu à luz as nove musas: Calíope, a que preside à poesia épica; Clio, à história; Polímnia, à retórica; Euterpe, à música; Terpsícore, à dança; Érato, à lírica coral; Melpômene, à tragédia; Tália, à comédia; e Urânia, à astronomia. Assinala-se, no entanto, que na tradição dos estudos da mitologia grega, há registro de variantes do número de Musas e suas atribuições, até que na época clássica seu número, nomes e funções fixaram-se. (SE)

7 ∾ Alexandre Herculano (1810-1877) aqui é citado em sua face de historiador e ensaísta da literatura portuguesa, posição em que defendeu ser a arte a expressão de modelos ideais, em contraposição à visão dos clássicos de que a arte era a imitação da natureza; por outro lado, opunha-se também ao tom individualista do romantismo de base alemã, preconizando uma arte para o grande público, cuja expressão máxima deveria ser o drama romântico, e considerando Bocage, "esse homem extraordinário", o precursor dessa nova literatura, feita para estar nas praças públicas e não nos salões. (SE)

8 ∾ Caio Suetônio Tranquilo (69-por volta de 141) historiador romano mais conhecido por sua *A Vida dos Césares*; em sua obra descreveu os principais personagens da época, devassando a vida íntima da corte romana, e oferecendo uma visão acurada dos vícios, bem como das disputas em que se dividia a nobreza. (SE)

9 ∾ Cantata que, por sua ambiência e contextura dramática sombria, prenuncia os tempos românticos. A história de Leandro e Hero, referida por Ovídio, narra o amor e a morte dos dois jovens, e foi motivo para poetas da Arcádia, como Bocage e Verney. Leandro, que vivia em Abidos, cidade no lado asiático do estreito de Dardanelos, todas as noites atravessava a nado o Helesponto para visitar a sua amada Hero, sacerdotisa de Afrodite, na cidade de Sestos, na costa europeia do estreito. O rapaz orientava-se por uma tocha que ela acendia na torre de sua casa. Numa noite de forte tempestade, enquanto nadava, a tocha apagou-se, desorientado Leandro acabou afogando-se. Na manhã seguinte, ao avistar o cadáver de Leandro trazido pelas águas, Hero desesperada lançou-se sobre ele e morreu. (SE)

10 ∾ Eugène Scribe (nascido Augustin Scribe, 1791-1861) inventou um estilo de peça cuja tessitura dramática conquistou imediatamente o interesse do público; em suas comédias, partia geralmente de um incidente sem importância aparente, que acabava por produzir consequências consideráveis, tudo isto por meio de uma sequência de encadeamentos lógicos impecáveis. A complexidade a que alude Machado de Assis certamente se deve a essa forma de urdidura dramática. Assinale-se ainda que Scribe escreveu mais de trezentas e cinquenta peças de teatro, entre as quais *O Padrinho* (1821), *Valérie* (1823) e *O Embaixador e a Sogra* (1826). Além disso, foi autor de numerosos libretos de ópera, entre as quais, *Os Huguenotes* de Meyerbeer (1836), *A Favorita* de Donizetti (1840) e *As Vésperas Sicilianas* de Verdi (1855); foi eleito para a Académie Française em 27/11/1834. (SE)

11 ∾ Almeida Garrett escreveu o drama *Frei Luís de Sousa* (1844) consoante a visão que presidiu todas as suas ações no teatro, cujo projeto era criar uma nova dramaturgia portuguesa, com um repertório que nacionalizasse o drama romântico e que educasse o público. Garrett pôs a serviço desse conceito de "missão do teatro", uma notável capacidade de engendrar diálogos, uma forte compreensão da cena e um acurado uso da informação histórica; mas o que ocorre é que, apesar das restrições a que o objetivo

didático poderia ter conduzido, o texto de *Frei Luís de Sousa* coloca-se num plano superior da expressividade que ultrapassa a visão que o autor defendeu para o teatro. Quanto à figura histórica, Frei Luís de Sousa (1555-1632), cronista seiscentista (começou a escrever após entrar no convento em 1614), é um escritor de prosa ágil e com grande capacidade de entrelaçar os fatos da narrativa, inclusive com algumas pinceladas de pitoresco. A sua *A Vida de Frei Bartolomeu dos Mártires* é considerada uma narrativa que transcende os lugares-comuns das narrativas hagiográficas. Registre-se ainda que Frei Luís de Sousa foi um escritor bastante apreciado por Machado de Assis. (SE)

[44]

De: LUÍS GUIMARÃES JÚNIOR
Fonte: Manuscrito Original, Arquivo ABL.

Recife, 16 de setembro de 1865.

Machado.

Persistes em ser ingrato, e eu em provar que sou, fui e serei teu amigo e amigo até os últimos instantes.

Alistei-me nos Voluntários Acadêmicos[1]; o governo, pouco amigo de abnegações e sacrifícios, recusou a oferta acadêmica.

Agora, só partirei, só marcharei para o sul, depois de ato feito[2], nas férias, quando puder ir abraçar-te e à minha família.

Escrevi à nossa Gabriela. Nada de resposta[3]. Endereço-te a mesma pergunta que me fizeste a São Paulo: Encontraste por lá o Letes[4]? É possível que seja propriedade da ausência matar a lembrança dos amigos do coração dos amigos?

Ah! Machado! Tu és mau!

Adeus e lembra-te que eu não te esquecerei mesmo.

Teu sincero até... nem sei quando morrerei!

Luís.

Li a tua bela carta ao Castilho a propósito dos *Amores de Bocage*.[5]

1 ∽ Estudantes dispostos a lutar na Guerra do Paraguai. Ver em [36], carta de 16/03/1865. (IM)

2 ∽ Prestar exame. (IM)

3 ∽ Gabriela da Cunha e o marido Lopes Cardoso já haviam embarcado para Portugal onde ficaram por oito anos trabalhando nos palcos lisboetas; só em 1873 voltam ao Brasil, fixando-se em Salvador. Ver em [1], carta de 19/07/1860. (SE)

4 ∽ Na mitologia greco-latina, Letes era um dos cinco rios dos infernos, e as suas dormentes águas separavam o Tártaro dos Campos Elísios. Quando o Destino chamava as almas a uma nova existência terrestre, elas bebiam da água deste rio e assim perdiam a lembrança do passado e poderiam começar a existência sem reminiscências. (Castilho, 1880). Depois, por extensão de sentido, passou a figurar no momento em que as almas descem de volta ao Hades, em que também beberiam da sua água, para esquecer da sua vida terrena. No uso feito na carta, Guimarães Júnior, ao banhar-se no Letes, esqueceria a dor desse passado, provavelmente, recente. (SE)

5 ∽ Ver em [43], carta aberta de 15/08/1865. (IM)

[45]

De: FAUSTINO XAVIER DE NOVAIS
Fonte: Fundação Biblioteca Nacional. *Diário do Rio de Janeiro*, 1866. Setor de Periódicos. Microfilme e reprodução digital do original impresso.

CARTA
A
MACHADO DE ASSIS.[1]

Rio de Janeiro, 29 de janeiro de 1866.

Meu caro Poeta.

Dizem que a poesia e a música são irmãs. Eu não conheço bem a árvore genealógica desta encantadora família; mas são públicos e notórios os teus amores com a primeira, e essa mesma paixão há de arrastar-te algumas vezes à infidelidade por causa da segunda. Sei que não estudaste as teorias que habilitam a julgar sobre a divina arte de Mozart, mas dispões de outros recursos valiosos. Fétis[2] encaminhou-te. Scudo[3] auxilia-te, e inspira-te a natureza, verdadeira mestra, quando, na qualidade de jornalista, és obrigado a emitir opinião sobre música. O coração de onde saíram os *Versos a Corina* não poderia ser insensível aos encantos da harmonia. Chateaubriand diz: *"Là ou il n'y a point de póesie il n'y a point de menterie."*[4]

O autor do *Gênio do Cristianismo*[5] não previa a existência de *Corina*, nem do seu mimoso cantor.

É, pois, verdade que, se estendes a mão, com fraternal ardor, a um poeta, quem quer que ele seja, não deixarás, por certo, de abraçar com entusiasmo um artista, quando a inspiração o eleva a merecer tão honrado título, em toda a parte onde exibe provas do seu talento.

Um destes é o insigne flautista *Matthieu-André* Reichert, que tu conheces, estimas e admiras; mas subiriam de ponto os sentimentos que nutres por ele, se o conhecesses de perto, e avaliasses, como eu, a inteireza de seu caráter e a grandeza da sua alma.

Os que tudo julgam pelas aparências talvez se riam da apreciação que faço do grande artista. Desses compadeço-me eu, que não sou indiferente às infelicidades alheias[6].

Reichert chegou ao Rio de Janeiro no ano de 1859, e não vinha colonizar o Brasil, nem tampouco procurar uma posição social. Bem moço ainda, já o condecorava o título de *Flûtiste solo de la musique du Roi*[7].

Neste século, em que os reis são tantas vezes *flauteados*, e tão poucas vezes flauteadores, não quer isto dizer que o artista trazia consigo um diploma do seu mérito, diploma que eu apreciaria muito mais assinado por Verdi ou Rossini[8]; entretanto, é forçoso confessar que esses títulos se não têm depreciado, como outros muitos, e que raríssimas vezes são conferidos a mediocridades. E Leopoldo, o sábio monarca, que há pouco tempo recebeu da mãe natureza o maior título à admiração dos povos, já em vida era credor dos elogios que recebia, e era um verdadeiro apreciador do talento. Cabiam-lhe aqueles dois versos, em que diz Camões:

> *Que a virtude louvada vive e cresce,*
> *E o louvor altos casos persuade.*

Reichert empreendeu a viagem ao Brasil, com intuito de curar uma chaga profunda que lhe dilacerava o coração. Os que tapam a chaga com comendas, não compreendem esta linguagem, nem têm chagas desta ordem. Decerto me compreenderás tu, que és poeta, e que, do sofrimento, tens arrancado os mais melodiosos sons da tua lira. Não seria assim se a dor te dominasse completamente; que então diriam de ti o que do imortal cantor dos *Lusíadas* disse madame de Staël:

Quel génie que celui qui peut puiser une inspiration nouvelle dans les souffrances mêmes qui devraient faire disparaître toutes les couleurs de la poésie!

O grande artista lutou muito tempo com o desânimo, e não faltou quem lhe apontasse como defeito o que, nele, era unicamente uma desgraça! Reagiu, por fim, como todas as grandes almas perseguidas neste pequeno mundo, e buscou na arte o alívio aos seus padecimentos morais.

A sociedade do Rio de Janeiro não era para ele melhor, nem pior, do que as outras. O isolamento é a consolação única para o homem que sofre, e se a dor não lhe estanca as lágrimas, se o coração pode ainda expandir-se com o auxílio da arte, o infeliz encontra na solidão o lenitivo que o mundo lhe não pode dar de modo algum.

Reichert recolheu-se à sua modesta habitação; votou-se com assiduidade ao estudo e tornaram-se extremamente sensíveis os progressos que fez no seu querido instrumento.

Sem o pensar, o grande artista cedia à força oculta do gênio, e trabalhava involuntariamente para vencer a obscuridade a que desejava entregar-se.

Não era só a sua pasmosa execução o fruto da reclusão a que se votara, nem essa circunstância justificaria a aplicação do poder do gênio; que não é necessária a posse dessa rara qualidade para distinguir-se o homem naquilo a que se dedica assiduamente: "Estuda e serás mestre" – diz o antigo provérbio.

Numa hora de desenfado, escreveu Reichert a sua polca de concerto, que intitulou *A faceira*, e, quando pela primeira vez a tocou em público, viu-se elevar-se até o delírio o entusiasmo do auditório!

Outro tanto lhe sucedeu com a *Sensitiva*, polca, também, mas de gênero inteiramente diverso daquela.

O *Carnaval de Veneza*, tema explorado por tantos compositores, e para diversos instrumentos, ainda ninguém o aproveitou como Reichert.

Depois de sua bela introdução, originalíssima e repleta de sentimento, aparece o motivo, graciosamente variado, produzindo um efeito surpreendente, pela perfeita imitação de duas flautas; gênero que, não sendo novo, foi consideravelmente aperfeiçoado pelo grande artista, nessa composição, e em muitas outras.

Uma delicada melodia da *Martha*, de Flotow[10], inspirou-lhe também um trabalho de grande mérito. Seria longa a enumeração das suas composições. A *Tarantella*, já por vezes tocada em público, seria mais que suficiente para apresentá-lo ao mundo como compositor distintíssimo, e executor extraordinário.

É arrebatadora, de mimo e de sentimento, a pequena introdução dessa maravilhosa peça!

É um canto, simples e mavioso, em que a flauta, na mão do exímio autor, canta, geme e soluça, impressionando os mais rebeldes ouvidos!

Segue-se uma longa variação, na qual estão perfeitamente combinadas quantas dificuldades podem vencer-se naquele instrumento, a que a proficiência do artista empresta recursos que lhe não imaginara o inventor!

Quem o tem ouvido, decerto não achará exageração nos encômios que lhe dirijo, sincero tributo ao seu verdadeiro mérito.

O nome de Reichert foi-se popularizando no Rio de Janeiro. Repetidos convites começaram a arrancá-lo da solidão, e a sua condescendência chegou a animar o abuso.

E, todavia, nenhum dos artistas notáveis conhecidos nesta corte tem explorado tão pouco o público.

Impondo-se a mais restrita economia, o grande artista sujeita-se aos seus débeis recursos, adquiridos pelo trabalho, e não procura valer-se das imensas simpatias que tem granjeado.

Vem a propósito a recordação de um fato, que revela bem claramente a alma do artista, e a veracidade de quanto tenho dito em abono do seu caráter.

Nos fins do ano de 1864 tentou Reichert uma digressão pelas províncias do norte. Recebido no teatro da Bahia com grande entusiasmo, provocando fervorosos aplausos, inspirando poetas e desafiando os elogios da imprensa, parece que o público daquela cidade o seguira a Pernambuco, ao Maranhão e ao Pará, porque em toda parte teve a mesma estrondosa recepção.

Os encantos da natureza não podiam deixar de inspirar aquela alma verdadeiramente artística!

Manifestam-se as impressões que recebera, nas muitas composições que trouxe da viagem. É uma linda coleção de *romanzas*, notáveis todas pela originalidade, todas admiráveis pelo sentimento.

Recolheu-se o artista a esta corte no fim de uma digressão que durara 10 meses, e voltou de novo à vida tranquila e sossegada, de que apenas saía para obsequiar famílias que se mostravam saudosas da mágica flauta e do simpático flautista.

Aconselhado por alguns amigos, pensava Reichert em dar um concerto em seu benefício, o que não tinha feito havia quase dois anos. Esta circunstância, e a sua longa ausência, asseguravam-lhe um resultado vantajoso. A abnegação não podia ir mais longe. Tu, meu poeta, não és ambicioso; mas vendes teus livros. Aos poetas, e aos artistas, costuma o destino dar pouca ambição e muita necessidade; e uns e outros, quando voltam as costas ao dinheiro, são avisados da descortesia, pelo estômago, víscera imunda, que a natureza não devia dar ao Reichert nem a ti[11].

Creio que deixo suficientemente explicada a razão, porque o artista, modesto e despido de ambições, pretendia promover um concerto em seu favor.

Não tinha ainda fixado o dia, nem havia dado os primeiros passos, quando um amigo o convidou a visitar, por mera curiosidade, o *Instituto dos Meninos Cegos*[12].

Quem diria que esta visita lhe seria prejudicial à bolsa? Pois foi.

O artista examinou com atenção aquele útil estabelecimento; tudo ali o impressionou, e com especialidade os estudantes de música.

Ouviu-os tocar, compulsou os conhecimentos músicos de alguns e admirou o adiantamento de todos. Entre estes, porém, feriu-lhe mais a sensibilidade o aluno Sequeira, cujo talento se revelou notavelmente em presença do grande artista. Comovido com tão simpático espetáculo, e informado de que não eram demasiados os recursos de que dispunha o estabelecimento, Reichert ofereceu um concerto em seu favor, tomando a si o encargo de promovê-lo e realizá-lo, sem dependência dos outros protetores do Instituto.

Quando chegou a época fixada, lutava o artista com um incômodo de saúde, que ainda hoje o retém no seu quarto, à disposição da medicina; mas nem isso o demoveu do seu propósito, e o concerto realizou-se no Ginásio, na noite de 22 de dezembro do ano findo.

Reichert cedeu em favor de um estabelecimento pio o que havia destinado para si! Praticou um ato de abnegação, digno de ser cantado pela imprensa; mas a imprensa estava constipada, e, se cantou, foi uma oitava abaixo do tom, e quase ninguém a ouviu!

Tu, mesmo, porque não és *menino cego*, não quiseste cegar o público com o esplendor do teu talento, manifestado num canto encomiástico ao generoso artista! Parece-me[13] que te não escaparia tão facilmente um benefício de *Mademoiselle Aimée*[14], no edificante teatro da rua Uruguaiana, onde os *Estigarribias* são sempre em maior número do que as notas de música afinadas[15]. És o protetor da inocência. Honra te seja feita, e a mim como respeitador dos latinos: *Suum cuique*[16].

Reichert não se queixou disto, nem ao menos estranhou o silêncio com que foi recebida a sua nobre ação, interrompido, apenas, por algumas palavras ligeiras. O hábito faz tudo – menos o monge, segundo diz um antigo adágio.

O exímio flautista é dignamente apreciado por muitas das principais famílias desta corte; mas também tem encontrado quem confunda o instrumentista com o instrumento, que fica esquecido em um canto da sala, desde que soltou a última nota. Estes sujeitos são verdadeiros católicos: sabem que o reino do céu foi feito para eles, e não querem perder o jus ao lugar que lhes pertence como bem-aventurados.

Ainda bem que uma sociedade belga se encarregou de desafrontar o seu distinto compatriota, oferecendo-lhe um mimo, rico pelo valor, notável pelo mérito artístico, admirável pelo bom gosto e valioso, sobretudo, pela significação: pois era um testemunho da gratidão dos oferentes, pelos serviços que o grande artista tem prestado à benemérita *Sociedade Belga de Beneficência*, e de entusiasmo pela glória da Bélgica, ufana por tão distinto filho. Honra aos belgas!

Era este o principal assunto desta carta; mas perdi-me em divagações, como quem escreve a um poeta, e bem tarde vou falar-te da graciosa oferta.

No dia 24 do corrente, foi Reichert convidado para ir ao consulado da Bélgica, onde o esperava uma reunião de compatriotas seus. O artista ergueu-se do leito com dificuldade, e obedeceu ao obsequioso convite.

Ali, depois de um breve discurso, proferido pelo ministro da Bélgica, foi lida pelo estimado cavalheiro que exerce nesta corte o cargo de cônsul-geral daquela nação, a seguinte carta[17]:

Rio de Janeiro, le 24 Janvier 1866.
Monsieur,

Depuis des années vous avez, par votre talent, justifié au Brésil la haute réputation dont jouissent, dans le monde civilisé, les artistes musiciens belges.

La voix de la renommée nous avait dit que votre nom était cité avec éclat à côté de ceux des Vieuxtemps[18], des Servais[19], des Prume[20], des Léonard[21].

Les applaudissements, dont toujours vous avez été salué par le public de la capitale de l'Empire, ont, à notre grande joie, sanctionné ce jugement.

Il nous tardait, monsieur, de témoigner à l'éminent artiste notre sincère admiration. — Il ne nous tardait pas moins de témoigner aussi à l'ami les sentiments d'estime, d'attachement et de reconnaissance que chacun de nous vous a voués, sentiments qui trouvent un vivace écho dans le coeur de toute la petite colonie belge de Rio de Janeiro.

Votre nom, Monsieur, est populaire parmi nous: il est toujours prononcé avec respect et avec reconnaissance par les membres de la Société Belge de Bienfaisance et par les malheureux dont vos nombreux concerts à leur bénéfice ont augmenté le patrimoine.

Monsieur, nous avons l'honneur de prier l'artiste, nous avons l'honneur de prier l'ami, d'accepter en témoignage de l'estime et de la gratitude de la communauté belge à Rio de Janeiro le souvenir qui accompagne. Il se compose de deux flûtes qui ont été choisies à votre intention par votre professeur, M. Jules Demeur[22].

Monsieur Jules Demeur nous a chargé de vous exprimer toute la joie qu'il éprouvait de s'associer à nous por rendre hommage à votre talent e à vos éminents mérites. Le concours de ce maître est une approbation de nos éloges et nous nous en réjouissons avec vous.

Nous vous prions, Monsieur, de bien vouloir agréer avec l'expression de notre reconnaissance l'assurance de nos sentiments les plus distingués.

―――

Esta lisonjeira carta é assinada pelos Srs. Auguste Van Loo, ministro residente de Sua Majestade o Rei dos Belgas, Edouard Pecher, cônsul-geral da Bélgica, Damas Bolle, Louis Bertrand, H. C. Creten, E. Dupont, J. B. Lombaerts, H. G. Lombaerts[23], Félix la Rivière, L. Laureys, Veuve Laport, Frères & C., G. Laport & C., Charles Maes, Th. Malchair, G. Malchair, Ludger Joseph Nelis, F. Paquet Vleminex, A. Windhausen, J. D. F. Biron.

Vai longa a minha carta; mais (sic) seria injustiça omitir a ligeira descrição da oferta que o artista recebera das mãos dos seus distintos compatriotas.

Consta o mimo, como se vê na dedicatória, de duas soberbas flautas, feitas em Paris, na fábrica de *Louis Lot*. Uma é de madeira; e, conquanto revele a proficiência do autor, pelo ótimo desempenho de tudo quanto depende da arte, é forçoso pô-la de parte para falarmos da outra, em tudo nova entre nós. É uma flauta cilíndrica, toda de prata, e menos volumosa do que são ordinariamente as de madeira. O mecanismo, seguindo o maravilhoso sistema de *Boehm*[24], o mais perfeito que até hoje se tem inventado, e que deu à flauta recursos que se lhe não conheciam, é de uma execução perfeitíssima, para o efeito e para a vista. Na embocadura há uma chapa montada, com um lavor sutil, mas suficiente para evitar a inconveniência do contato dos lábios do tocador com um corpo inteiramente liso, polido e que, pela solidez do metal, se não amoldaria às evoluções dos beiços. O todo do instrumento é de uma elegância surpreendente; o mecanismo é de uma perfeição admirável, e, contudo, a flauta de prata é menos pesada que qualquer das ordinárias de madeira!

A arte exerceu ainda o seu poder na caixa que encerra os dois belos instrumentos. É uma lindíssima caixa, feita das mais belas e delicadas madeiras do Brasil, oferecendo à vista um efeito encantador. No centro há uma chapa embutida, de madrepérola, com o seguinte dístico em preto: *"OFFERT À MONSIEUR REICHERT – 1866".*

Nas extremidades desta chapa há de cada lado, duas, da mesma matéria, oito na parte superior, e outras tantas na inferior, circundadas todas por um delgado fio de metal, que as liga entre si, e tão delicadamente embutido na madeira, que tudo parece pintura.

Nestas vinte chapas de madrepérola, simetricamente dispostas, sobressaem, em letras escuras, os nomes dos oferentes, que são os signatários da carta transcrita, à exceção do *Senhor F. Biron*, que não apareceu na caixa, onde em seu lugar se lê o do *Senhor Jules Demeur Charton*, que falta na agradável dedicatória.

A parte inferior da caixa é forrada de magnífico veludo azul.

Esquecia-me dizer-te que à flauta de madeira pertence doravante o nome de *gaita*, para a distinguirmos da de prata, cujo som, verdadeiramente argentino, não sofre comparação com a voz que até agora conhecíamos naquele instrumento, que tanto nos encantava, tangido pelo exímio artista. Para acreditarmos na doçura da voz dos anjos, devemos crer que tem cada um deles, dentro de si, uma flauta de prata, da fábrica do insigne *Louis Lot*, que deve ser muito antigo, se os anjos não são muito modernos.

Terminando aqui a minha missão descritiva, resta-me, para evitar possíveis reclamações, dar uma explicação aos teus colegas da imprensa, e outra aos críticos, que são apenas críticos e mais nada.

Dize aos teus colegas que os não acuso de indiferentes ao mérito do Reichert, porque muitas vezes o tenho visto elogiado nos jornais. Queixo-me da parcimônia, por me parecer pouco tudo quanto se tem dito a seu respeito.

Aos críticos – que não são mais nada – apresenta-lhes os meus respeitosos cumprimentos; e se traduzirem em tudo isto a intensa afeição que tributo ao meu querido artista, agradece-lhes, em meu nome, a fineza da acusação.

Podiam vingar-se, assegurando que eu era amigo deles.

Tu, que poderás, sinceramente, julgar-me exagerado,

Não ouças mais, pois és juiz direito,
Razões de quem parece que é suspeito.

Artur Napoleão[25], cujo nome dispensa todo o gênero de recomendação, disse-me, depois de ter percorrido a maior parte do mundo civilizado, que julgava Reichert superior a quantos flautistas tinha ouvido.

Carlos Schramm[26], distintíssimo talento músico, bem conhecido, era da mesma opinião.

Muniz Barreto[27], fadado pela natureza para a arte, e pela preguiça para a posição de um Rotschild, era entusiasta do nosso artista, embora vivesse cinco anos em Paris, onde se reúnem os melhores artistas do mundo.

Eduardo Ribas[28], reputação solidamente estabelecida, e que vivera muitos anos com seu tio José Maria Ribas, que fora um dos primeiros flautistas da Europa, é um sincero admirador do Reichert.

Defendido por estas quatro colunas, não temo os botes da crítica.

Adeus, meu querido poeta. Se parecer aos teus colegas do *Diário* perdido o espaço de que necessita esta longa carta, quando todo é preciso para artigos sobre colonização, apresenta-lhes como tal a minha epístola. Dize-lhes que, publicada ela, virão mil americanos ouvir o Reichert, tocando na sua flauta de prata[29].

    Teu admirador e amigo.
    F. X. de Novais.

---

1 ∾ Esta carta aberta, **pela primeira vez transcrita** na íntegra, mostra a admiração do autor pelo flautista belga Mathieu-André Reichert (1830-1880), bem como o ressentimento com o amigo Machado de Assis. Este não deu resposta à carta, mas publicou-a em alto rodapé do *Diário do Rio de Janeiro* em 01/02/1866. Estando o microfilme praticamente ilegível, a FBN nos ofereceu cópia digital do periódico. (IM)

2 ∾ François-Joseph Fétis (1784-1871), respeitado musicólogo belga, que considerou Reichert um dos mais hábeis e extraordinários flautistas do século XIX. (IM)

3 ∾ Pietro (Pierre) Scudo (1806-1864), crítico musical, compositor e escritor italiano, radicado na França desde 1816, escrevendo e publicando seus trabalhos em francês. (IM)

4 ∾ Onde não há poesia, não há mentira; sentença colhida em Plutarco. (IM)

5 ∾ François René, visconde de Chateaubriand (1768-1848), cuja obra *Génie du Christianisme* (1802) celebra a emoção religiosa e seu conteúdo poético e artístico. Ver também em [57], carta de 16/11/1866. (IM)

6 ∾ Faustino Xavier de Novais, além de excelente poeta satírico, era flautista e um apaixonado pela música, seu derradeiro consolo quando entrou na profunda depressão que evoluiria para a demência. Retratando esse estado de espírito, descreveria a própria existência, reclusa e triste, ao amigo Camilo Castelo Branco, dizendo que apenas lhe restava tocar flauta "desesperadamente". Nesta carta aberta já se nota acentuada exaltação, sem prejuízo de competentes observações musicais. (IM)

7 ∾ "Flautista solista da música do Rei", à época Leopoldo I da Bélgica (1831--1865). (IM)

8 ∾ Eminentes compositores italianos, Giuseppe Verdi (1813-1901) e Gioachino Antonio Rossini (1792-1868). (IM)

9 ∾ "Que gênio esse, que pode sorver uma inspiração nova nos próprios sofrimentos que deveriam fazer desaparecer todas as cores da poesia." Citação de Madame de Staël (1766-1817), nome literário da escritora francesa Germaine Necker, baronesa de Staël-Hölstein. Ver em [81], carta de 02/03/1869. (IM)

10 ∾ Friedrich von Flotow, compositor alemão (1812-1883), autor da ópera *Martha oder der Markt zu Richmond* (1847) e de muitas obras também admiradas pelo público da época. (IM)

11 ∾ Massa (1971) transcreveu dois pequenos trechos desta carta. O primeiro é "A abnegação [...] não devia dar a Reichert nem a ti". Utilizou-o aquele biógrafo para tecer considerações sobre o interesse de Machado de Assis no aspecto remuneratório da literatura. Machado tratara do assunto em crônica do *Diário do Rio de Janeiro* (09/01/1866), concluindo que "o editor não pode oferecer vantagens aos poetas, pela simples razão de que a venda do livro é problemática e difícil." (IM)

12 ∾ O Imperial Instituto dos Meninos Cegos foi criado em 12/09/1854, por decreto imperial, e teve em D. Pedro II seu grande incentivador e protetor. Funcionou, inicialmente numa chácara do morro da Saúde, foi transferido para a antiga praça da Aclamação e por fim recebeu do imperador um grande terreno de sua propriedade, na Praia Vermelha (atual bairro da Urca), onde se ergueu o prédio que abriga o Instituto Benjamim Constant. Este novo nome, desde 1891, homenageia o mais longo e profícuo administrador da instituição primitivamente designada como "dos Meninos Cegos". Um dos primeiros diretores foi o dr. Cláudio Luís da Costa (1798-1869), sogro de Gonçalves Dias. Ver em [34], carta de 08/03/1865. (IM)

13 ∾ O segundo trecho citado por Massa (1971) vai de "Parece-me" até "*suum cuique*", frisando a queda que Machado tinha pelas artistas francesas. Magalhães Jr. (1981) também o utiliza, incluindo a frase que abre o parágrafo, e atribui o silêncio de Machado sobre Reichert ao excesso de trabalho jornalístico. (IM)

14 ∾ Mlle. Aimée foi a atração máxima do *Alcazar Lyrique*. Logo após a sua estreia, Machado de Assis descreveu-a, pela voz de um amigo, como "um demoninho louro, uma figura leve, esbelta, graciosa, uma cabeça meio feminina, meio angélica, uns olhos vivos, – um nariz como o de Safo, – uma boca amorosamente fresca, que parece ter sido formada por duas canções de Ovídio, – enfim, a graça parisiense *toute pure.*" (*Diário do Rio de Janeiro*, 03/07/1864). Aimée foi evocada em crônica machadiana bem posterior, como "uma francesa, que em nossa língua se traduzia por amada, tanto nos dicionários como nos corações." (*Gazeta de Notícias*, 21/02/1897). (IM)

15 ∾ Moços e senhores maduros acorriam ao "teatro dos trocadilhos obscenos, dos cancãs e da exibição de mulheres seminuas", no dizer de Joaquim Manuel de Macedo, e ganharam o apelido de "Estigarríbias", em alusão à rendição do tenente-coronel

paraguaio Antonio de la Cruz Estigarribia, em Uruguaiana, palco de recente vitória brasileira na guerra contra o Paraguai. Daí a nova denominação – Uruguaiana – para a antiga rua da Vala, onde funcionava o *Alcazar*. Os "Estigarribias" abastados deram fortunas à irresistível Mlle. Aimée, que "mui graciosamente arruinou uns tantos adoradores". Quando partiu do Brasil (1868), levou ela, "além de riquíssimas joias, não menos de um milhão de francos em boa espécie." (Matoso, 1916). (IM)

16 ∾ Citação truncada, seja da frase de Cícero: *Suum cuique pulchrum est* – Cada um acha perfeito aquilo que faz, seja da definição de justiça de Ulpiano: *Suum cuique tribuere* – Atribuir a cada um o que lhe compete. A segunda hipótese parece encaixar melhor. (SPR)

17 ∾ Tradução da carta:

"Rio de Janeiro, 24 de janeiro de 1866. / Senhor, / Há anos justificastes no Brasil, por vosso talento, a alta reputação de que gozam, no mundo civilizado, os músicos belgas. / A voz da fama nos dissera que vosso nome era citado com brilho ao lado daqueles dos Vieuxtemps, dos Servais, dos Prume, dos Leonard [ver notas infra]. / Os aplausos, com os quais sempre vos saudou o público da capital do Império, têm, para a nossa alegria, sancionado esse julgamento. / Tardava-nos, Senhor, testemunhar também ao eminente artista nossa sincera admiração. – Não nos tardava menos testemunhar ao amigo os sentimentos de estima, de apreço e de reconhecimento que cada um de nós vos devotou, sentimentos que encontram um vivo eco no coração de toda a pequena colônia belga do Rio de Janeiro. / Vosso nome, Senhor, é popular entre nós: ele é sempre pronunciado com respeito e com reconhecimento pelos membros da Sociedade Belga de Beneficência e pelos desvalidos, dos quais vossos numerosos concertos, em seu benefício, aumentaram o patrimônio. / Senhor, temos a honra de pedir ao artista, temos a honra de pedir ao amigo que aceite, como testemunho da estima e da gratidão da comunidade belga no Rio de Janeiro, a lembrança que [a esta] acompanha. Compõe-se de duas flautas que foram escolhidas, em vossa intenção, por vosso professor, Senhor Jules Demeur. / O Senhor Jules Demeur incumbiu-nos de vos exprimir toda a alegria que experimentava ao se associar a nós, para prestar homenagem ao vosso talento e vossos eminentes méritos. O concurso deste mestre é uma aprovação aos nossos elogios e disso, convosco, nos regozijamos. / Pedimos, Senhor, que aceiteis com a expressão de nosso reconhecimento, a certeza de nossa mais elevada consideração." (IM)

18 ∾ Henry Vieuxtemps (1820-1881), violinista belga. (IM)

19 ∾ Adrien-François Servais (1807-1886), violinista e compositor belga. (IM)

20 ∾ François Hubert Prume (1816-1849), violinista e compositor belga. (IM)

21 ～ Hubert Léonard (1819-1890), violinista, compositor e professor belga. (IM)

22 ～ Jules Antoine Demeur (1814-?), professor de Reichert, primeiro flautista da Ópera de Bruxelas, e marido da famosa soprano francesa Anne Arsène Charton-Demeur (1824-1892) que empolgou a plateia do Rio de Janeiro na década de 1850. Um verdadeiro fanatismo dividira o público e a imprensa entre "chartonistas" e "lagruístas", sendo estes os admiradores de outra diva do canto lírico, Emmy La Grua. Partidário da Charton, Machado publicou um poema em sua homenagem no *Diário do Rio de Janeiro* (07/02/1856), e vale lembrar que o poeta tinha então 16 anos. Mais coisas escreveu a respeito da artista, retratando a paixão de "chartonistas" e "lagruístas" no romance *A Mão e a Luva* (1874). (IM)

23 ～ Henri Baptiste Lombaerts e seu filho Henri Gustave, donos de elegante livraria e de uma tipografia requintada. Machado teve impressos na Lombaerts *Tu só Tu*, *Puro Amor* (comédia, 1880) e *Papéis Avulsos* (contos, 1882), colaborando intensamente na revista quinzenal *A Estação*, da mesma casa. (IM)

24 ～ Theobald Boehm (1794-1881), flautista alemão e ourives, que revolucionou a fabricação da flauta. Os novos e extraordinários recursos são minuciosamente descritos por Novais. (IM)

25 ～ Artur Napoleão*, notável pianista português, muito amigo de Faustino e de Machado. (IM)

26 ～ Pianista alemão que estreou no Rio de Janeiro em 1859, permanecendo longo tempo no país. (IM)

27 ～ Francisco Muniz Barreto (1836-1900), violinista baiano que se formou na escola de Alard, em Paris, para onde viajara como bolsista do governo da Bahia em 1856. Ao retornar, fez muito sucesso no Rio de Janeiro e em várias turnês pelo Brasil e para o público rio-platense. Em 1872, retirou-se para Salvador, abandonando a carreira de concertista. (IM)

28 ～ Eduardo Medina Ribas, barítono português. (IM)

29 ～ Cabe assinalar que na véspera da redação desta carta aberta, a seção "Novidades da Semana" da *Semana Ilustrada* (28/01/1866) descreveu a homenagem a Reichert, por seus compatriotas, comentando (talvez houvesse alguma malícia) que "Assim já vale a pena ser artista." E mais, no tópico seguinte, pôs em relevo a Associação Promotora de Emigração, defendida por Quintino Bocaiúva*, que pretendia introduzir imigrantes norte-americanos no Brasil. Nesta organização, Faustino acabaria obtendo o emprego de secretário. (IM)

[46]

De: LUÍS GUIMARÃES JÚNIOR
Fonte: Manuscrito Original, Arquivo ABL.

Rio de Janeiro, 23 de fevereiro de 1866.

Machado

Fui ao escritório, esperei por ti debalde. Sabes que sinto partir[1] sem te dar um bom abraço? Paciência. Não sei se me será possível ver-te antes de partir; ando tão doente que dar dois passos é o maior dos sacrifícios.

Todavia, como a minha consciência está salva pois que procurei-te, envio-te agora o meu adeus de partida e peço-te que creias na sinceridade do

Teu
Luís Guimarães Júnior.

---

1 ∾ Para Recife. (IM)

[47]

De: CAETANO FILGUEIRAS
Fonte: FILGUEIRAS, Caetano Alves de Sousa. *Obras literárias I, Idílios.* Rio de Janeiro: Universal Laemmert, 1872. Fundação Casa de Rui Barbosa. Biblioteca São Clemente. Coleção Plínio Doyle.

EPÍSTOLA A MACHADO DE ASSIS[1]

[Vista Alegre, 16 de maio de 1866.][2]

I
ENDEREÇO
Meu Machado de Assis, meu vate amigo!
Tu que nessa brasílea Babilônia
um momento sequer de doce calma,

de repouso completo não desfrutas,
e vês as plantas raras que semeias
— flores do gênio, amor e poesia, —
vergôntea apenas, requeimadas logo
pela febre voraz desse flagelo
que, para disfarçar o horror das garras,
as vítimas — política[3] — crismaram;
tu que, apesar do burburinho humano,
tens n'alma um viajor, no mundo um páramo,
estes meus versos lê. Singelos, soltos,
toscos, talvez, mas cópia da verdade
grandiosa, sublime que me cerca,
que me desce do céu em cada eflúvio,
que me brota da terra em cada assombro,
quem sabe se serão no teu deserto,
como o deseja o amigo, um fresco oásis?

II
A MORADA
Gema engastada em verdejante esmalte
de alpestre serrania sobre o dorso,
voltada para o norte, alva, faceira
é a estância gentil em que me hospedo.
Até onde da vista abrange o alcance
vicejantes outeiros, penedias
de formoso perfil, de vária estampa
em vistoso anfiteatro se destacam.
D'um lado e d'outro deste ninho d'água
dois caminhos iguais, no barro abertos,
cortam na grama avermelhados trilhos,
e, seguindo as quebradas serpenteiam
a procurar do vale a profundeza,

onde engraçada e pitoresca ponte
lhes prolonga os meandros n'outra margem
do rio, que um momento os separara.

III
A CASCATA

Duas braças, talvez, da ponte acima,
mais encostada à fímbria da montanha,
— meu querido poeta, — a natureza,
co'o potente cinzel do sacro gênio
abriu, por entre as rochas de granito,
no mais sublime artístico cenário
uma cascata. De uma urna agreste,
meio escondida sob as largas folhas
de aquáticas, pujantes parasitas
matizadas de flores em corimbos,
despenham-se em parábola imponente
espúmeas, cristalinas, frigidíssimas
as águas da sonora cachoeira.
De berço ignoto subterrâneos veios
abriram-lhes caminho. Impacientes
da longa escuridão do seu trajeto
não há raios de luz que lhe sobejem.
E por isso, ao caírem pressurosas
na bacia de seixos conformada,
levantam, qual dossel de gaze líquida
formoso resplandor, imenso leque
onde as cores da Íris[4] se retratam.
Não me lembro de sítio mais ameno.
Não vale mais a Hipocrene[5] fonte,
nem de Vaucluza[6] os afamados ecos
repetem mais suaves harmonias.

Se a fantasia dos primeiros povos,
se o gênio mitológico dos gregos
pairasse sobre a urna, e do murmúrio
por instantes sentisse o doce enleio...
a morada de um deus ali fizera!

E não me digas que exagero e minto!
Do meu entusiasmo a causa é santa.
Erguendo esta oblação o exemplo sigo
de infinitas miríades de seres.
E se o gosto nos é estrela e guia,
se a razão nos foi dada para o justo
por que?... por que, meu bardo das *Crisálidas*,
ante aquele esplendor da natureza
não juntarei também a estrofe humana
ao hino perenal que mil insetos,
milhões de colibris, aves sem número,
filhos do mesmo Deus gratos entoam?

IV
O JARDIM
Mas não é tudo. Ao lado da morada
a destacar da relva em desalinho,
mas desalinho harmônico e belo,
um mimoso jardim recende e brilha.
Camélias, quais as vi, imensas, vivas,
de rara perfeição, aveludadas,
cobrem de todo o arbusto em que brotaram.
Alça a saudade aqui a roxa fronte,
e quase oculta, além, sob a folhagem
a violeta se trai pela fragrância.
Luzem, pompeiam sobre as longas hastes,

maravilhas no garbo e na estrutura,
do teutônico Dahl[7] as prediletas;
e servem-lhe de alfombra matizada
da jurujuba os múltiplos corimbos.
Juncam do trilho a réstia endurecida
do manacá as merencórias flores,
as quais, por doce lei da natureza,
se desbotam na cor, crescem no aroma!
A esplêndida, odorífera corola
abre o jasmim-do-cabo alvinitente,
enquanto que o avarento botão-d'ouro
ferra no solo seus milhões de garras.
No meio desta pompa o alecrim verde
tímido arrisca as pálidas florinhas,
humilde embora, protegendo ainda
dos amores-perfeitos a fraqueza.

Doce conspiração sobre os canteiros
as plantas aromáticas concertam,
e, sacudindo os odorantes cálices,
quais caçoulas de incenso peregrino
brisa, ambiente, irmãs, tudo perfumam!

V
A GRUTA
Num recanto, de sombras grata estância,
onde os borrifos da vizinha linfa
conservam na rasteira e fresca relva
embastado tapete de esmeraldas,
onde o sol raras vezes se aventura
onde impera constante e vivo frio
que os insetos daninhos afugenta

e amantes aconchegos aconselha,
levanta-se dos troncos espinhosos
emaranhada gruta de roseiras.

Sobre a gentil abóbada virente,
em todas as sazões, formosas sempre
nascem, resplendem, morrem, quais no empíreo
outras flores do Céu, divas estrelas, –
rosas brancas, sem par. As minhas rosas,
amigo, as minhas rosas tão queridas!...
Enxame de besouros reluzentes
quais os eunucos de haréns mouriscos
cruza durante o dia o espaço flórido.
Nesse vaivém contínuo o sol refletem,
e do matiz assim a luz exalçam.
Quando noite procuram grato abrigo
sob o teto das pétalas cheirosas;
mas apenas radia no oriente
o facho do trabalho... ei-los na liça!
Escolhendo a corola por arena
com verdadeiro amor seu lar defendem,
e, firmes na estacada, co'as antenas
dos colibris a cupidez malogram.
Em torno das roseiras várias flores,
namoradas talvez, estendem súplices
os perfumados címbios. Neste empenho
duplica-se a verdura, e a sombra dobra.
Banco enrelvado adorna o fundo à gruta,
e tosca mesa lhe guarnece o centro.
Ruído exterior por lá não chega...
A mudez do retiro é quase um túmulo!

VI
INSPIRAÇÃO

Filtra-se n'alma ali, sem que se busque,
desapego total do mundo torpe.
Aos eflúvios da flor os céus se abrem,
e a mente embevecida os céus procura!
Condenado à inação, matéria inerte,
projetado no banco o corpo fica;
mas então... ensaiando as níveas asas
já solta, já despida a fantasia,
ousada como a própria liberdade,
ardente como a chama em que se nutre,
tenta e desprega soberanos voos!...
As brisas do passado e os meteoros
incertos do porvir abrem-lhe o espaço!
Caem das eras, quais sudários rotos,
os defeitos do tempo. A humanidade
antes núcleo de amor que de interesses,
move-se inteira ao sopro de uma ideia,
e um nível de harmonia os homens mede!
Vasto estendal de gelos infinitos
cobre as lições da história. Os tristes erros,
os ais, as ambições, os vícios torpes,
apanágio comum, fadário certo
de todas as idades – dormem, jazem
informes sob a gélida camada
donde em chispas brilhantes se desprendem
a caridade, o bem, o amor e a glória![8]
....[9]
Do grandioso sonho ao fim prostrada,
ébria de tanto mel, a fantasia,
colhendo as asas, se recolhe à gruta.

Ferve-lhe a inquietude o que libou sorrindo!
Do gênio a inspiração espera um: — *Fiat!*
E, médium portentoso, expansão pede!

Feliz, feliz do mundo, e da ciência
se então na relva lhe mostrara o acaso
férreo estilete e lápide marmórea.
....

Em hora semelhante e nessa gruta
Foi, por certo, a Iracema concebida.

VII
O POMAR
Da parte poente o quadro é outro:
Dilata-se o pomar. As laranjeiras
vergando ramos pelos áureos pomos,
em concêntricas curvas se enfileiram.
O círculo estreitado enfim termina
no tanque jaspeado que recebe
as águas brincadoras de um repuxo.
Lindos peixinhos de brilhantes cores
de há muito afeitos ao tremer contínuo
da louca superfície, cruzam plácidos
o paço cristalino que os exila
do seu pátrio e fecundo Paraíba.
Verdadeiros filósofos, enquanto
a cara liberdade lhes não chega,
vão debicando o musgo das paredes.
Ora parecem fixos, imitados
nos relevos do fundo: ora remontam
em rápido volver à tona d'água

em busca de alimento, — despertados
pelo vulto e ruído das folhinhas
que do arvoredo o vento lhes atira.

Das laranjeiras o limite marca
a profusão das árvores frutíferas.
O cajueiro em flor, a pitangueira,
agitados à noite pela brisa,
trescalam pelo ar gratos perfumes.
Pendem do tronco rude das jaqueiras,
quais pingentes de enormes malaquitas,
os suculentos, burilados frutos.
Da árvore em que dão por toda casca
espalham-se, em simétrica desordem,
do cambucá os glóbulos dourados,
e fronteiras, em lépido contraste,
(aderentes também aos pátrios galhos,)
as negras, as gentis jabuticabas
o paladar mais gasto desafiam!
Reina profunda sombra nas aleias
das anciãs mangueiras, e mais densa
sob a trançada e verdejante abóbada
dos esguios bambus. Dentre a ramagem
partem sonoros trenos noite[10] e dia,
eólias[11] harpas que a natura afina
e, quando assoma o sol por entre os montes,
à luz dos raios seus mil outros raios
de beleza infinita e raro toque
das asas dos cantores se despedem.

Por aqui vão seguindo o longo trilho,
como as antigas procissões dos monges,

as próvidas formigas carregadas.
Mais além, no casulo entretecido,
a lagarta prepara a sepultura[12],
donde, conversa em rútila falena[13]
há de um dia libar o mel das flores,
e, do pólen fecundo mensageira,
cruzar as gerações, cruzando os ares.
Entre os galhos mais secos, diligente
para vencer fugazes inimigos
— qual no circo romano o retiário, —
a perigosa teia espalma a aranha;
ao passo que a ligeira cambaxirra
à polícia das árvores procede.

Caem de quando em quando algumas folhas.
Murmura a viração por entre os troncos.
Gemem os ramos a roçar por outros,
e a voz da natureza assim se escuta,
nesses vários rumores revelada.

É que naquela sombra e à luz dos astros,
ocultos para nós, a Deus patentes,
milhares de incansáveis operários
da criação o plano desempenham!

VIII
SÍNTESE

Horta, jardim, pomar assim coroam
o giganteo cabeço da montanha.
Da Antiguidade o éden das Hespérides[14]
nestes sítios sem custo se renova;
e, qual se a mão acaso caprichara

em completa tornar a semelhança,
serpentes vegetais, cardos silvestres,
em formidável cerca entrelaçados,
erguem de espaço a espaço armadas frontes,
e, guardando o recinto precioso,
pavorosos no alto da barranca
o passo ao viajor de longe embargam.

IX
VOTOS
Desta mansão, amigo, é que te escrevo.
Na mesa do trabalho em que me arrimo
do sol os raios últimos recebo.
Da penumbra celeste vespertina
vejo surgir as pálidas estrelas,
e quando a sombra amiga dos poetas,
pela encosta do vale vêm descendo
quantas vezes me encontra meditando
em ti, nos meus que o peito me repartem!...
....
Digam-te as brisas quantos ais soluço!...
Mas se por fado meu pra lá não sopram
volvam-te ao menos do poeta os carmes,
e, lendo-os qual se eu mesmo os recitara,
sobre as folhas escritas se confundam
os hálitos iguais de nossas almas.[15]

[Dr. Caetano Filgueiras]

---

1 ◦ **Epístola jamais transcrita na íntegra** pelos biógrafos, e inexistente nas obras dedicadas à correspondência machadiana, o que talvez se deva a um certo desânimo diante do tamanho do poema e da ortografia um tanto exótica do Dr. Caetano

Filgueiras, autor do prefácio de *Crisálidas*. Ver em [22], carta de 22/07/1864. Filgueiras dominava o português castiço e elaborou um vocabulário etimológico no qual expôs os fundamentos da própria ortografia. (IM)

2 ∾ Data de publicação no *Diário do Rio de Janeiro*. No volume *Idílios*, ao fim do poema, consta apenas "Maio de 1866". (IM)

3 ∾ Por fidelidade à posição liberal do *Diário do Rio de Janeiro*, Machado de Assis teria sido candidato a deputado, pelo 2.º distrito de Minas Gerais. Massa (1971) contesta qualquer tipo de campanha, apoiando-se na nota publicada pela *Opinião Liberal* (26/05/1866): "Confúcio soube à última hora que o Sr. Machado de Assis retira a sua candidatura." (IM)

4 ∾ Personificação do arco-íris na mitologia clássica. Como esse arco parece unir o céu e a terra, fez-se de Íris uma mensageira divina por excelência, como Hermes. (IM)

5 ∾ Fonte consagrada às musas, da qual se dizia que surgira de uma patada do alado cavalo Pégaso. Hipocrene ficaria no monte Hélicon. Talvez fosse familiar ao Dr. Filgueiras o Proêmio da *Teogonia* de Hesíodo: "Pelas Musas heliconíades comecemos a cantar. / Elas têm grande e divino o monte Hélicon, / em volta da fonte com pés suaves dançam e do altar do bem forte filho de Cronos." (IM)

6 ∾ Vaucluse, a 25 km de Avignon, foi imortalizada pelos versos de Petrarca (1304--1374), que só no isolamento desse local encontrou o raro prazer da tranquilidade da alma, lendo e escrevendo continuamente. (IM)

7 ∾ São dálias as flores que pompeiam. Originária do México, a dália deve sua designação a Anders (Andréas) Dahl (1751-1789), botânico sueco, convertido em 'teutônico', talvez porque sua verdadeira nacionalidade mutilasse o decassílabo de um poeta conhecedor da metrificação portuguesa. (IM)

8 ∾ A ausência de qualquer hipopótamo onde "Vasto estendal de gelos infinitos / cobre as lições da história" etc. tranquiliza os admiradores do genial "Delírio" de Brás Cubas. (IM)

9 ∾ Esta e as demais linhas pontilhadas figuram na edição *princeps*. (IM)

10 ∾ No original, 'thrênos nôcte", para dar um exemplo da ortografia. (IM)

11 ∾ Relativo a Eolo, o deus do vento, filho de Zeus. (IM)

12 ∾ Alusão às *Crisálidas*, prefaciadas por Filgueiras em 1864? (IM)

13 ∾ Visão profética de *Falenas* (1870)? (IM)

14 ∾ Ninfas de voz melodiosa. (IM)

15 ∞ Nos *Post-scripta* do volume *Idílios*, o autor lembra que fora elogiado por D. Pedro II, e mais:

> "Afortunada, porém, sobretudo, foi a carreira pública da 'Epístola a Machado de Assis'. / Nunca versos tão despretensiosos receberam mais fervoroso acolhimento! / A imprensa saudou-os logo em quase todas as províncias do Império. / Em Pernambuco motivaram inteira reimpressão, e um (entre outros) brilhante artigo da crítica literária, devido à amestrada pena do prosador português Francisco Manuel de Almeida. / Em São Paulo, a Atenas brasileira, os folhetinistas e poetas da nova geração elevaram-nos às proporções de *modelo*, e a sedutora pena de Ferreira de Meneses* consagrou-lhes páginas de aprimorado lavor. / No Maranhão, essa pátria da poesia, esse trono da imprensa, foram aceitos com entusiasmo por Gentil Homem de Almeida Braga*, o formosíssimo tradutor de *Eloá*, o espirituoso e inspirado autor de *Verbena*, esculpiu-lhes um imorredouro pedestal. / Na Bahia – colmeia de poetas, – e na Corte, Babilônia americana, – o que me não dariam o estro e a doce amizade de dois fluentíssimos antístites das Musas, Machado de Assis e Agrário de Meneses? / Calo as excelências do precioso mimo, e deixo-os às reminiscências daqueles que tiveram então a felicidade de aquilatá-las."

De fato, Machado não tardara em dar resposta na "Semana Literária" (*Diário do Rio de Janeiro*, 22/05/1866). Sem assinatura, porém de evidente autoria machadiana, temos:

> "Chama-nos a atenção, em primeiro lugar, uma formosa novidade literária, de que os leitores do *Diário do Rio* já têm conhecimento. Aludimos à epístola dirigida pelo nosso amigo, o Sr. Dr. Caetano Filgueiras, ao autor deste escrito. A alguns parecerá que somos suspeitos nesse assunto; mas, além de que a honra que nos foi feita reclama um agradecimento, é nossa convicção profunda que em todos os louvores que consagramos aos versos do Sr. Dr. Caetano Filgueiras somos apenas o eco e a expressão do sentimento de todos os homens de gosto. Autoridades competentes estão de acordo em reconhecer o harmonioso, o abundante, o aperfeiçoado desses versos, tão vivamente inspirados, tão donosamente compostos. Honram-nos o autor, honrando-nos a nós próprio, ao mesmo tempo que exprimem, da parte do Sr. Dr. Caetano Filgueiras, o sentimento de afeição que nos liga, desde que o autor destas linhas começava a versificar algumas ruins estrofes. As primeiras animações vieram dele, e dele vieram os primeiros conselhos. Solícito pelo progresso alheio, o Sr. Dr. Caetano Filgueiras felicitava-se, quando via que os conselhos e animações não eram de todo perdidos, e realizava assim essas duas coisas, tão comuns na boca, tão raras no coração e no espírito – a amizade pessoal e a fraternidade literária. / Os que tratam de perto com o autor da 'Epístola' conhecem as suas qualidades pessoais; o talento, esse é geralmente reconhecido como dos mais graciosos e naturais da geração presente. Aplicado ao estudo dos

monumentos poéticos do passado, e acompanhando com interesse as belas obras contemporâneas, o Sr. Dr. Filgueiras adquiriu um fundo sólido de conhecimentos literários. A "Epístola" é uma feliz amostra de suas preciosas habilitações. Vê-se aí o poeta que sente e observa a natureza, e ao mesmo tempo o erudito que medita as lições da arte e da língua. A inspiração e a meditação combinam-se nessa curta epístola de modo a produzir a beleza e a novidade das imagens, a harmonia e a correção dos versos, e finalmente a pureza e o castigado da linguagem, que revela da parte do autor acurado e longo estudo dos monumentos clássicos." (IM)

[48]

De: GOMES DE AMORIM
Fonte: Manuscrito Original, Arquivo ABL.

Lisboa, 28 de junho de 1866.

Ilustríssimo Senhor

    Constando-me que Vossa Senhoria tivera a extrema bondade de escrever um artigo no *Diário do Rio*, acerca do 1.º tomo dos meus *Versos*[1], não quero nem devo demorar o testemunho do meu reconhecimento. Ainda não li o artigo com que me honrou, porquanto se desencaminhou o jornal que daí me remeteram; mas seja qual for a sua opinião, respeito-a profundamente, porque sei que alia a um grande talento uma probidade literária sem mácula. O escritor imparcial honra sempre aqueles de quem se ocupa, e nunca ofende, por mais severo que seja nos seus julgamentos e sentenças. Um homem que, antes dos vinte e seis anos, adquiriu na sua pátria um dos primeiros nomes literários, e uma reputação que atravessou os mares e o fez conhecido na Europa como uma das futuras glórias do seu país, não pode ser senão um crítico justiceiro. Repito, pois, que aceito o juízo que tiver formado dos meus versos, como documento digno do meu reconhecimento, e agradeço-lho muito do coração.

    Por intervenção do meu amigo o Senhor Francisco Paz[2], morador na Rua Direita[3] número 91 – 1.º andar, será enviado a Vossa Senhoria um exemplar do 1.º e 2.º tomos dos meus *Versos*[4], que lhe peço que aceite como pequeníssima demonstração da minha afetuosa simpatia e me creia

De Vossa Senhoria
admirador sincero e servo afe*tuosíssimo*
Francisco Gomes de Amorim

Lisboa, Rua do Salitre, n.º 234

---

1 ∾ *Cantos Matutinos* (1858), que Machado comentara na "Semana Literária" de 29/05/1866. (IM)

2 ∾ Francisco Ramos Paz*. (IM)

3 ∾ Atual rua Primeiro de Março, no centro histórico da cidade do Rio de Janeiro. (IM)

4 ∾ Os já referidos *Cantos Matutinos* e o livro *Efêmeros* (1866), que seria comentado na "Semana Literária" de 24/06/1866. (IM)

[49]

De: NUNO ÁLVARES PEREIRA E SOUSA
Fonte: Manuscrito Original, Arquivo ABL.

SECRETARIA DA PROVÍNCIA DO RIO DE JANEIRO

Rio de Janeiro, 19 de julho de [1866.][1]

Meu Filho.

Em nome de Deus te abraço e te abençoo pelo bem que me fizeram tuas palavras de animação e de amizade, tão nobremente pronunciadas no *Diário* de hoje[2].

Soube hoje também que o meu antecessor, ferido no seu orgulho de ser expelido do lugar que ocupo, como o chefe dos insolentes e o tipo angélico da maldade, quer em miseráveis pasquins lançar-me a lava do seu ódio e despeito. Previno-te pois que não dês guarida à víbora que não pode compreender que um pobre diabo de poeta o substituísse.

Teu do *Coração*
Nuno Álvares

1 ✑ Segundo os *Almanaque Laemmert* de 1867 a 1871, Nuno Álvares foi secretário de governo da província do Rio de Janeiro neste período, atendendo a diversos presidentes. No *Almanaque* de 1866, na seção relativa aos Negócios da Província, o cargo aparecia vago, mas num exame mais detido das Páginas Suplementares (p. 208), encontrou-se ali a sua nomeação para secretário de governo do presidente conselheiro Domiciano Leite Ribeiro. No *Almanaque* de 1865, o cargo era ocupado por João Antônio de Sousa Ribeiro, provavelmente o tal "antecessor", "chefe dos insolentes" e "o tipo angélico da maldade". A nomeação nas páginas suplementares faz supor que esta se deu já em fins da edição do *Almanaque* de 1866; portanto em fevereiro ou março, conforme os editores insistem em dizer nos prefácios dos *Almanaque*, como, por exemplo, na edição de 1863: "os motivos já em outros anos explicados obstaram que este volume saísse exatamente no começo do ano a que pertence;". Ou ainda, como no prefácio de 1869: "Tem-se repetido, e este ano ainda mais frequentemente, a queixa de aparecer à luz este *Almanak*, só por fim do primeiro trimestre do ano a que pertence.". Cabe ainda uma observação sobre o timbre da secretaria da província no papel usado pelo missivista. (SE)

2 ✑ No microfilme da Fundação Biblioteca Nacional do *Diário do Rio de Janeiro* de 19/07/1866, data mencionada na carta, não há notícia tampouco artigo que a Nuno Álvares fizesse alusão; mas no dia anterior, 18/07/1866, localizou-se um artigo saído na seção "Noticiário", que se reproduziu em parte abaixo:

"Os empregados da secretaria da presidência do Rio de Janeiro fizeram ontem uma bela e justa demonstração de apreço e estima ao Sr. Nuno Álvares Pereira e Sousa, digno secretário da mesma presidência. / Uma comissão de que foi orador o Sr. Dr. Sabino Francisco Frougeth, oficial maior aposentado, e composta também dos Srs. Dr. Antônio André Lino da Costa, oficial maior e efetivo, Brás Joaquim da Silveira e José Caetano dos Santos, chefe de seção, e o Sr. Aureliano Máximo Barbosa, 1.º oficial, apresentou ao Sr. Dr. Nuno Álvares em nome de seus colegas, um primoroso retrato a óleo do digno secretário do governo, trabalhado pelo hábil artista o Sr. Stahb. [...] / A manifestação dos funcionários da secretaria da Província é justa e bem cabida; o Sr. Dr. Nuno Álvares é um mancebo cheio de distinção e talento, de urbanidade e cumpridor dos deveres que se lhe comete. / O retrato ficará exposto à rua do Ouvidor, casa Bernasconi." (SE)

[50]

De: GUILLERMO BLEST GANA
Fonte: Manuscrito Original, Arquivo ABL.

Al S*eño*r Machado de Assis

Rio de Janeiro, Sept*iemb*re 5 de 1866.

Mi estimado amigo:

Siento irme sin decirle a U*sted* – "adiós". Mi viaje ha sido tan repentino que no he tenido tiempo de ver a nadie[1].

Despidame U*sted* del D*oc*tor Filgueiras y de Quintino[2], suplicando a este no se olvide de darme su drama[3].

El libro de mis versos[4] puede U*sted* entregarselo a Delgado, Secretario de la Legación Argentina. Al mismo puede U*sted* darle el drama de Quintino y todo lo q*ue* U*sted* pueda enviarme. El se encargará de remitirmelos.

Mucho puede servirle a U*sted* para entregar a Delgado cuanto U*sted* quiera.

Mis recuerdos a Furtado Coelho[5]. Digale U*sted* la razón q*ue* he tenido para no verlo antes de mi partida, lo mismo q*ue* a los demás amigos.

Yo volveré en mes y medio o dos meses.

Aqui y en todas partes cuente U*sted* con un amigo sincero en su

A*mi*go y S[*iervo*] S[*uyo*].
G. Blest Gana

---

1 ∾ O missivista acumulou a representação diplomática do Chile no Brasil e na Argentina. (IM)

2 ∾ Caetano Filgueiras* e Quintino Bocaiúva*. (IM)

3 ∾ Provavelmente *A Família*, drama em 5 atos, publicado pela Tipografia Perseverança em 1866 e levado à cena dois anos depois. Quintino escrevera anteriormente os dramas *Onfália* e *Os Mineiros da Desgraça*. (IM/SE)

4 ∾ Machado (ass. M. A.) publicaria um poema traduzido com o título de "O primeiro beijo", em 1869. (IM)

5 ◆ O ator português Luís Cândido Furtado Coelho. Ver em [51], carta aberta de 09/09/1866. (IM)

[51]

De: SALVADOR DE MENDONÇA
Fonte: Fundação Biblioteca Nacional. "Folhetim".
Diário do Rio de Janeiro, 1866. Setor de Periódicos.
Microfilme do original impresso.

Rio de Janeiro, 9 de setembro de 1866.

EPÍSTOLA A MACHADO DE ASSIS

"O gosto se transforma, toma caminho vário o aplauso do público; mas a admiração sincera e profunda, devido aos frutos aprimorados da inteligência, jamais se torce e desvirtua. Que fora do pensamento, que fora do gênio se estivessem eles à mercê e feição de inconstâncias e caprichos do tempo e da moda?"

Este dizer sensato de um escritor versado em coisas da arte ocorreu-me pressuroso ao ser ontem testemunha de três assinalados triunfos produzidos sobre o palco de um pequeno teatro desta corte – o Ginásio Dramático[1].

Com efeito triunfaram ali a musa[2] de Beaumarchais, a musa do seu tradutor brasileiro, a musa de Furtado Coelho[3] – a trindade de que largos anos separam, mas que um poder melhor que o do tempo, consorcia e abrilhanta.

Vai ser meu assunto essa tríplice consagração da inteligência; consagração, sim! que a representação do *Barbeiro de Sevilha*[4] foi ontem mais uma como festa literária, um desfilar de respeitáveis personagens em revista de mostra de bom gosto, do que simples exibição de um drama em cena.

Ainda mal que palavras apoucadas não dirão nunca bastante para dizerem o quanto tem em mente o signatário das presentes linhas, que vão escapar ligeiras, cônscias de sua leveza diante de tamanho tema.

"Estranho destino de Beaumarchais, que só parece encontrar cabida de sucesso fora de sua própria individualidade! Fá-lo o escândalo de recolher aplausos, a música o imortaliza!"[5]

Disse-o Henri Blaze, e disse-o mal e sem originalidade, ao invés do seu hábito, que é dizer bem e com empenho.

Quando o mesmo autor acrescenta: "sem a música Beaumarchais fica incompleto e na sombra"; quando vai exclamando mal avisado: "conhece-se que lhe falta o que um escritor francês do XVIII século[6] não podia adicionar, o que ninguém, a não ser Mozart, houvera jamais suspeitado em semelhante assunto: a poesia"; quando ainda além desnorteia: "é impossível ouvir Beaumarchais sem ter saudades de Mozart"[7], o que se tem, o que se sente (ao menos tem-na e sente-a aquele que isto escreve) é mágoa funda por ver posto em prática um sistema cediço de elevar um engenho por meio do desconceito de outro.

Há em verdade nesta vida dois meios de subir, ou fazer subir, um indivíduo: ou pelo nunca assaz louvado empenho próprio, a custo de muito labor ingrato, que só eleva o operário da inteligência quando já da fronte lhe derivam lágrimas e sangue; ou pelo meio mais cômodo e atraente que apenas consiste no ato de cortar as pernas aos que estão mais altos para que os menores pareçam iguais ou mais agigantados.

Henri Blaze, porém, aturdido diante da face do arcanjo musical, que foi dado à terra admirar quando se encarnou no homem que escreveu *Don Juan*[8], esqueceu-se de que Mozart dispensa as pernas de Beaumarchais, visto que possui umas asas bem amplas que o elevam acima da nossa atmosfera, a pairar na sua, que é uma atmosfera peculiar, de onde nos enviou as harmonias do céu.

O que é real é que Shakespeare está para Rossini, assim como Beaumarchais está para Mozart, tenhamos nós em vista o *Mouro de Veneza*[9] ou tenhamos o *Casamento de Fígaro*[10].

A esta proporção literária é que não podem arrancar o autor desta epístola, ainda que ante ele apareça o notável crítico dos *Músicos Contemporâneos*[11].

Há na história da literatura dramática um vulto que se deve conceituar mais crescido e excelso que o daquele poeta imenso que escreveu *Sonho de uma noite de verão* e deu senha a Hugo[12], Eguilaz[13], a Dumas[14] e a Mendes Leal[15]: é o vulto de Molière[16].

Se Shakespeare foi o criador da chamada escola dos românticos, o pai de Tartufo foi alguma coisa mais, por isso que veio com a mofa aninhada nos pontudos bigodes, ficando apenas da aceitação de sua criada, restabelecer os direitos do homem.

Novo Davi, lançou por terra o Golias do privilégio. Pois bem: ante este *sacerdos magnus*[17] do pensamento está em posição reverente o grande evento de 93.

E quem está a seu lado?

O autor do *Barbeiro de Sevilha*.

De fato, aquele que ousava dizer então: "a um fidalgo já nos faz grande bem um não causar-nos mal" e, mandava a sua portentosa criação, Fígaro, através das duas Castelas, Madri e Sevilha, com a miséria por mestre e assídua hóspeda, a fazer a barba por esse mundo de Cristo, sabia ao certo que com as vestes da sátira mordaz, amarga e fria, dava passaporte a um emissário da boa nova, a um real apóstolo.

E destes passaportes só o gênio os firma.

***

A obra humana, para qual seu Criador reclamou um viver de seis séculos, tem-no já hoje suficiente para se poder asseverar que há de perdurar enquanto houver posteridade.

É isto o que se reserva às sublimes produções da arte, que tomaram corpo em um livro, onde se consubstanciam vida e costumes de toda uma época.

E se essa época é de transição e a obra um *Barbeiro de Sevilha*, Almaviva e Bartolo são os dois braços da múmia que procuram mutuamente despedaçar-se; D*om* Basílio o representante de uma classe anacrônica, que, sabedora do seu menospreço, procura novo mister e vai encontrar "o peso de argumentos convincentes"; Esperto e Rapagão, dois entes[18], cuja condição servil equipara-os à besta que recebe a uma partida cara a cataplasma; a autoridade, o tabelião, o primeiro tratante que se toma pelas goelas, quando se tem de prender criminosos; Rosina, a mulher desde Eva até Ave[19], com supremacia no entanto daquele que antevê a emancipação do seu sexo; e junto de todos eles, abaixo deles e muito acima deles Fígaro, a um tempo Ariel e Miguel[20].

Pois tudo isto, toda esta comédia humana do século XVIII, tiveste a felicidade rara de trazer para a nossa língua, com a excelência e primor que dão o cunho dos teus tentâmens literários.

Quando o tradutor do *Canto do Escravo* de Madame Girardin[21] não tivesse outro título ao justo apreço, que nacionais e estrangeiros lhe tributam, a versão da obra de Beaumarchais para o idioma pátrio dar-lhe-ia de sobejo.

Foi assim que o natural respeito pelas produções da arte, já que têm a consagração do tempo, como que veio aparar a tua pena e bafejá-la de inspiração subida ante uma tarefa tão árdua e espinhosa, quanto com felicidade vencida.

Conheci-te o engenho múltiplo que deu à luz os *Desencantos* e os "Comentários da Semana" as *Crisálidas* e as *Semanas Literárias*[22], mas vi agora que do tratar do mestre te saíste a teu turno como profissional, de novel que és.

Por não apontar aos poucos a versão quase inteira, nomeio o discurso sobre a calúnia, e vejam lá se por aí se encontra alguma coisa de tanto sabor clássico.

Faltava o frade: era o seu falar tão reto que, ao encerrar os olhos, apregoavam os ouvidos um padre Antônio Vieira sobre o palco.

Se te achares em demasia louvado com estas exposições, torna em ti e certifica-te de que o autor delas só diz aquilo de que tem sã consciência. Do contrário nada diz, cala, ou diz antes o que pensa, o que quer e tem liberdade e ânimo de dizer, porque ninguém lhe veda, desde que julga ter por si a verdade.

Não se trata agora de ver em cena o moderno espírito de Sardou[23] ou o epigrama saltitante de Henri Heine[24].

Para o cômico das composições da nossa época basta o riso à inglesa, o da ponta dos beiços, e bastaria o próprio riso amarelo, que é invenção dos modernos.

O riso que desabotoa dos lábios diante das cenas do *Barbeiro de Sevilha* é o riso franco e expansivo, alguma coisa que se assemelha ao rir dos personagens do divino Homero, mais da natureza, e ao qual bem pudéramos denominar o riso *branco*.

Nessa franqueza de rir está o triunfo para essa comédia imortal; rimo-nos às gargalhadas porque de coração aplaudimos a magna sátira.

Fígaro, grande moralista, é quem quer nos mandar rir.

E o que nos ordena Fígaro[25] que o não façamos?

Não há muito que, trajando as vestes de outro moralista, as do Carnioli[26], de Otávio Feuillet[27], que seja dito de passagem, é quem tem agora em França o cetro dramático, ao narrar a primeira execução do "Último Canto do Calvário"[28], o dilacerar de um coração de pai extremoso e o angustioso passamento da vítima angélica; não há muito que fazia ele pender de sua boca as centenas de espectadores que com ele e por ele ansiavam.

Ontem a encarnação de Proteu[29], sob a roupagem garrida do barbeiro andou lesto e presto por sobre o tablado com meneios de verdadeiro endemoninhado, a ensinar-nos o como devemos admirá-lo sob tão opostas faces.

— Tu sabes como se opera o milagre?

Toma um diamante de bem puras águas e de corretíssimo lapidado: olha-o e te há de cegar seu brilho; volve-o e te há de cegar outra vez; revolve-o, te há de cegar ainda; continua a voltá-lo, continuará a deslumbrar-te.

Furtado Coelho é assim.

Aquele mesmo que há dias, a uma estulta trindade – Lembech, Ranspach e Beckman, mandava com a mais nobre altivez dobrar os lances e subir os florins aos fredericos, aos milhões, e lhes lançava em rosto a sua miséria de milionários para toparem o preço da sua consciência, estava ontem com a mais sórdida vileza a regatear o prêmio de seus serviços de ativo e diligente intermediário amatório.

Estes são os foros de gênio.

Não falecem à atriz Ismênia[30] dotes para o palco; revelou-os em parte no papel de Rosina. Quando desfaleceu junto da mesa e facultou de indústria a procura da carta suspeitada, soube com inteligente acerto erguer por duas vezes o rosto e mofar com o gesto dos zelos do velho iludido. Foi também para louvar a forma por que se houve na imediata pacificação.

Um tanto mais de fofa dignidade em Bartolo, que, diga-se com verdade, começou de dormir maravilhosamente durante a lição de música à pupila; mais firmeza no papel do conde Almaviva; mais hipocrisia em Dom Basílio, darão seguro realce às representações posteriores do *Barbeiro de Sevilha*.

Ainda uma dúzia de linhas antes de terminar esta epístola.

Um público, nas condições do nosso, ainda não é bem um público: cumpre criá-lo, educá-lo ao menos.

Que ele tem instintos artísticos não há negá-lo, e os aplausos dados à obra de Beaumarchais, à tua obra, à obra de Furtado Coelho, vieram a ponto de provar a sua docilidade.

Excluam da cena o imoralíssimo repertório com que de ordinário se alimenta o paladar depravado do espectador; mostrem que além do Alcazar Lírico[31] e o Jardim de Flora[32] ainda há mais gente na terra; que há acima deles o Ginásio e dentro do próprio Ginásio acima dos banqueiros Dumont e Álvares[33] os artistas Carnioli e Roswen, que há sobretudo Fígaro, e o público acudirá.

Olha que isto não é enristar nenhuma lança de *Dom* Quixote nestes tempos em que anda autorizada a voz de Sancho Pança.

Poucos são os estultos de ânimo deliberado.
E a esses passem-lhes a quitação que Fígaro pede para sua dívida de cem escudos.

Abraça-te o
Salvador de Mendonça.

1 ∾ Em 07/09/1866, estreou neste teatro pela companhia de Furtado Coelho, em dia grande de gala nacional, *O Barbeiro de Sevilha*, numa tradução de Machado de Assis. Nos papéis de Fígaro e Rosina, atuaram Luís Cândido Furtado Coelho e Ismênia dos Santos, atriz recém-chegada da Bahia. O Ginásio Dramático fora arrendado pelo ator (1866), e entre os contratados, figuravam Francisco Correia Vasques, Antônio José Areias, Eduardo José da Graça, Estanislau Barroso Pimentel, Vitorino José da Rosa, Ismênia dos Santos, Antonina Marquelou, Júlia Heller, Clélia Carvalho e Elisa Abreu. Ver em [52], carta de 18/09/1866. (SE)

2 ∾ O sentido atribuído por Salvador de Mendonça à palavra "musa" é o de sopro criador que possibilita ao artista a criação de sua arte; inspiração, ou ainda, o talento poético, a habilidade ou engenhosidade artística, sentido que se encontra dicionarizado e documentado em língua portuguesa. (SE)

3 ∾ Luís Cândido Cordeiro Pinheiro Furtado Coelho (1831-1900), ator português radicado no Brasil, amigo de Machado de Assis, filho de Lúcia da Costa Cordeiro Pinheiro Furtado e João Pedro Coelho, estudou em Lisboa na Escola Politécnica, mas não concluiu o curso em função da crise provocada pela revolução de 1847. Ainda em Lisboa, trabalhou como amanuense da Secretaria de Estado dos Negócios da Guerra, entre 1846 e 1855. De origem tradicional, não encontrou entre os familiares boa acolhida à sua escolha profissional. Em razão disso, terminou por transferir-se ao Rio de Janeiro em março de 1856. Em 1857, estreou no teatro em Porto Alegre (RS) e, no ano seguinte, na corte, onde se tornou ator, diretor, dramaturgo e depois empresário. Já em 1859, Machado de Assis fala dele com entusiasmo, sobretudo após o ator transferir-se ao Ginásio Dramático, do empresário Joaquim Heliodoro, cujo repertório orientou-se pelo realismo francês, tão caro ao jovem Machado. (SE)

4 ∾ A estreia teve poucas representações devido ao desinteresse do público que, acostumado à ópera homônima, rejeitou o espetáculo. *O Barbeiro de Sevilha* ou *A Precaução Inútil*, de Pierre-Augustin Caron de Beaumarchais (1732-1799), foi escrita inicialmente em cinco atos e representada pela primeira vez na Comédie Française em 23/02/1775, sendo reduzida a quatro atos e reapresentada dois dias depois. A peça de Beaumarchais deu origem à ópera cômica em dois atos *O Barbeiro de Sevilha*, com

música de Gioacchino Rossini e libreto de Cesare Sterbini. Já a sua comédia *O Casamento de Fígaro*, em cinco atos, foi levada à cena pela primeira vez também na Comédie Française em 27/04/1784, tendo inspirado a ópera cômica em quatro atos *As Bodas de Fígaro*, com música de Mozart e libreto de Lorenzo da Ponte. (SE)

5 ∾ No artigo da *Revue des Deux Mondes* (15/03/1849), Blaze não estava comparando *O Barbeiro de Sevilha* rossiniano com a peça homônima de Beaumarchais, levada no palco do Ginásio; Blaze escreveu sobre o "estranho destino" de *As Bodas de Fígaro* de Beaumarchais, se comparado ao destino da ópera mozartiana de mesmo nome. Salvador de Mendonça usou essa ideia de Blaze, que aparentemente chancelaria a atitude do público fluminense sobre o destino pouco popular da peça *O Barbeiro de Sevilha*, a fim de se contrapor à posição do crítico francês. Mendonça fazia isso a fim de sustentar a sua argumentação em favor da peça levada pela companhia de Furtado Coelho. (SE)

6 ∾ Embora seja possível, esta não é a posição canônica em português; entretanto Salvador de Mendonça manteve o numeral ordinal anteposto ao substantivo "século" possivelmente por influência do francês, língua na qual Henri Blaze escreveu o artigo a que Salvador faz referência e que, certamente, leu no original. (SE)

7 ∾ Ainda o mesmo artigo da *Revue des Deux Mondes*, de 15/03/1849, em que Henri Blaze, a certa altura, diz que Mozart é o anjo da música. (SE)

8 ∾ Ópera em dois atos de Mozart, com libreto de Lorenzo da Ponte, *Don Giovanni* estreou em 29/10/1787 no Teatro Nacional de Praga. No século XIX, essa foi uma das óperas mais populares, segundo o *Kobbé* (1994), porque incorpora o cômico ao seu intenso drama, bem como pela sucessão dos eventos e a velocidade da sua ação dramática e, por fim por sua inequívoca qualidade musical. Nos jornais fluminenses do período a ópera de Mozart apareceu sempre anunciada como *D. Juan*, conforme Salvador de Mendonça escreveu em sua epístola. Assinale-se que D. Juan é um personagem que figura no imaginário ocidental há quase quatrocentos anos, seja na literatura, na música ou na pintura. A primeira referência em torno de tão fascinante personagem é literária, sendo atribuída ao dramaturgo espanhol Tirso de Molina – *El Burlador de Sevilha* (entre 1620-1635). O personagem reaparecerá em inúmeras peças teatrais, poemas, romances libertinos, folhetins e filmes. Na literatura, entre os inúmeros exemplos da força do personagem e do tema que a sua história desenvolve, citam-se a comédia *D. Juan* (1665), de Molière; *The Libertine* (1676), de Thomas Shandwell; o poema *D. Juan* (1821), de Lord Byron; a comédia *D. Giovanni Tenorio, Ossia Il Dissoluto* (1736), de Carlo Goldoni; o drama *D. Juan de Maraña* (1831), de Alexandre Dumas. (SE)

9 ∾ A ópera *Otelo* de Rossini, com libreto de Francesco Maria Berio di Salsa, baseada na peça homônima de Shakespeare, estreou a 04/12/1816, no Teatro del Fondo, em Nápoles. (SE)

10 ❧ Salvador faz a referência à opera e ao texto teatral a que Henri Blaze de fato comentou em seu artigo na *Revue des Deux Mondes*: *As Bodas de Fígaro*, a ópera de Mozart e a peça de Beaumarchais. (SE)

11 ❧ *Musiciens Contemporains*, de Henri Blaze de Bury (1813-1888), publicado em 1856. (SE)

12 ❧ Poeta, romancista, dramaturgo, ensaísta e político, Victor-Marie Hugo (1800-1882) foi uma das mais notáveis influências na literatura do século XIX. Victor Hugo era filho do general do Primeiro Império, Joseph Léopold Sigisbert Hugo (1773-1828) e de Sophie Trébuchet (1772-1821), vivendo parte da infância em Nápoles e na Espanha, mudando-se para Paris só em 1813. Em 1819, juntamente com seus irmãos Eugène e Abel, fundou a revista *Conservateur Littéraire*; em 1821, publicou as suas *Odes* e, em 1827, o *Cromwell*. O prefácio do *Cromwell* abalou as hostes tradicionalistas, provocando decisiva discussão nos meios literários franceses. No prefácio, Hugo opôs-se decididamente às convenções clássicas de respeito às unidades de tempo, lugar e ação, mais particularmente às unidades de tempo e lugar. Em 1830, Hugo pôs em prática de modo radical a sua teoria no *Hernani*, peça que inaugurou o gênero drama romântico. (SE)

13 ❧ Luis Dámaso Martínez de Eguilaz (1830-1874) dramaturgo e poeta espanhol. (SE)

14 ❧ Alexandre Davy de La Pailleterie Dumas (1802-1870) ficou órfão muito cedo de Thomas Alexandre Davy de La Pailleterie, general da Revolução Francesa, mestiço de origem franco-haitiana, e foi introduzido por sua mãe nas narrativas dos feitos heroicos de seu falecido pai. Alexandre Dumas trabalhou como praticante em um notariado desenvolvendo notável caligrafia. Por esse tempo, principiou a escrever peças em parceria com seu amigo, o visconde de Leuven. Em 1823, graças à caligrafia, foi admitido no serviço do secretariado do duque de Orléans, como amanuense, tomando contato então com Shakespeare, Walter Scott, Goethe e Schiller, que serão as principais influências de seu teatro. Em 1829, conheceu finalmente o sucesso com *Henri III et sa Cour*, encenado na Comédie Française. Bem cedo, fixou a sua predileção pelo drama, pelo romance histórico e pelo folhetim. Em 1851, arruinado e perseguido por credores, exila-se na Bélgica. Escritor prolífico, Dumas escreveu centenas de obras, dentre as mais populares estão *Os Três Mosqueteiros* (1844), *A Rainha Margot* (1845), *O Conde de Monte Cristo* (1845-1846) e *A Tulipa Negra* (1850). (SE)

15 ❧ Sobre Mendes Leal (1820-1886) ver, em [43] carta de 15/08/1865. (SE)

16 ❧ Jean Baptiste Poquelin (1622-1673), comediógrafo francês, foi também ator cômico e diretor. Com sua companhia de teatro ambulante percorreu a França por quase doze anos, ao mesmo tempo em que ia compondo e representando as suas peças

pelos vilarejos, vilas e cidades por onde passava. Escreveu, entre tantas, *As Preciosas Ridículas, Escola de Maridos, Escola de Mulheres, Tartufo, O Avarento, O Doente Imaginário* e *As Artimanhas de Scapino*. (SE)

17 ∾ Supremo sacerdote.

18 ∾ Dois criados, que no original francês chamam-se respectivamente Eveillé e La Jeunesse: o primeiro está sempre sonolento e o segundo é um velho decrépito. (SPR)

19 ∾ "Ave Maria", prece com que o catolicismo do período inicial do medievalismo encetou a prática da devoção à virgem, usada primeiramente pelos monges e depois pelos leigos, que a incluíram nas orações de intercessão. A partir do século XIV, a "Ave Maria", passou a ser universalmente praticada em toda Europa católica, à qual será concedida progressivamente o estatuto de dama em serviço da qual todos os cavaleiros católicos devem se manter, passando a ser conhecida na tradição ibérica como Nossa Senhora. De Eva a Ave significaria então os papéis ou o percurso da mulher no mundo de cultura cristã. A mulher fundadora da humanidade, como a primeira de todas as mulheres e a primeira de todas as mães. (SE)

20 ∾ Ariel, no caso, nada tem a ver com o espírito alado de *A Tempestade*, de Shakespeare. Ele e Miguel são alusões ao poema épico *Paraíso Perdido* de Milton (1608-1674), que descreve uma batalha cósmica entre as legiões de Deus, nas quais está o arcanjo São Miguel e as de Satã, nas quais milita o espírito rebelde, Ariel. (SPR)

21 ∾ Delphine Gay (1804-1855) casada com o jornalista Émile de Girardin (1806- -1881). Machado de Assis fizera a tradução do poema de Madame de Girardin, publicando-o em seu volume das *Crisálidas* (1864), com o título de "Cleópatra" (Canto de um Escravo). Ver o volume citado. (SE)

22 ∾ Todas essas referências são produções de Machado de Assis: *Desencantos* é a peça editada em 1861; "Comentários da Semana" são uma série de crônicas, escritas entre 12/10/1861 e 05/05/1862 no *Diário do Rio de Janeiro*; *Crisálidas* é o primeiro livro de poemas, publicado em 1864; e "Semanas Literárias" é a seção de crítica literária, também no *Diário do Rio de Janeiro*. (SE)

23 ∾ Victorien Sardou (1831-1908), dramaturgo francês de grande sucesso no século XIX, foi um mestre da comédia. Na organização de suas peças, Sardou soube mesclar ao drama burguês os três tipos de comédia considerados tradicionais: a comédia de caráter, a de situação e a de intriga. Neste processo, demonstrou grande habilidade, sobretudo na construção dos diálogos, produzindo textos ágeis e dramaticamente bem construídos, quase sempre voltados à crítica social. (SE)

24 ∾ Entre os gregos antigos, o epigrama era qualquer inscrição, em prosa ou verso, colocada em monumentos, estátuas e moedas, para celebrar um evento ou uma vida

exemplar. Passando à literatura, inicialmente, epigrama definiu uma pequena composição poética sobre qualquer assunto; depois definiu também a composição poética breve, porém satírica, que expressasse de forma incisiva um pensamento ou conceito malicioso; e, por fim, estendeu o sentido à palavra plenamente mordaz, ao dito picante, ao sarcasmo e à zombaria introduzida em uma composição (prosa ou verso), em uma conversa, uma narrativa, visando pessoas ou instituições, cujo efeito fosse denunciador e pedagógico. Registre-se ainda que essa ideia da função pedagógica está presente também na tradição da sátira moral romana em que o riso deveria servir apenas como meio de denúncia dos vícios da humanidade. Quanto à biografia, Heine, nascido Christian Johann Heinrich Heine (1797-1856), era filho de judeus assimilados. A mãe proveniente de uma família de judeus liberais, em sua maior parte dedicada à banca financeira e à erudição, e o pai oriundo de uma família ortodoxa, cuja principal atividade era o comércio. Quando o seu pai faliu, Heine foi enviado a Hamburgo, à casa de seu tio Salomon, a fim de estudar e dedicar-se à carreira comercial, para a qual demonstrou nenhuma aptidão. De forma bastante irregular, terminou por formar-se em direito em 1825. Neste mesmo ano, converteu-se ao cristianismo luterano, em razão da proibição ao exercício de certas profissões pelos judeus em diversos estados alemães. O conflito entre as identidades judaica e alemã será uma das marcas do escritor. Em 1831, Heine mudou-se para a França. Em Paris entregou-se à vida boêmia. Em 1834, conheceu Augustine Mirat, com a qual se casou em 1841; mas aos quarenta e quatro anos, muito doente e abatido, descobriu-se com sífilis. (SE)

25 ∾ Cabe neste trecho a suposição de que estaria se referindo a Furtado Coelho, então a frase seria "E o que nos ordena Fígaro de Furtado Coelho que o não façamos?". Do contrário o parágrafo seguinte ficaria truncado: "Não há muito que, trajando as vestes de outro moralista, as do Carnioli, de Otávio Feuillet". (SE)

26 ∾ No drama *Dalila* (1857), Carnioli é o rico melômano que decide ajudar André Roswein, um jovem pobre e talentoso compositor. Neste drama, Feuillet pôs em cena o amor destrutivo. Com enredo fortemente imaginativo, o dramaturgo constrói Leonora, princesa Falconieri, como uma personagem demoníaca que, não sendo propriamente uma cocote, mas uma mulher do *demi-monde*, ocupa-se apenas de sua beleza, seus desejos e sua vaidade. A princesa seduzirá e levará à morte Roswein, que era noivo de Marta, filha de Sertorius, o professor de contraponto. Roswein conhece Leonora após a triunfal estreia de sua ópera, apaixona-se por ela e acaba abandonando a antiga noiva. O drama *Dalila* teve uma tradução e adaptação feita pelo português Antônio de Serpa, e foi levada à cena no Teatro de Variedades no Rio de Janeiro, merecendo de Machado de Assis na "Revista Teatral" do *Diário do Rio de Janeiro* de 29/03/1860, uma referência elogiosa, para em seguida fazer uma acurada análise do original francês. (SE)

27 ∞ Octave Feuillet (1821-1890) foi o dramaturgo francês que melhor expressou a conciliação da então nova tendência realista de fazer a observação da realidade e o gosto popular pelos dramas e melodramas românticos. Diferentemente de Emile Augier (1820-1889), que desde o começo teve François Ponsard (1814-1867) e Victor Hugo (1802-1885) como referências românticas, o jovem Feuillet formou-se dramaturgicamente sob a influência das comédias e dos provérbios de Musset (1810-1857), acrescentando certos cuidados com a moralidade burguesa. As suas peças jamais perderam o aspecto imaginoso e fantasista; ao contrário, Feuillet foi cultor exemplar de uma forma híbrida, que introduziu na dramaturgia nascida da observação da realidade os recursos imaginativos do drama romântico, cheios de reviravoltas, paixões violentas, revelações surpreendentes e alterações bruscas na personalidade dos personagens. Abordou os temas caros ao realismo: a família como esteio do equilíbrio e da felicidade, a honradez do trabalho e a disciplina do espírito. (SE)

28 ∞ Poema de Fagundes Varela (1841-1875) considerado obra-prima da lírica romântica. Os biógrafos do poeta relacionam o poema à perda de seu primeiro filho, perda da qual jamais teria se recuperado. Sobre o poeta, ver em [75], carta de 10/09/1869. (SE)

29 ∞ Proteu, filho dos titãs Oceano e Tétis (filhos de Urano e Geia), tinha o dom da premonição e o da metamorfose. Por saber profetizar, muitos homens o procuravam em busca de conhecer o futuro; mas Proteu não gostava de falar sobre os acontecimentos vindouros e, para afugentar quem o procurava, metamorfoseava-se nas mais terríveis criaturas; porém se aquele que o procurava tivesse coragem de suportar o pavor, Proteu acabava atendendo-o. (SE)

30 ∞ A atriz baiana Ismênia Augusta dos Santos (1840-1918) estreou como amadora em sua terra natal, transferindo-se para a corte em 1865, com o marido Augusto dos Santos, também ator. No Rio de Janeiro, já sob a direção de Furtado Coelho, o casal estreou em 29/03/1865, na comédia *Não é com Essas*. Ismênia dos Santos trabalhou com diversos empresários em outros teatros, mas em 1866 retornou ao Ginásio Dramático, para a companhia dramática de Furtado Coelho. Foi neste retorno que desempenhou o papel da protagonista Rosina no *Barbeiro de Sevilha*. (SE)

31 ∞ O *Alcazar Lyrique Français* (1857), criado pelo empresário Joseph Arnaud, revolucionou a vida ainda provinciana do Rio de Janeiro, iniciando o hábito da vida noturna; contudo tal mudança só ocorreu na segunda fase do *Alcazar* (1864). Já nos primeiros anos a reação aos espetáculos foi muito negativa, o que fez o empresário rever seus planos. Viajou à Europa e retornou com uma companhia francesa experiente, que dominava o gosto do público. Ver também em [45], carta de 29/01/1866. (SE)

32 ∾ O Jardim de Flora, também conhecido como Teatro Francês de Variedades, não possuía fachada, pois ocupava os jardins do Hotel Brisson, e foi arrendado pelo empresário Chère Labocaire, que o inaugurou em 14/10/1863. O Hotel Brisson situava-se na rua da Ajuda 57, no centro histórico da cidade do Rio de Janeiro. Atualmente da rua da Ajuda resta apenas um pequeno trecho, entre as avenidas Nilo Peçanha e a Rio Branco, onde está situado o Teatro Glauce Rocha. (SE)

33 ∾ Pouco se apurou de tais banqueiros: ambos atuavam como empresários investindo dinheiro no Ginásio Dramático e, certamente por isso, cobrando retorno financeiro. (SE)

[52]

De: FERREIRA DE MENESES
Fonte: Manuscrito Original, Arquivo ABL.

São Paulo, 18 de setembro de 1866.

Meu Machado.

Recebi a tua carta. É sempre o teu estilo, o teu coração e o teu espírito. Mas a culpa pertence a ti e vou te provar: Escreveste uma casaca: os *Deuses de Casaca*[1] e não me enviaste um exemplar!

Tem explicação isto?

A culpa é tua.

Aos negócios[2]. A Empresa aceita com agrado a tua cooperação e nada objetou sobre a questão dinheirosa e nem tinha q*ue* objetar. Foste modesto como sempre. Por este correio receberás a carta e as cláusulas do negócio[?][3]. Estás correspondente. Só assim terei notícias tua[s] em cada correio. Foi boa a m*inh*a ideia. Quanto ao negócio do teatro, continua a tratar dele. Está por aqui o Muniz Barreto[4].

Recebi cartas do Furtado Coelho[5]. Agradece-me os recados que lhe mandei por ti. O Furtado é um bom ra[paz][6]. Outro tanto não posso dizer do célebre Joaquim Augusto[7]. Deves saber do que se deu por aqui entre mim e ele. O processo penderá da decisão do Juiz de Direito.

O Augusto é um dos répteis que tenho en[contrado][8] sob os meus pés! Deus se com[padeça][9] dele.

Aonde para a nossa boa Dona Maria Fernanda[10]? Manda-me dizer.

Quanto ao que mandaste dizer sobre o Remígio[11], já o sabia.

O nosso Remígio é um herói! Tanto melhor para nós!

Mas o veremos ainda? Tenho medo.

Não posso ser mais longo.

A propósito dá meus emboras[12] ao Furtado pela representação da obra de Beaumarchais que traduziste[13].

Revolucionários tu e ele! A revolução do gosto, do bom, do belo, contra o mau, o estúpido e o indecente. Parece fácil e é difícil como os trabalhos de Hércules! Dou-te os meus parabéns. Dou os parabéns ao Furtado, o profeta do futuro da arte! – dou meus parabéns ao Salvador de Mendonça pelo folhetim-epístola que te dirigiu[14]. Como é soberbamente belo o Salvador de Mendonça a escrever! E tu! Como resplende a tua figura no meio de todos esses hinos e essas festas! Salve-nos a todos esta crença, esta verdade, este consolo: Inda há homens de talento!

Adeus. Dize ao Furtado depois de um abraço, que eu já conhecia o Muniz Barreto, o que não invalida a apresentação dele: pelo contrário seremos agora dois ele e eu a aplaudirmos o Muniz.

Adeus, abraça-te
Teu amigo e admirador
O Meneses.

Ilustríssimo Senhor
Joaquim Maria Machado de Assis
Corte No *Diário do Rio de Janeiro*
Rua do Rosário

---

1 ∾ Comédia em versos alexandrinos, provavelmente escrita em 1864, com estreia depois de vários ajustes, em 28/12/1865, no terceiro sarau da Arcádia Fluminense, realizado nos salões do Clube Fluminense; foi publicada em 1866 pela Tipografia do Imperial Instituto Artístico. As comédias de inspiração realista eram chamadas por

extensão de *dramas de casaca*, ou mesmo apenas de *uma casaca*, numa alusão ao traje dos atores, consentâneo com o homem burguês do século XIX que entrara em cena, no papel principal desse novo formato de comédia. Sobre as comédias realistas ver em [8], carta de 1862-1863. (SE)

2 ∞ Machado de Assis estava sendo convidado a ser correspondente no *Diário de São Paulo*. (SE)

3 ∞ Não há certeza quanto à palavra, pois o original está bastante danificado neste trecho; por isso a ressalva [?]. (SE)

4 ∞ O violinista Francisco Muniz Barreto (1836-1900) é filho do famoso rabequista e repentista também chamado Francisco Muniz Barreto (1804-1868). Francisco Muniz Barreto, filho, tocou nos saraus da Arcádia Fluminense. Ver a respeito em [45], carta de 29/01/1866. (SE)

5 ∞ Sobre o ator português radicado no Rio de Janeiro, ver em [51], carta de 09/09/1866. (SE)

6 ∞ Trecho original danificado, cujo sentido se pôde inferir. (SE)

7 ∞ O motivo do conflito entre o jornalista Ferreira de Meneses e o ator brasileiro Joaquim Augusto Ribeiro de Sousa (1825-1873) não é esclarecido na carta, porém o comentário faz supor que Machado de Assis soubesse do que se tratava. Sobre o ator ver em [8], carta de 23/03/1863. (SE)

8 ∞ Trecho original danificado, cujo sentido se pôde inferir. (SE)

9 ∞ Trecho original danificado, cujo sentido se pôde inferir. (SE)

10 ∞ Atriz frequentemente citada por escritores do período, não se conhecia o seu nome completo, que foi encontrado no *Laemmert*: **Maria Fernanda de Castro e Silva**, que em 1861-1862 fez parte da companhia do Teatro Ginásio Dramático, coincidentemente naquele momento dirigida pelo mesmo Joaquim Augusto Ribeiro de Sousa, a quem Ferreira de Meneses faz alusões tão ácidas nesta carta. A respeito da atriz, comenta Machado no folhetim de 24/12/1861, quando Gabriela da Cunha, vinda da Bahia, fez a sua *rentrée* nos palcos com a peça *Homens Sérios*, de Ernesto Biester:

"Se eu fizesse crítica de teatros entraria em apreciação mais detida do desempenho. Mas não é assim. Só me cabe apontar muito de leve os fatos. O Sr. Joaquim Augusto acompanhou bem a Sra. Gabriela, no papel de Luís Travassos, marido brutal no interior, e delicado e solícito em público. Estas duas figuras foram as principais. No papel da condessa a Sra. Maria Fernanda fez progressos." Ver também crônica de 15/12/1862, em *O Futuro*. (SE)

11 ◦∾ José Remígio de Sena Pereira (1826-1866) havia sido ferido na Guerra do Paraguai, ferimento que resultou posteriormente em sua morte. Sobre o assunto, ver em [59], carta de 25/11/1866. (SE)

12 ◦∾ Diacronismo: "em boa hora", que exprimia ideia de um evento ocorrer sob bons auspícios, sob boa fortuna, e daí passando à ideia de retirada (ir-se embora). Dentre os diversos sentidos metaforizados por seu processo de lexicalização, havia este usado por Ferreira de Meneses expresso sempre no plural significando felicitações, parabéns. (SE)

13 ◦∾ Na seção "Noticiário" do *Diário do Rio de Janeiro* de 08/09/1866, saiu o seguinte comentário, que **corrige a informação de que D. Pedro II e D. Teresa Cristina teriam comparecido à estreia da peça**: "Ontem houve espetáculo de gala em todos os teatros que atualmente funcionam. / Suas Majestades assistiram à primeira representação do drama *A Roubadora de Crianças* no teatro Lírico. / No Ginásio representou-se pela primeira vez a célebre comédia de Beaumarchais, *O Barbeiro de Sevilha*, fazendo o Sr. Furtado Coelho o papel de Fígaro". Sobre *O Barbeiro de Sevilha*, ver ainda em [51], carta de 09/09/1866. (SE)

14 ◦∾ Carta aberta de Salvador de Mendonça*, publicada no folhetim do *Diário do Rio de Janeiro*. Ver em [51], carta de 09/09/1866. (SE)

[53]

De: FERREIRA DE MENESES
Fonte: Manuscrito Original, Arquivo ABL.

São Paulo, 29 de setembro [de 1866.][1]

Machado.

Recebi uma carta tua na qual me falas do negócio do *Diário de São Paulo*[2]. Acho que deves guardar *imparcialidade* – não teres nenhuma cor política na tua correspondência. É o melhor e é o *que* falei com o Cândido Silva proprietário. Quanto ao anônimo, fica isto à tua discrição. Nesta data [escre]ve-te[3] o José Vitorino sobre o negócio do teatro de São Pedro.

Como verás, o José Vitorino pede garantias e mais cinquenta mil réis sobre o ordenado oferecido.

Não acho demasiadas as condições dele. Fala ao Dengre[mont][4] (...)[5]. Arranja tudo isso como bom advogado que és. O José Vitorino[6] serve numa empresa, nos negócios de escritura, cópia de papel etc.

Vê pois. Como amigo que sou digo-te com franqueza que tenho o maior interesse em que o José Vitorino e a Júlia[7] vão para a Corte, interesse que vem de eu não querer que eles fiquem em São Paulo. Tanto mais que o infame Joaquim Augusto[8] por seu lado batalha para esse fim. Portanto vê, esgota os teus bons ofícios nesta questão. O José Vitorino tem a cabeça irresoluta. Oferece-lhe por aqui [um empresário][9] condições vantajosas, mas entre as duas propostas balança ele perplexo.

Convém pois empurrá-lo de um lado e com violência. Empurra-o. Espero resposta tua com urgência. Em fins de outubro é provável [que eu dê um][10] pulo à Corte antes de fazer meu ato que só terá lugar em fins de novembro[11].

O *Diário de São Paulo* escreveu-te. Não sei por que se te mandou todas as precisas garantias para pagamento de teu trabalho, envia-me [dizer][12] para que eu trate disso o mais breve possível e satisfatoriamente.

O Muniz já deu o primeiro concerto[13]. A academia fez-lhe uma ovação pomposa. Foi merecida; o Muniz está tocando com suma maestria. Eu e ele levamos a falar sempre de ti. Rimo-nos a bom rir às vezes, do teu chiste e das tuas lembranças felizes.

Mandaste-me perguntar se tenho escrito? Tenho sim. Algumas tolices em folhetim e nada mais. Faltam-me estímulos por aqui.

A vida por estes lados anda no presente muito prosaica e preguiçosa. E de que serve escrever em jornal de província? Escrever para meia-dúzia de tolos e de caipiras?

Não vale a pena[14].

Adeus, não te esqueças de escrever-me. Lembranças ao Furtado. Abraça-te o amigo

Meneses.

1 ∾ Das cartas [52], [53] e [55], apenas [52] foi completamente datada (18/09/1866), fato que auxiliou na datação das outras, pois alguns assuntos passam de uma carta a outra ou são retomados com intervalo de uma carta. Em [52], a chegada do violinista Francisco Muniz Barreto, filho, é desenvolvida na carta [53]; nesta Muniz já deu seu primeiro concerto. Da carta [52], há uma retomada de assunto em [55]; na primeira, Meneses teme pela vida de Remígio e, na outra, Remígio morreu. Em [53], Meneses pede por José Vitorino e Júlia e, em [55], fica aborrecido por não obter resposta. (SE)

2 ∾ Jornal de coloração conservadora, de propriedade de Cândido da Silva, que tinha como principal redator João Mendes de Almeida (1831-1898), magistrado de grande saber jurídico e figura ilustre da política conservadora, tendo sido líder do partido de 1859 a 1878. (SE)

3 ∾ Trecho do original danificado. O que está em colchetes deve ser lido com alguma reserva, pois se trata de inferência sem grande grau de certeza. (SE)

4 ∾ Leitura bastante prejudicada, pois o original está deteriorado. Ainda assim, é provável que seja o empresário francês Charles Dengremont que, em sociedade com Charles Ducommun, segundo o *Almanaque Laemmert*, arrendara oficialmente o Teatro São Pedro de Alcântara, no ano de 1867. A carta de Ferreira de Meneses deixa claro que a sociedade dos empresários ou já estava oficiosamente vigendo ou iniciaria a sua vigência em breve. No *Almanaque Laemmert* de 1866, o Teatro São Pedro de Alcântara vem com a rubrica "não tem companhia", significando que na edição final do almanaque, entre fins de 1865 e início de 1866, o teatro ainda não tinha sido oficialmente arrendado, o que deve ter ocorrido depois. Registre ainda a variante Dangremont em lugar de Dengremont. (SE)

5 ∾ Trecho do original danificado, impossibilitando a leitura ou a inferência. (SE)

6 ∾ Possivelmente refere-se ao ator dramático português José Vitorino da Silva Azevedo, nascido no Porto, em 16/03/1831, radicado há alguns anos no Brasil, tendo vivido em São Paulo e no Rio de Janeiro. José Vitorino publicou os dramas *Adolfo e a Gondoleira de Veneza* (ambos de 1851); as comédias *Uma Aposta no Hotel de Verona* (1852) e *A Tulipa* (1856); publicou ainda uma coletânea de seis peças, sob a rubrica de *Teatro Cômico* (1857); traduziu e publicou do francês Alexandre Dumas, filho, o drama *O Gravador de Lápides* (1862). (SE)

7 ∾ Atriz Júlia Carlota de Azevedo, com quem Ferreira de Meneses casou-se mais tarde. Ver em [9], carta de 23/03/1863. (SE)

8 ∾ Sobre Joaquim Augusto, ver em [9] e [52], cartas de 23/03/1863 e de 18/09/1866, respectivamente.

9 ∞ Trecho do original danificado; ainda assim fez-se a leitura com a ressalva dos colchetes. (SE)

10 ∞ Trecho do original danificado; ainda assim fez-se a leitura, com a ressalva dos colchetes. (SE)

11 ∞ A expressão "fazer meu ato" significava prestar os exames finais na Faculdade de Direito, ou seja, graduar-se. Ferreira de Meneses estava se preparando para voltar ao Rio de Janeiro, onde mais tarde tornou-se jornalista atuante em favor da causa da abolição. (SE)

12 ∞ Trecho do original danificado; não há total certeza quanto à palavra entre colchetes. (SE)

13 ∞ O famoso violinista Francisco Muniz Barreto, filho (1836-1900). Ver em [52], carta de 18/09/1866. (SE)

14 ∞ São Paulo, do início da segunda metade do século XIX, apesar de ser um valorizado centro de formação das elites letradas, era ainda uma cidade provinciana, de hábitos austeros, adquiridos na sua formação colonial. Só quando a riqueza excedente proporcionada pela cultura cafeeira permitiu aos fazendeiros ter também uma residência na cidade, ou para a educação dos filhos, ou para hospedar-se a negócios, a cidade ganhou ares cosmopolitas. Essa fama de caipira dada à cidade no século XIX pelos fluminenses é antiga. Na divertida comédia de Martins Pena, *O Diletante* (1844), Marcelo, tropeiro de muitas posses e hábitos simples, sofre tão terrível choque cultural ao vir à corte pela primeira vez, que, embora enamorado de Josefina, a bela filha de seu anfitrião fluminense, não vê a hora de voltar a São Paulo. (SE)

[54]

Para: QUINTINO BOCAIÚVA
Fonte: Fac-símile do Manuscrito Original, Arquivo ABL.

Rio de Janeiro, 29 de outubro de 1866.

Meu Quintino.

Sei pelas folhas do Pará que fizeste até ali uma boa viagem, e estimo d'alma que o mesmo sucedesse até New York[1]. Imagino, meu amigo, que há de ser uma coisa triste e difícil o separar-se a gente de criaturas que lhe são caras; faço ideia do que terás sofrido. Ao menos, porém, se há compensação para isto, deves consolar-te um pouco com a ideia de que tens uma viva saudade em todos quantos apreciam o teu caráter e o teu coração, e que esses, como a tua família, têm um desejo: o de que voltes ao teu país, depois de preenchido o teu dever e garantido o teu futuro.

O Saldanha[2] já está na posse do governo de Minas, e já escreveu ao Belfort[3], com quem continuo a trabalhar no *Diário do Rio*. Foi o Saldanha recebido com entusiasmo em Ouro Preto, como verás pelas notícias dos jornais. Eu, no *Diário*, vou fazendo o trabalho do costume, e mais um ou outro artiguinho de fundo quando é necessário. Alguns são por indicação do Afonso Celso[4] com quem tenho estado.

Agradeço-te outra vez a recomendação que de mim fizeste ao Afonso. Achei-o nas melhores disposições a meu respeito, e segundo me afirmou ainda ontem, estarei empregado até janeiro, e com bom emprego. Disse-me que devia haver brevemente uma vaga de 2.º oficial na secretaria do império, e eu pela m*inha* parte falei-lhe na de 1.º oficial na da agricultura. Qualquer desses, ou outro, disse-me ele, ser-me-á dado. Nunca houve emprego que viesse mais a propósito do que esse que me dizem.

Verás pelas folhas que alterações houve por aqui: a entrada do Sá e Albuquerque[5] para o ministério, a nomeação do Caxias para comand*a*nte em chefe das novas forças no Paraguai, a demissão do Ferraz[6], e o título de barão de Uruguaiana, que o imperador lhe deu etc. Saberás também das propostas de paz feitas pelo Lopes, da recusa, do revés do Curupaiti[7] etc. Quanto ao mais, nada de novo, completo silêncio em política. A nomeação de Caxias, além da importância do homem, tem por fim acabar com as dissidências entre o Porto Alegre e o Polidoro[8], que eram graves. Parece que os dois não perdem o comando dos seus corpos, mas ficam subordinados a Caxias, que comandará todas as forças. Falou-se na demissão do Tamandaré, mas nada sei.

Tu a estas horas terás tido o prazer de ouvir a Ristori[9], de quem o *Herald* fala com tanto entusiasmo. Manda-me dizer a tua opinião. Se tiveres tempo, escreve também as tuas impressões do país nas cartas que me mandares, e não te esqueças do *Our american cousin*[10] e das poesias de Longfellow[11], se houver. Daqui irá aquilo que se publicar de notável, e de interesse. Repito o que te disse na véspera da tua partida. Quando precisares de mim aqui, manda as tuas ordens, e achar-me-ás sempre pronto para tudo. Adeus, meu Quintino, sê feliz, e volta breve ao Brasil, onde tanta gente, valendo menos que tu, tem tido a inexplicável fortuna de nos governar este barco.

Adeus.
Teu do coração,
Machado de Assis.

Meu parágrafo ao Caymari[12]. Dá-lhe lembranças e saudades; pergunta-lhe se os seus amores, não sei se santos, se profanos, ainda lhe existem em memória; pede-lhe que me escreva; e dize-lhe finalmente que acredite na amizade do

Austríaco[13].

---

1 ∞ Quintino Bocaiúva, consciente de que o republicanismo acabaria por acontecer, desde muito cedo trabalhou no sentido de antecipar-se na solução de alguns problemas estruturais. Sabia que, com a interrupção do tráfico negreiro e a inevitável embora ainda um tanto distante abolição da escravatura, a lavoura brasileira entraria numa profunda crise devido à carência de mão de obra e, então, tomando como exemplo o que ocorrera em outros países americanos, defendeu a tese da imigração. Inicialmente propôs as imigrações europeia e americana, mas, a partir de 1868, com o relativo fracasso de ambas, defendeu a imigração dos chineses, com tempo de permanência determinado por contrato. No momento em que Machado de Assis escreveu-lhe esta carta, Bocaiúva estava ainda na primeira fase de sua proposta, a imigração norte-americana. Valendo-se da insatisfação dos sulistas após o fim da Guerra da Secessão (abril de 1865), associou-se a Bernardo Caymari com o fito de fundar a Sociedade Internacional de Imigração (1866), para trazer imigrantes norte-americanos, especialmente os sulistas descontentes com o desfecho da guerra civil, a fim de viverem da lavoura. A presente carta situa-se no momento em que Bocaiúva está de mudança para os Estados

Unidos, onde será o agente de imigração na cidade de Nova York até o ano de 1867. No microfilme do *Diário do Rio de Janeiro*, de 20/11/1866, obteve-se a data precisa da viagem de Bocaiúva: "No dia 21 do passado chegou a Nova York o nosso distinto amigo e colega Quintino Bocaiúva, que daqui saiu no dia 25 de agosto a bordo do *South America*.". (SE)

2 ∞ Joaquim Saldanha Marinho (1816-1895) advogado, jornalista, escritor e político, formado em direito por Olinda (1836); foi promotor público e juiz dos feitos da Fazenda no Ceará. Aos trinta e dois anos, eleito deputado por Pernambuco, transferiu-se para a corte; trabalhou como advogado até a entrada no *Diário do Rio de Janeiro* em 1860, cujo proprietário, Manuel Alves Branco, era seu sogro. No final de 1865, deixou a direção da folha, para assumir a presidência da província de Minas Gerais (1865-1867) e depois a presidência da de São Paulo (1867-1868). Foi deputado geral em 1848, 1861-1863, 1864-1866 e senador em 1890-1893 e 1894-1895. Liberal, maçom, republicano, fez oposição à Igreja Católica e rompeu com a monarquia ao assinar o Manifesto Republicano de 1870. (SE)

3 ∞ Após a ida de Saldanha Marinho para Minas Gerais e a viagem de Quintino Bocaiúva aos Estados Unidos, Sebastião Gomes da Silva Belfort tornou-se o administrador do *Diário do Rio de Janeiro*. (SE)

4 ∞ Afonso Celso de Assis Figueiredo (1836-1912), futuro visconde de Ouro Preto (1888), foi advogado e professor de direito civil e comercial. Político ligado ao partido liberal, ocupou diversos cargos na vida pública; foi deputado provincial e deputado geral por Minas Gerais em quatro legislaturas. Membro do Conselho de Estado; foi ministro da Marinha (1866) e da Fazenda (1879-1880), e foi o último presidente do Conselho de Ministros do Império (1889), tendo sido preso e exilado pelo governo republicano. Graças ao seu apoio, em 1867, Machado de Assis será nomeado ajudante do diretor de publicação do *Diário Oficial do Império do Brasil*, transferindo-se mais tarde para o Ministério da Agricultura, Comércio e Obras Públicas, como demonstrará claramente ser o seu desejo já nesta carta. (SE)

5 ∞ Antônio Coelho de Sá e Albuquerque (1821-1868) era proprietário rural em Pernambuco, ocupando diversos cargos na vida pública; foi deputado geral; presidente de província; senador do Império; ministro dos Negócios Estrangeiros, e da Agricultura, Comércio e Obras Públicas. Machado refere-se nesta carta ao Ministério dos Negócios Estrangeiros, ocupado por Albuquerque até o 2.º visconde de Paranaguá, João Lustosa da Cunha Paranaguá, assumir a pasta, acumulando-a com a do Ministério da Guerra. (SE)

6 ∞ Ângelo Muniz da Silva Ferraz (1812-1867) foi presidente da província do Rio Grande do Sul (1857-1859), e do Conselho de Ministros (1859-1861), ministro da

Fazenda (1859-1861) e da Guerra (1865-1866). Por motivo de doença, Ferraz foi substituído no ministério pelo 2.º visconde de Paranaguá, e agraciado com título de barão de Uruguaiana, vindo a falecer em 18/01/1867. (SE)

7 ∾ Curuzu e Curupaiti eram "pontos fortes" defensivos de Humaitá, à margem esquerda do rio Paraguai, fortaleza que por sua vez protegia o caminho para a cidade de Assunção. No dia 02/09/1866, o 2.º corpo do exército imperial, à frente Manuel Marques de Sousa, visconde de Porto Alegre, atacou Curuzu, apoiado por vinte vasos de guerra liderados por Tamandaré. Na manhã de 22 de setembro, a marinha imperial iniciou o bombardeio às posições inimigas e, ao meio-dia, o exército aliado avançou. Os paraguaios, protegidos por duas linhas de trincheiras escavadas numa elevação, controlavam o avanço adversário. Já os aliados só avistavam uma das linhas de trincheiras, havendo ainda o fosso e as peças de artilharia do esquema de defesa. Alcançaram a primeira das linhas, mas as encontraram vazias. Com ordem de prosseguir, tentaram tomar as posições paraguaias, mas o fogo inimigo e as baixas crescentes os obrigaram à retirada. Foi um imenso fracasso, resultando na morte de quase cinco mil homens. A derrota provocou acusações entre os comandantes aliados, e a decrescente presença militar de uruguaios e argentinos, acarretando a interrupção no avanço das tropas por dez meses. A partir de Curupaiti, coube aos brasileiros sustentar a luta do lado aliado, já que o contigente argentino se reduziu, e o uruguaio passou a ser apenas simbólico. O revés de Curupaiti causou fortes repercussões no Brasil, levando à nomeação de Caxias (1803-1880), como comandante das forças aliadas, a 10/10/1866, portanto dezenove dias antes desta carta de Machado a Quintino. Caxias adotou o cerco, isolando Curupaiti, o que minou a resistência e determinou a saída dos paraguaios. Após dois anos impedindo a progressão das forças aliadas, em 23/03/1868, as forças imperiais entraram no forte. (SE)

8 ∾ Até novembro de 1866, faltava às tropas brasileiras e à esquadra um comando unificado, o que gerou amarguras e desconfianças, que terminaram por minar o relacionamento entre os chefes militares, situação responsável em grande parte pelo desastre de Curupaiti, e desencadeando uma crise no comando, que envolveu Mitre (1821-1906), Polidoro Jordão (1792-1879), Tamandaré (1807-1897) e Porto Alegre (1804-1875), e que só se resolveu com a entrada do então marquês de Caxias (1803-1880). (SE)

9 ∾ Adelaide Ristori (1822-1906), filha de atores, foi uma célebre atriz trágica italiana; estreou aos quinze anos na Companhia Real Sarda, de Turim, no papel de Francesca da Rimini, de Silvio Pellico. Ali permaneceu até 1841, quando transferiu-se à Companhia de Sua Alteza Imperial e Real Maria Luísa, de Parma, passando em 1847 à Companhia Domeniconi-Coltellini, onde atuava o jovem e talentoso Tommaso Salvini. Em 1848, casou com o marquês Capranica Del Grillo, que tornou o nome de

Ristori mundialmente conhecido. Homem de visão e admirador sincero dos talentos da atriz, valeu-se das suas relações na aristocracia para promover-lhe o sucesso. Em 1856, durante a temporada parisiense, Adelaide Ristori fez amizade com Alphonse de Lamartine, George Sand, Alexandre Dumas e com a alta sociedade francesa. A atriz representou em 334 cidades e 33 estados nos cinco continentes. A dar crédito a Proust, que a menciona em *Du Côté de Guermantes*, as damas da aristocracia francesa disputavam entre si a honra de tê-la em seus salões para declamar Dante e poetas contemporâneos. Considerada a grande atriz trágica de sua época, especializou-se em personagens "universais", aqueles submetidos a paixões ou sublimes ou terríveis, em heroínas retiradas do mito ou da dimensão mítica da história. Um de seus triunfos na França foi a apresentação de *Medeia* (1855) de Ernest Legouvé (1807-1903); foi exatamente com esta peça que a Ristori deu início à sua temporada brasileira, no Teatro Lírico Fluminense, em 28/06/1869, na presença de Suas Majestades Imperiais. A escolha era propositai; toda vez que "inaugurava um novo público" a atriz recorria a este texto, pois a sua experiência lhe dizia que era uma peça que contentava tanto os intelectuais quanto o público comum, e que acabava por torná-la uma paixão de todos. Machado de Assis no *Diário do Rio de Janeiro*, sob o pseudônimo de "Platão", resenhou em quatro folhetins esta e mais oito peças do repertório da atriz italiana. Além disso, não fugiu à regra, era um fã ardoroso da atriz. (SPR/SE)

10 ~ Magalhães Jr. (1981) atribui o interesse pela comédia de Tom Taylor, autor inglês em voga nos Estados Unidos, e por Longfellow aos sentimentos abolicionistas de Machado de Assis. A comédia *Our American Cousin* estava em cartaz no Teatro Ford em Washington, quando na noite de 14/04/1865, Lincoln foi morto com um tiro pelo ator John Wilkes Booth. Já Longfellow estivera em grande evidência com poemas abolicionistas sobre navios negreiros, negros fugidos e feitores cruéis, durante o período da luta contra a escravidão nos Estados Unidos. Registre-se, contudo, que o interesse por Longfellow não parece ser apenas circunstancial, Machado de Assis foi um grande admirador do poeta norte-americano, a quem se referiu repetidas vezes e de quem fez uma citação no conto o "Espelho", em *Papéis Avulsos*. (SE)

11 ~ A família de Henry Wadsworth Longfellow (1807-1882) emigrou para a América em 1676, oriunda de Yorkshire, na Inglaterra. O poeta é descendente de Priscila e John Alden, do grupo de puritanos embarcados no Mayflower (1620), e que fundou a colônia de Plymouth. Filho do advogado Jack Longfellow e Lilian Wadsworth, Henry fez seus estudos no Bowdoin College (1794), em Brunswick, no Maine. Depois de uma viagem à Europa (1826-1829), tornou-se professor de línguas modernas no mesmo Bowdoin College. Na década de trinta é nomeado professor em Harvard. Em 1854, aposenta-se da cátedra, retirando-se a fim de dedicar-se inteiramente a escrever. *Evangeline, a Tale of Acadie* (1847) traduzido no Brasil por Franklin Dória* (1874) era

uma das obras prediletas de Machado de Assis. Há notícia de que Gentil Braga*, ao morrer em 1876, teria deixado uma tradução inédita da mesma obra. (SE)

12 ∞ Bernardo Caymari, capitalista cubano, teve diversos interesses e negócios no Brasil, inclusive alguns em sociedade com Quintino Bocaiúva, para o qual também financiou campanhas políticas. Caymari teve três filhas, uma delas, Maria Luísa, em 1896, será a mulher de Magalhães de Azeredo*, um dos amigos diletos e tardios de Machado. (SE)

13 ∞ Segundo Magalhães Jr. (1981), Machado de Assis e Bernardo Caymari costumavam discutir sobre os conflitos internacionais e, durante a Guerra das Seis Semanas (1866), entre a Rússia e a Áustria, teria Machado tomado a defesa da Áustria e Caymari, da Rússia. Ver em [59], carta de 25/11/1866. (SE)

[55]

De: FERREIRA DE MENESES
Fonte: Manuscrito Original, Arquivo ABL.

São Paulo, 5 de novembro [de 1866.][1]

Meu Machado.

Pela primeira vez zango-me contigo!

Escrevi-te, há quase um mês, pedindo-te urgência para um negócio, e nem uma palavra tua! Nem *sim* nem *não*? O que fazer? Não recebeste minha carta? Não queres dar-me decisão do negócio? Confessei-te o meu grande empenho em toda esta questão disse-te e digo-te que cada dia que se passa sem que isso se resolva, é de grande prejuízo e nada é bastante para arrancar-te do teu silêncio, do teu pouco de caso, das tuas *delícias de Cápua*[2] nessa Corte!

Oh! Machado! Como teu amigo, peço-te que mudes de trilhas. Escreve-me, escreve-me pelo próximo correio, sem falta alguma! Conclui esse negócio de qualquer modo. O José Vitorino está sumamente impaciente. A Dona Júlia pergunta todos os dias pela decisão e nada te move![3]

Espero portanto uma carta tua no próximo correio. Não faltes, senão acreditaria que não te valho coisa alguma! Com a chegada do Gaspar⁴ hoje, soube da mais triste notícia que poderia saber. O nosso Remígio já não vive! Vão assim os bons, os melhores desta vida!...

Bom, heroico Remígio! Fala a respeito dele, meu Machado! Dedica-lhe versos, que sairão de tua alma à memória dele!... Será a tua mais sublime inspiração! Faze, se lembra, aquele homem à *antiga*, aquele coração franco como a lealdade firme como a rocha!

Adeus. Cubram-se nossos corações de luto: perdemos ambos um grande amigo.

Teu sempre
Meneses.

---

1 ⚭ Na carta [52], de 18/09/1866, Meneses demonstra preocupação com a vida do capitão Remígio de Sena Pereira (1826-1866), ferido na Guerra do Paraguai. Na presente carta, lamenta: "o nosso Remígio já não vive!". A sua morte deu-se em Corrientes, na casa de Francisco Otaviano*, em decorrência dos ferimentos na Batalha de Boqueirão do Sauce, ocorrida em 16/07/1866, nos arredores da Fortaleza de Tuiuti; e como resistiu até fins de outubro, quando faleceu, a carta é desse ano. Além disso, na carta [53], de 29/09/1866, Meneses pede a intervenção de Machado de Assis junto ao empresário Dengremont, do Teatro São Pedro de Alcântara, para trazer Júlia Azevedo e José Vitorino Azevedo para atuar na corte. Novamente o assunto é retomado, porém num tom já francamente impaciente. Ver também em [59], de 25/11/1866. (SE)

2 ⚭ Expressão para designar quem, estando perto da vitória, acomoda-se a uma vida excessivamente confortável e acaba perdendo a guerra. A origem da expressão está no episódio das guerras púnicas em que o cartaginês Aníbal, tendo tomado Cápua, conhecida por seus prazeres, passa ali mais tempo do que devia, sendo derrotado pelos romanos, que arrasaram a cidade. (SPR)

3 ⚭ Na carta [53], Meneses pediu a intervenção de Machado de Assis para trazer Júlia Azevedo e José Vitorino Azevedo para o Teatro São Pedro de Alcântara, e, nesta agora, muito incisivo, cobra a atuação do amigo reticente. Não se têm evidências de que Machado tenha atuado em favor da causa, mas o fato é que se encontrarram

informações de que Júlia e José Vitorino transferiram-se à corte. Na seção "Noticiário" de 01/01/1867 do *Diário do Rio de Janeiro*, há a seguinte nota:

"TEATRO SÃO PEDRO DE ALCÂNTARA – Os nossos colegas do *Jornal do Comércio* e *Correio Mercantil* já fizeram plena justiça ao talento dos dois artistas que estrearam sábado neste teatro, no imortal *Frei Luís de Sousa* de Garrett. Bem pouca gente fez as honras à obra do grande poeta, mas se era escasso o número de espectadores, era completa e respeitosa a atenção em que foi ouvida aquela obra tão simples, tão severa, tão cheia de paixão e de verdade. Os estreantes eram a Sra. D. Júlia de Azevedo e o Sr. José Vitorino, artistas que pertencem à antiga companhia do Ateneu Dramático, onde foram sempre bem recebidos pela simpatia do público. [...] Fez a empresa uma boa aquisição com essa artista a quem estão abertas as portas de um belo futuro. Igualmente boa foi a aquisição do Sr. José Vitorino que desempenhou o papel de Telmo Paes a grande contento." (SE)

4 ∽ Seria o magistrado e político gaúcho Gaspar da Silveira Martins (1834-1901)? (SE)

[56]

De: HENRIQUE CÉSAR MUZZIO
Fonte: Fundação Biblioteca Nacional. *Catálogo da Exposição do Centenário de Nascimento de Machado de Assis. 1839-1939.* Rio de Janeiro: Ministério da Educação e Saúde, 1939. Transcrição do manuscrito original.

Ouro Preto, 10 de novembro [de 1866.][1]

Meu caro Assis

Aí vai esse artigo e documentos para serem publicados sem demora em artigo de fundo.

Chegando num dia deve aparecer no outro.

Revê cuidadosamente as provas[2].

Não escrevo mais [ao] Belfort[3] porque ao que parece estar por tal modo absorvido nos negócios públicos que nem se digna responder ao Saldanha.

O Saldanha é quem te recomenda o artigo e a revisão.

Estamos fazendo o diabo.

O Saldanha parte[4] e eu fico amarrado ao enorme castelo da presidência. Só entre sentinelas e ordenanças, que paraíso?!

Teu do *Coração*

Muzzio

Obrigado pelo que escreveste. Não te esqueças dos meus olhos pretos.

---

1 ◦ Todo o desenvolvimento da carta relaciona-se às ações de Saldanha Marinho no ano de 1866, em Minas Gerais, em favor do grupo a que pertencia no partido liberal. De 1867, não é, pois nesse ano Saldanha Marinho já estará na presidência da província de São Paulo; e, de 1865, também não, pois fora nomeado presidente de Minas em 18/12/1865. Por isso, 1866. (SE)

2 ◦ Material para a divulgação das viagens do presidente pelos municípios mineiros, com a finalidade de expandir as bases de influência do partido e arrebanhar voluntários para lutar na guerra do sul do Brasil. Machado de Assis tinha a incumbência de reproduzi-las. Nos microfilmes ainda legíveis do *Diário do Rio*, da Fundação Biblioteca Nacional, encontraram-se evidências, a partir de 27/07/1866, de que o jornal vinha publicando transcrições do *Diário de Minas* com críticas à câmara municipal de Queluz (atual Conselheiro Lafaiete), reduto do adversário político de Saldanha Marinho, o também liberal Lafaiete Rodrigues Pereira. Somente em 02/10/1866, anunciando que haviam chegado da capital mineira os jornais de até 18 de outubro, o *Diário do Rio* reproduziu matéria a respeito do presidente liberal:

"Entrou ontem às 3 horas da tarde, nesta capital, S. Ex. o Sr. Dr. Joaquim Saldanha Marinho, que veio reassumir a presidência da província. / Esperado a 2 léguas de distância da cidade por um numeroso concurso de pessoas gradas que o acompanharam até o palácio, saudado por grande número de festivas girândolas, o Sr. Dr. Saldanha Marinho deve estar satisfeito com as provas de adesão e simpatia com que tão espontaneamente o recebera o público da capital. / Saudamos a nosso turno o administrador ilustrado e zeloso, que todo empenho tem mostrado em promover o engrandecimento e a prosperidade da nossa província." (SE)

3 ◦ Sebastião Gomes da Silva Belfort tornara-se o administrador do jornal depois do afastamento de Quintino Bocaiúva e Saldanha Marinho. Bocaiúva*, redator-chefe e também gerente do jornal, embarcara aos Estados Unidos (25/08/1866). Saldanha

Marinho fora nomeado presidente de Minas (18/12/1865) e levara consigo Henrique Muzzio, secretário do jornal. Belfort embora à frente da folha tratava só dos seus interesses e, Machado de Assis, atarefado, apesar de haver ainda outros colaboradores, tocava a edição praticamente sozinho. (SE)

4 ∽ Saldanha Marinho estava todo o tempo em campanha política pelos municípios, arregimentando braços para a guerra no sul e buscando ampliar as bases do grupo liberal que representava em Minas. Muzzio desejava que o *Diário do Rio de Janeiro* desse ampla cobertura às ações de Saldanha Marinho e rebatesse eventuais ataques. Nada disso estava ocorrendo, porque Sebastião Belfort cuidava só dos seus próprios interesses, e Machado de Assis era por demais parcimonioso nessa divulgação. Certamente isso, mas não apenas isso, terá influído para que o tom das cartas de Muzzio se tornasse progressivamente severo. (SE)

[57]

De: JOAQUIM SERRA
Fonte: Fundação Biblioteca Nacional. "Folhetim".
Diário do Rio de Janeiro, 1866. Setor de Periódicos.
Microfilme do original impresso.

Rio de Janeiro, 16 de novembro de 1866.[1]

Os leitores das tuas Semanas literárias[2] estão cansados com o teu descanso; é preciso interromper as férias que são fora de tempo, deste as melhores colunas do *Diário do Rio de Janeiro*.

Tão fora de tempo, repito, porque o momento atual é dos mais agitados em nosso mundo literário. Chega-nos o *Colombo*[3] da Europa, e as *Minas de Prata*[4] saem do prelo.

José de Alencar, e Porto-Alegre, dois nomes imensos, e da mais alta significação entre nós.

A tua palavra sempre inspirada e justiceira, a tua crítica sempre cortês e cheia de ponderação, tornam-se precisas nesta ocasião.

Não serei eu, o último entre os mais obscuros, quem tomará o lugar que é teu, pelo mais belo direito de conquista.

Demais, o que havia eu de dizer, se leio o Alencar sempre com vivo entusiasmo, e se o entusiasmo não pode ser o apanágio do crítico consciencioso?

O *Colombo* li com grande interesse, o interesse que desperta uma obra firmada por um nome respeitável, e escrita com o auxílio dessa décima musa chamada — o descanso.

Ou por ofício de uma leitura passageira, ou por quaisquer outras causas, que me escapam, o certo é que desejaria ouvir-te sobre o poema de Porto-Alegre, a fim de poder explicar o que se passa em mim, e compreender os meus aplausos tão cheios de reservas e reticências mentais.

Não terei eu lido bem o *Colombo*[5]? Sendo esta uma obra enorme, é possível que a minha expectativa tenha sido enormíssima?

Não sei, e levanto com timidez todas essas interrogações, que tu bem podes satisfazer.

O que falta no *Colombo*? Não encerra ele tantas páginas de versos peregrinos, tantas narrativas pitorescas?

Não serei eu quem o conteste, mas sinto que o poema não desperta em mim grandes emoções, que eu quisera experimentar.

O manejo o mais admirável da palavra não pôde suprir a verdade e a profundeza da emoção.

Todo aquele drama passado nas solidões oceânicas entre os rochedos alpestres e as voragens marinhas, por vezes parece um simples roteiro de viagem, sem a magnificência das descrições de Chateaubriand[6]; e, à parte o maravilhoso, é quase que um drama biográfico, como o *Rei João*[7] de Shakespeare. A ação épica não expande-se, reconcentra-se; e através de tanto cantos, quase que a sensação é uma só. Falei acima no maravilhoso, mas, antes não falasse nisso, ou antes o *Senhor* Porto-Alegre esquecesse-se de tão gasto maquinismo. Parece-me que a epopeia moderna tem a obrigação de procurar o maravilhoso por outra forma, e que, embora trate das idades heroicas, contudo deve trilhar vereda nova.

Se é belíssimo o diálogo de Nero e Tigelino[8], julgo violada a solenidade da epopeia por mais de uma vez, que toma a palavra um *Demônio* retórico e péssimo sofista.

Com o espírito salteado de dúvidas; indeciso perante um livro tão ansiosamente esperado, e tão entretecido de coisas que me interessam, não tenho remédio senão esperar a voz grave e persuasiva da crítica iluminada.

É preciso que fales, meu Machado.

Tenho medo de pensar como tantos outros, que a epopeia nacional é uma coisa impossível; desejo crer, como José de Alencar, que a poesia americana não foi talhada para servir de mero episódio, e nem que o domínio do lirismo seja o único que lhe pertença.

Quando Alencar fez a crítica dos *Tamoios*[9] avivou-se ainda mais o desejo dos que ambicionam uma epopeia nacional.

Tantas foram as belezas adivinhadas e reveladas pela sua esquisita[10] sensibilidade e delicadíssimo gosto literário, que fora coisa muito para alcançar um trabalho vazado por aquele molde.

José de Alencar no correr de sua análise soltara uma reflexão, que tornou-se a preocupação dos que ainda pensam em coisas de arte.

Ele dissera que se algum dia alguém quisesse cantar a sua terra e as belezas dela, quebraria a pena, se porventura não descobrisse uma poesia nova, que não os comuns adejos de uma musa clássica ou romântica.

Todos ficaram à espera do primeiro canto do poeta. Essa forma nova, que ele desejara arrancar do seio da natureza primitiva, não foi uma frase de efeito, um paradoxo estéril e vão.

Iracema[11] aí está, e, apesar de ser um simples ensaio, em prosa, não há remédio senão confessar que aquilo é novo entre nós, sendo, entretanto, puramente nosso. Quem descobriu no modo de contar aquela singelíssima lenda uma filiação a qualquer das escolas que conhecemos?

Tintas, perfumes e murmúrios tudo é original, mas tão verdadeiro, que nos admiramos de não ter sido antes conhecido. Falam os selvagens, e falam como selvagens; o poeta não se intromete, nem mesmo com uma reflexão de homem civilizado, no intuito de desbravar o agreste perfume daquele dizer.

É um índio contando a história de um dos seus. Quando Poti e Arahen (*sic*) acabam de falar e que a palavra passa ao autor, o sabor inda é o mesmo; a imagem, a descrição e a ingenuidade continuam, sem mudança de tom, sem dessemelhanças de inflexão.

A comparação indígena não se desenrola com os arabescos do romantismo; o poeta esquece-se do quanto não poderia ser sabido pelos selvagens, e nessa alheação de si mesmo, é que está a grande novidade do livro.

Ainda bem que José de Alencar nos promete um poema épico, bafejado por idêntica inspiração. Bem-vinda seja essa obra, e bendita a dissolução da câmara temporária[12], que fez o filho das Musas recolher-se ao aprisco, onde é tão bem querido. Não é que eu adote o parvo princípio dos que julgam os poetas incapazes de tratarem dos negócios públicos, ao contrário. O poeta está acima e não abaixo da política, porquanto, não é crível que o homem de talento tenha menos talento do que aquele que não tem talento nenhum.

Fazer de um bom poeta um bom ministro não é coisa muito difícil[13]; aí estão, bem perto de nós Garrett, Mendes Leal[14]; José Bonifácio, o velho[15], e o moço[16]. Mas fazer o inverso é que deixa de ser fácil e o grande Richelieu[17] que o diga.

Mas já que falei em José Bonifácio[18], o moço, permite, meu caro Machado de Assis, que eu cometa a indiscrição de publicar uns versos, que um amigo comum roubou da recatada pasta do poeta.

Sei que este maldará da minha indiscrição, tu hás de desculpar-me e absolver-me, pela beleza dos versos, que aí vão:

UM PÉ[19]

Adorem outros palpitantes seios,
   Seios de neve pura;
De angélico sorrir meiga fragrância,
Ou sobre o colo de nevada garça,
Caindo a medo em ondas aloirada,
Bastos anéis de tranças perfumadas.

Adorem o caracol do lábio ingrato
   Na alvura do alabastro
A voz suave, o pálido reflexo
Da luz do céu em face de criança;
Ou sobre altar erguido à formosura,
Na fronte ebúrnea a mórbida brancura.

Adorem outros de um airoso porte
   Relevados contornos,
A majestade da beleza altiva,
O desdenhoso passo, o gesto ousado,
A descuidada mão, que a trança alisa
Na trípode infernal a pitonisa.

Não, não quero painéis de tal encanto,
   Tenho gostos humildes,
Amo espreitar a negligente perna,
Que mal se esconde nas redondas saias,
Ou ver subindo o patamar da escada
Nem rias a voar um pé de fada!

Um pé, como eu já vi, de tez mimosa;
   De tez folha de rosa,
Leve, esguio, pequeno, carinhoso,
Apertado a gemer num sapatinho;
Um pé de matar gente e de pisar flores,
Namorado da lua, e pai de amor.

Um pé, como já vi, subindo a escada
   Da casa de um doutor
Da moçoila gentil a erguida saia
Deixou-me ver a delicada perna.

Padres, não me negueis, se estais em calma
Um coração no pé, na perna uma alma.

Um pé, como eu já vi, junto à otomana,
   Em férvido festim,
Tremendo de valsar, envergonhado
Sob a meia subtil, e a cor do pejo
Deixando flutuar na veia azul,
Requebro, amor, feitiço — um pé taful!

Poeta do amor e da saudade,
   Depois de morto peço,
Em vez da cruz sobre a funérea pedra
A forma do seu pé, foi o meu culto.
Quero sonhar o resto enquanto a lua
Chorosa e triste pelo céu flutua.

                              Joaquim Serra

---

1 ⚬ Publicada no folhetim do *Diário do Rio de Janeiro*, nesta data. (SE)

2 ⚬ Nome dado à soma de todos os artigos saídos sob a rubrica de "Semana Literária" no *Diário do Rio de Janeiro*, a partir de janeiro de 1866, assinados por Machado de Assis até 13 de março do mesmo ano. Depois dessa data, passam os artigos a não ter assinatura; contudo Galante de Sousa (1955) afirma que mesmo anônimos são todos saídos da sua pena. Sobre esse assunto, consultar Galante de Sousa. (SE)

3 ⚬ De Manuel Araújo Porto Alegre*, livro editado pela B. L. Garnier, 1866. O poema de inspiração e temática americana é composto de um prólogo e quarenta cantos distribuídos em dois tomos. Na Biblioteca de Porto Alegre, segundo informação dada por Francisco da Silveira Bueno, há um exemplar com profundas alterações feitas de próprio punho pelo autor. O exemplar da Fundação Biblioteca Nacional encontra-se microfilmado. (SE)

4 ⚬ Cumpre observar que embora fosse convidado a comentar os dois livros recém-saídos do prelo, *Colombo* e *As Minas de Prata*, Serra realizou apenas em parte a

tarefa, pois só aprecia, e diga-se, de modo bastante negativo o livro de Araújo Porto Alegre; das *Minas de Prata*, passa ao largo, indo tecer longas considerações laudatórias ao romance *Iracema*, que fora publicado no ano anterior. Ou não gostou do novo livro de Alencar ou lhe faltou objetividade para analisar esta obra-prima. *As Minas de Prata* só foram integralmente publicadas nos anos de 1865 e 1866, pela editora B. L. Garnier; anteriormente (1862), Alencar as publicou parcialmente em dois opúsculos. (SE)

5 ∞ A controvérsia havida numa certa época sobre o tema das epopeias brasileiras não cabe aqui desenvolver, apenas importa assinalar que parte da crítica considerou não haver no Brasil epopeia, porque faltaria aos êmulos posteriores do modelo camoniano o que a este era essencial: uma narrativa histórica desde os primórdios, segundo o modelo da épica tradicional, com todas as lendas e mitos, culminando num grande evento transformador dos rumos da história. Para esses críticos, os poemas de temática americana, embora referidos ao padrão formal da épica tradicional, circunscreviam poucos episódios da história e lhes faltaria a força transformadora. Uma outra vertente arguiu essa obediência estrita ao modelo camoniano da epopeia, afirmando que a atitude épica do homem americano não poderia ser semelhante em tudo à do homem europeu, e que a epopeia do mundo americano se revestiria de especificidades de uma cultura nascente sob outras condições e outros mitos. Além disso, não se poderia negar o caráter pré-romântico desses poetas, cultores das formas híbridas, que misturavam elementos formais da escola arcádica com temas fora daquele escopo, antecipando procedimentos do romantismo. Joaquim Serra faz a defesa de uma épica constitutiva da nacionalidade brasileira numa perspectiva romântica e repudia a obediência cega aos padrões da épica europeia. Registre-se por fim que a presente contextualização serve somente para situar historicamente diante do leitor a situação que se pode vislumbrar nas observações de Serra. (SE)

6 ∞ François-René Auguste de Chateaubriand (1768-1848), escritor, ensaísta, diplomata e político francês, autor, dentre outras, de *Atala* (1801), *Le Génie du Christianisme* (1802), *Les Martyrs* (1809), *Les Mémoires d'Outre-Tombe* (1811), *Itinéraire de Paris à Jérusalem* (1811), *Les Natchez* (1826), *Voyage en Amérique* (1827). Chateaubriand foi um maravilhoso estilista que renovou a prosa do seu tempo e deu um colorido novo a um antigo gênero literário: as descrições de viagens. Criando personagens como Atala e Chactas, introduziu a paisagem exótica no imaginário europeu e, retomando o tema rousseauniano do "bom selvagem", deu uma forte marca ao romantismo europeu e, por essa via, influenciou o indianismo de Gonçalves Dias (1823-1864). (SPR)

7 ∞ Peça de teatro em cinco atos de William Shakespeare (provavelmente 1564--1616) sobre a figura histórica do rei João da Inglaterra (1166-1216), cuja primeira

representação se deu em 1598. A peça parece ter sido baseada em uma obra precedente intitulada *The Troublesome Reign of King John*, cuja atribuição de autoria oscila entre Christopher Marlowe e George Peele. A figura histórica do rei João, dito João-Sem-Terra, teve esse cognome retirado do fato de não ter recebido herança alguma de seu pai, Henrique II. Passou à história como o rei que assinou a Carta Magna, considerada o marco inicial da monarquia constitucional na Inglaterra. (SE)

8 ∽ Na passagem de Colombo por Roma, Nero e Tigelino são personagens evocados a partir do Canto XIV. Eis um trecho:

> "Com mímica estudada, Nero se alça. / Vagueia os olhos pela régia inteira, / Em que pesa um silêncio pavoroso; / E onde Citas armados, quedos, velam. / A seus pés, genuflexo e mudo, finge / Tigelino dormir placidamente. / Na cerviz põe-lhe Nero o pé, e lhe une / A fronte ao pavimento, assim bradando: / 'Junto a César tu dormes, miserável?' / E o vil erguido com esgar medonho, / Interroga o senhor co' os tredos olhos / Se um novo crime perpetrar já deve? // TIGELINO: Junto a César não dorme, só repousa / Aquele que mil vidas trocaria / Por um dia de Nero, e que em seus lábios / Vê o céu entreabrir-se em harmonias, / E nele Apolo endeusando Roma! / NERO: Honrei-te, porque te amo: porque vejo / Que em teus olhos bondosos a amizade / Me embeleza e deifica. [...]" (SE)

9 ∽ A *Confederação dos Tamoios* (1856), poema épico de Domingos José Gonçalves de Magalhães (1811-1882), é composto de dez cantos decassílabos brancos, que descrevem a guerra entre os indígenas da área do Rio de Janeiro e os portugueses, terminando com a derrota dos nativos e a fundação da cidade do Rio de Janeiro. Considerado na história literária brasileira um escritor de transição entre as manifestações pré-românticas e o romantismo propriamente, Gonçalves de Magalhães desde muito cedo propôs uma literatura de caráter nacional, introduzindo os principais temas da poesia romântica no Brasil, mas ao mesmo tempo fazendo uso de elementos da estética neoclássica (observe-se o exemplo da nota 8). Do ponto de vista histórico, a confederação dos tamoios é nome da aliança formada por indígenas de diversas nações de uma vasta região que abrangia o norte do litoral paulista alcançando a região de Cabo Frio, no litoral fluminense, e chegando até a baía do Rio de Janeiro; aliança que contava com o apoio dos franceses contra as pretensões portuguesas de colonizar a região fazendo uso da mão de obra indígena escravizada. (SE)

10 ∽ No microfilme do *Diário do Rio de Janeiro*, a palavra aparece grafada *exquisito*, próxima à forma latina [*exquisitus, a, um*], embora àquela altura a forma usual em português fosse *esquisito*. Registre-se que entre as diversas acepções existe a de algo que é encontrado com dificuldade; raro, precioso, fino, refinado, certamente, o sentido que Serra atribuiu à acuidade literária de José de Alencar. (SE)

11 ∞ Romance da fase de lendas e mitos da terra selvagem e conquistada, *Iracema, Lenda do Ceará* saiu à luz pela editora de B. L. Garnier em 1865 e, rapidamente, tornou-se sucesso entre o público leitor brasileiro do período. (SE)

12 ∞ O comentário relaciona-se ao fato de Alencar, em sendo um homem de letras, foi também um homem da política, exercendo mandato de deputado provincial, de 1861 a 1863, quando a Câmara foi dissolvida; e participando do ministério conservador de julho de 1868 a janeiro de 1870, quando se demitiu. É bom observar, contudo, que no seu caso apesar da intensa vida política, Alencar sempre manteve constantes os vínculos com a atividade literária. (SE)

13 ∞ João Batista da Silva Leitão (1799-1854), mais tarde visconde de Almeida Garrett, foi ministro dos Negócios Estrangeiros. (SE)

14 ∞ Sobre o escritor português Mendes Leal (1820-1886), ver em [43], carta de 15/08/1865. (SE)

15 ∞ José Bonifácio de Andrada e Silva (1763-1838), conhecido na história do Primeiro Reinado como o Patriarca da Independência, teve forte presença política nos últimos anos do processo da independência brasileira. Também chamado de o velho, para diferençá-lo de seu sobrinho e neto (sua filha Gabriela casou-se com seu irmão). José Bonifácio, antes de voltar ao Brasil aos cinquenta e seis anos, dedicou-se às ciências naturais, tendo chegado a secretário da Real Academia de Ciências de Lisboa. Homem de vasta cultura, cientista de renome mundial, deixou uma obra em prosa que esclarece o seu pensamento político e o seu interesse pelos problemas brasileiros, como por exemplo, a questão dos índios e da escravidão. A sua obra poética é uma de transição, ao mesmo tempo arcádica e pré-romântica. Registre-se ainda que José Bonifácio foi tutor de D. Pedro II. (SE)

16 ∞ José Bonifácio de Andrada e Silva (1827-1886), chamado de o moço, nasceu em Bordeaux durante o exílio de sua família após a dissolução da Assembleia Constituinte de 1823 por D. Pedro I. Formado em direito pela Faculdade de São Paulo, foi professor de direito criminal, deputado provincial (1860), deputado geral (1861--1868) e senador do Império do Brasil (1879-1886); foi também ministro da Marinha (1862) e do Império (1864), engajando-se desde muito cedo na defesa da causa abolicionista, do sistema parlamentarista e do voto dos analfabetos. Na fundação da ABL, foi patrono da Cadeira 22, fundada por Medeiros e Albuquerque. (SE)

17 ∞ Apesar de ter fundado a Académie Française (1635) e de ter protegido muitos artistas, o cardeal Richelieu não foi escritor, deixando apenas o seu *Testamento Político*, o que explica o comentário de Serra de que fazer de um bom poeta um bom ministro não é difícil, mas o inverso não é fácil. Armand Jean du Plessis de Richelieu (1585-1642), de família nobre mas sem recurso, inicialmente destinado às armas, foi constrangido a

professar votos religiosos para conservar em família o benefício do bispado de Luçon, obtido após a morte de seu pai em 1590, nas Guerras Religiosas. Em 1616, passou a secretário de Estado; em 1622, ganhou o chapéu cardinalício e, em 1624, tornou-se o principal ministro do rei Luís XIII. (SPR/SE)

18 ⁕ Além do poema em si, o que há de interessante a assinalar nesta publicação é o fato de esta revelar uma face divertida e humanizada deste poderoso homem do Império. Registre-se ainda que, no *Semanário Maranhense*, editado pelo mesmo Joaquim Serra, este poema saiu na edição n.º 30, de 22/03/1868, já então assinado por Bonifácio, o moço. (SE)

19 ⁕ Wanderley Pinho (2004) sugere que esse poema fora feito em homenagem à viscondessa de Cavalcanti, afirmando ainda que, não só José Bonifácio, mas também Luís Guimarães Júnior* cantou os pezinhos de D. Amélia, mulher do poderoso Diogo Velho Cavalcanti de Albuquerque, deputado e depois senador, bem como titular do Ministério da Agricultura, Comércio e Obras Públicas (1870), do Ministério da Justiça (1875-1877) e do Ministério dos Negócios Estrangeiros (1877-1878). Registre-se que os saraus e festas na casa dos viscondes de Cavalcanti eram considerados, sobretudo entre 1875-1878, dos mais brilhantes e concorridos da corte. Assinale-se ainda que o fascínio por pés femininos terá em José de Alencar um de seus máximos cultores, quando em 1870 publicar o romance *A Pata da Gazela*. (SE)

[58]

De: FAUSTINO XAVIER DE NOVAIS
Fonte: Fundação Biblioteca Nacional. *Catálogo da Exposição do Centenário de Nascimento de Machado de Assis. 1839-1939*. Rio de Janeiro: Ministério da Educação e Saúde, 1939. Transcrição do manuscrito original.

Rio de Janeiro, 23 de novembro [de 1866.][1]

Machadinho.

Debalde procuro todos os dias no *Diário* o cumprimento da tua promessa![2]

Nada vejo, e confesso que não esperava isto.

Será bom que me devolvas os apontamentos que te dei, e que, pelo que vejo, te não são precisos. A mim podem servir-me ainda, e serão inúteis daqui a alguns dias, quando tenha esquecido o assunto de que tratam. O mundo é isto!³...

Teu amigo Obrigado

F. X. de Novais.

---

1 ∾ Ao que tudo indica, o ano é 1866, pois em abril do ano seguinte Machado de Assis se desligaria do *Diário do Rio de Janeiro*, e também pelo que se expõe na nota 2. (IM)

2 ∾ O n.° 311 da *Semana Ilustrada* (22/11/1866) traz o seguinte comentário:

"Há alguns anos chegou ao Rio de Janeiro um homem já precedido pela fama, e que a tinha merecido. / Era Faustino Xavier de Novais. / Poeta satírico de um estro brilhante e fácil, já o conhecíamos por dois excelentes volumes de versos, em que ele zurzia a bom zurzir esta pobre humanidade, mais ridícula que pobre. / Faustino foi o leão do dia, o homem apontado a dedo, ao pé de quem todos paravam e riam com a lembrança de suas boas pilhérias e excelentes versos, mais alegres que indignados, mais Tolentino que Juvenal. É que a humanidade tem esta singularidade; perdoa que lhe batam contanto que seja a rir. / Faustino fixou entre nós os seus penates, e vive conosco desde então. / Há muito, porém, depois da extinção do jornal *O Futuro*, que o distinto poeta estava calado sem firmar nenhuma página com o seu nome. / Agora aparece um livro, *Manta de Retalhos*, coleção de artigos em prosa, artigos excelentes que o distinto poeta português publicou em vários jornais. / Já o li todo; é uma dose de riso, ora franco e alegre, ora leve e quase sorriso, conforme o gênero das observações que faz, tudo escrito com muito esmero. / Já a esta hora todos o têm em mãos. Eu por mim já o li, e hei de voltar mais vezes a ele."

Não cabe aqui atribuir a Machado estas palavras compassivas, mas elas demonstram um grande apreço por Faustino, que talvez esperasse crítica do velho amigo no *Diário do Rio de Janeiro*. O que causa estranheza é dar como novidade um livro publicado em 1864, pela Tipografia do Imperial Instituto Artístico, Rio de Janeiro. Ou em 1865 (Frias, 1907). As *Cartas de um Roceiro* seriam publicadas em 1867. (IM)

3 ∾ Na última carta ao amigo Camilo Castelo Branco, em 23/10/1866, Faustino referira-se, pesaroso, à iminente perda de sua protetora, a Baronesa de Taquari, que veio a falecer naquele mesmo dia. Tal perda agravou seriamente os problemas mentais do poeta, e o final da missiva parece aludir a essa situação. (IM)

[59]

Para: QUINTINO BOCAIÚVA
Fonte: Fac-símile do Manuscrito Original, Arquivo ABL.

Rio de Janeiro, 25 de novembro de 1866.

Meu bom Quintino.

O Belfort[1] mostrou-me a cartinha que lhe escreveste e que também me veio dirigida. Enfim, aí chegaste a esse novo mundo, e com feliz viagem, o que estimo de coração.

O paquete passado levou-te uma carta minha, onde te dava notícias de mim, e algumas que por aqui haviam (*sic*). Eu continuo *no Diário do Rio* com bem saudades de ti. Espero ainda da decisão do Afonso Celso que, segundo me veio dizer o Amaral Tavares[2], está decidido a arranjar-me.

Entretanto, como há um lugar vago (o de 2.º oficial do conselho naval) eu creio que não espero o outro de que o Afonso me falou, e amanhã mesmo lá irei falar-lhe nisso.

O Saldanha[3] está levantando a província de Minas. Fez uma proclamação, deu ordens, convocou os homens notáveis, e o caso é que já em muitas comarcas estão se organizando comissões para arranjar voluntários.

A coisa faz-se, e Deus queira que se faça completa, porque ninguém supunha que Minas desse gente para a guerra, e se o Saldanha o faz, faz um milagre. Afora as correspondências do *Jornal do Comércio*, creio que a oposição por lá apaziguou-se, e até os históricos, [encamisados][4] ao princípio, deram no fim da assembleia votos de adesão. O Saldanha ia fazer uma viagem pela província a fim de animar as populações.

Morreu o Remígio[5], em Corrientes, em casa do Otaviano. Eu não sei se já te dei esta notícia. Morreu, dizem, por ter se demorado no acampamento mais tempo do que convinha ao curativo, o que lhe trouxe a gangrena, logo pronunciada apenas desceu a Corrientes.

Teve ideia o Pinto Peixoto de uma missa mandada dizer pelos antigos redatores do *Paraíba*, ele, o Zaluar, o Bellegarde[6], tu e eu. Falou-me isso e concordamos em convidar as redações do *Jornal* e do *Mercantil*[7] para isso; o Belfort mandou as cartas; mas não vieram respostas, creio, e o Pinto Peixoto desanimou. Coisas daqui.

Da guerra não há nada. O Caxias deve estar a esta hora no exército; do Rio Grande vai marchar, graças ao Caxias, um exército comandado pelo Osório, e acompanhado por todos os chefes[8] dali, o Canabarro, o Jacuí, Ourives[9] etc. O exército consta de 10 a 12 mil homens.

O Sérgio[10] pilhou a legação de Paris e já lá foi.

Mais nada daqui. Agora lá. Estou ansioso por ver cartas tuas e por saber que impressões tiveste ao entrar nesse grande mundo, o que te parece isso, o que é na realidade. Se tiveres vagar de contar-me tudo isso, acredita que me dás infinito prazer. Gozarei ao menos através das tuas cartas, o que me servirá de satisfação no meio do profundo aborrecimento em que vivo. Ah! tempo das *semanas*[11], tempo das linhas telegráficas, tempo dos meetings, da praça, o teu tempo, enfim! Estou às mãos de *Lord Spleen*[12].

Adeus, escreve-me, não te esqueças de mim, e crê-me sempre

Teu am*i*go do coração
Machado de Assis

Post Scriptum. Os jornais que vão, diz-me o Pedro, são para ti e para o Caymari. Dá a este prussiano muitas saudades[13].

---

1 ∾ Sebastião Gomes da Silva Belfort. Ver em [56], carta de 10/11/1866. (SE)

2 ∾ Constantino do Amaral Tavares (1828-1889), colaborador do *Diário do Rio de Janeiro*, trabalhava no ministério da Marinha, onde dois anos depois coligiu e anotou juntamente com Antônio Carlos César de Melo e Andrade os quatro volumes das *Consultas do Conselho de Estado Sobre Negócios Concernentes ao Ministério da Marinha* (1868-1877), obra considerada de consulta obrigatória sobre o assunto até hoje. Em 1866, Afonso Celso de Assis Figueiredo, além de ser membro do Conselho de Estado, ocupava a pasta da Marinha, o que contextualiza a frase machadiana: "Espero ainda da decisão do Afonso Celso que, segundo me veio dizer o Amaral Tavares, está decidido a arranjar-me". Amaral Tavares certamente trabalhava próximo ao ministro, pois era um dos diretores de seção na Secretaria de Estado dos Negócios da Marinha, no ministério.

Amaral Tavares foi também poeta, teatrólogo, jornalista e historiador; antes de vir para a corte, administrou o Teatro São João, de Salvador, criando uma companhia de atores brasileiros e portugueses. O jornalista tem uma produção de largo escopo: de lições para meninos a comédias e dramas históricos, passando pelos quatro volumes coligidos e anotados. Há um parecer (1862) de Machado de Assis sobre uma peça sua – *Um Casamento de Época*. Sobre o ministro Afonso Celso, ver em [54], carta de 29/10/1866. (SE)

3 ∞ Saldanha Marinho, em Minas Gerais, planejava conseguir que a província contribuísse com braços para lutar na Guerra do Paraguai, sensibilizando os mineiros ao alistamento no corpo de voluntários da pátria, bem como pretendia ampliar na província a influência e os interesses do grupo de liberais a que pertencia. Sobre Saldanha Marinho ver em [54], carta de 29/10/1866. (SE)

4 ∞ Leitura do fac-símile bastante prejudicada, por isso a palavra foi colocada entre colchetes, para ser observada com alguma ressalva. Segundo Houaiss (2001), uma das acepções para "encamisado" é o que é mascarado e se disfarça usando um camisolão; pode nomear também a pessoa que participa de uma "encamisada", que por sua vez, tanto pode ser a qualidade do que é confuso, disfarçado, desordenado, quanto pode ser o substantivo que dá nome a uma investida noturna feita por soldados. (SE)

5 ∞ José Remígio de Sena Pereira (1826-1866) partiu no início de maio de 1866 para atuar no corpo de voluntários, e ser correspondente do *Diário do Rio* no teatro de operações. Em 5 de julho já se encontrava em solo paraguaio, servindo no Quartel General da 4.ª Divisão, sob o comando do general Guilherme Xavier de Sousa. Depois da vitória de 24 de maio, em Tuiuti, os aliados prosseguiram avançando para o norte. Os combates se deslocaram para a região pantanosa de Boqueirão. Em 16 de julho a divisão de três mil homens do general Guilherme Xavier de Sousa, em investida para tomar duas trincheiras fortificadas dentro da mata entre Potrero-Sauce e Potrero-Piris, sofreu tantas e tão pesadas baixas, que teve de ser substituída por batalhões do general Argolo. Nesta batalha de Boqueirão do Sauce, o capitão Remígio de Sena foi ferido. Levado ao hospital de Corrientes, recolheu-se à casa do representante brasileiro em missão especial, Francisco Otaviano de Almeida Rosa*, antigo diretor do *Correio Mercantil*, quando o capitão ali trabalhara. Em carta de 18/09/1866, Ferreira de Meneses, respondendo a Machado de Assis, diz temer pela vida do amigo comum: "Quanto ao que mandaste dizer sobre o Remígio, já o sabia. O nosso Remígio é um herói! Tanto melhor para nós! Mas o veremos ainda? Tenho medo. Não posso ser mais longo.". Provavelmente, o capitão morreu em fins de outubro ou início de novembro, pois a 5 de novembro a sua morte foi comentada por Ferreira de Meneses. Ver em [55]. Magalhães Jr. (1981) sugere que um desgosto íntimo teria provocado o seu alistamento, e os atos de desmesurado heroísmo teriam sido a expressão disso, como se desejasse morrer.

Esse "suicídio inconsciente" teria sido motivado pelo sentimento de desonra que o dominara quando descobriu a traição da mulher com quem vivia na corte. O mesmo crítico registra que o conto "Um Capitão dos Voluntários", publicado na coletânea *Relíquias de Casa Velha* (1906), seria uma narrativa inspirada na desditosa vida de Remígio de Sena Pereira. Sobre o periódico *O Paraíba*, em que este foi editor, ver em [41], carta de 09/07/1865. (SPR/SE)

6 ∽ Guilherme Cândido Bellegarde (1836-1890) foi poeta, dramaturgo e jornalista; trabalhou também na Secretaria de Agricultura, onde era colega de Machado de Assis, bem como chefe de seção. (SE)

7 ∽ O *Jornal do Comércio* surgiu a 01/10/1827 nas oficinas de Pierre Plancher, situada na rua da Alfândega n.° 47, e pretendia disputar com o *Diário do Rio de Janeiro* o incipiente mercado jornalístico fluminense. Além do formato usual – comércio, exportação e importação, notícias do interior e do exterior, e anúncios – a folha pretendia também analisar os principais episódios e eventos da política do império. Em 04/02/1834, o jornal foi vendido a Julius Villeneuve e a seu sócio Mongenot, que logo se retirou. Em 1868, o jornal passou a ter como correspondente em Nova York, José Carlos Rodrigues*, que em 15/10/1890, o comprará dos sócios Villeneuve e Picot. Sobre o *Jornal do Comércio*, ver também Sandroni (2007). Já o *Correio Mercantil* buscou diferenciar-se do *Jornal do Comércio*, sobretudo, porque adotou a defesa de uma posição político-partidária específica. Pertencia a Joaquim Francisco Alves Branco Muniz Barreto, mas a direção da folha coube a seu genro, Francisco Otaviano de Almeida Rosa*. O *Correio Mercantil* teve entre outros redatores, Manuel Antônio de Almeida, que, sob o pseudônimo de "Um brasileiro" publicou em folhetim o singularíssimo *Memórias de um Sargento de Milícias*; teve ainda José de Alencar*, que publicou uma série de crônicas depois reunidas em *Ao Correr da Pena*. (SE)

8 ∽ Francisco Pedro de Abreu (1811-1891), o Chico Moringue ou Chico Pedro, depois barão de Jacuí, e Davi José Martins (1796-1867), depois Davi Canabarro, lutaram em lados opostos na Guerra dos Farrapos (1835-1845). Chico Moringue foi um dos mais temidos líderes legalistas, com decisiva participação na resistência ao cerco feito pelos farrapos à cidade de Porto Alegre, inclusive, com arriscadas investidas para arrebanhar gado e garantir suprimento. Participou também da controvertida *Surpresa de Porongos* (10/1844), tema de acalorados debates entre historiadores do Rio Grande do Sul. Liderou também as chamadas "califórnias de Chico Pedro", que eram incursões guerrilheiras em território uruguaio. (SE)

9 ∽ José Inácio da Silva Ourives (1806-1880), o Juca Ourives, que na Revolução Farroupilha foi o responsável pelo atrevido ataque de retomada da capital da província de São Pedro do Rio Grande (13/04/1836) ocupada pelos farrapos, tendo à frente o capitão Bento Gonçalves. Juca Ourives assim como Francisco Pedro de Abreu, o

Chico Pedro, havia sido revolucionário farroupilha, mas como este acabou por aliar-se às forças legalistas. Ambos eram estancieiros com suas milícias particulares, profundos conhecedores da região e muito ousados nas táticas de assaltos e emboscadas. Com o fim da Revolução Farroupilha, tiveram suas lideranças reconhecidas pelo governo imperial; é por essa razão que Machado de Assis faz referência a Ourives. (SE)

10 ∞ Sérgio Teixeira de Macedo assumiu a legação em Paris a 26/12/1866, permanecendo ali até 11/11/1867. O diplomata é citado por "Gil", no folhetim de 01/11/1861, do *Diário do Rio*, ao falar dos nomes de sua preferência à cadeira vaga no senado, por morte de João Antônio de Miranda, o titular. Eis o comentário: "Além destes dois, havia um que se o governo quisesse podia fazê-lo triunfar, o Sr. Sérgio de Macedo, homem que, afora a missão diplomática, o cargo de ministro e o exercício de deputado, tem dado conta da mão saindo-se brilhantemente de toda a empresa que comete." (SE)

11 ∞ A pouca legibilidade desta palavra só permite considerar o sentido atribuído com alguma ressalva. (SE)

12 ∞ *Spleen* significa literalmente baço, pois os gregos antigos acreditavam que o baço derramava no corpo um fluido, a "bile negra", que seria responsável pela melancolia. Na poesia romântica do século XIX, o *spleen* significava a melancolia sem causa definida, o tédio, a tristeza, a falta de alegria de viver. Baudelaire (1821-1867) usou o termo em *Le Spleen de Paris*, publicado postumamente, dois anos depois desta carta. (SPR)

13 ∞ Sobre Bernardo Caymari e o epíteto "prussiano", ver em [54], carta de 29/10/1866. (SE)

[60]

> De: HENRIQUE CÉSAR MUZZIO
> *Fonte*: Manuscrito Original, Arquivo ABL.

Ouro Preto, 30 de novembro de 1866.

Meu caro Assis.

Logo que recebas o que aí vai escreve para o dia imediato um artigo de fundo sobre a viagem do Saldanha[1] servindo-te disto como apontamentos.

Que te parece o tal Benjamim?

É criatura do Firmino[2] e obra em virtude de ordens dele.

É de toda a conveniência tornar bem patente o discurso na praça e a oposição frenética ao armamento.

Segue fielmente os apontamentos.

Teu do *Coração*

Muzzio

---

1 ∾ Atendendo à política do presidente de Minas, Saldanha Marinho, Henrique César Muzzio enviava artigos para publicação, e apontamentos para que Machado de Assis fizesse a defesa de Saldanha Marinho no *Diário do Rio de Janeiro*, pois a atuação deste pelo interior mineiro vinha sendo hostilizada por artigos de Benjamim Rodrigues Pereira, correspondente em Minas do *Jornal do Comércio*, e primo de Lafaiete Rodrigues Pereira, adversário político de Saldanha Marinho. Ver em [56], de 10/11/1866, em [61], de 06/12/1866, e [62], de 16/12/1866. Ver ainda [70], e [71], cartas de 28/08/1867 e 28/09/1867, respectivamente. (SE)

2 ∾ Benjamim Rodrigues, primo de Lafaiete Rodrigues Pereira, estava também politicamente vinculado ao senador (1861) Firmino Rodrigues da Silva (1816-1879), que por sinal, foi substituído no senado por Lafaiete Rodrigues Pereira (1879). Formado pela Faculdade de Direito de São Paulo (1837), Firmino Rodrigues foi juiz de direito em Ouro Preto (1841), chefe de polícia da província de Minas (1842) e desembargador da Relação do Rio de Janeiro (1875). (SE)

[61]

De: HENRIQUE CÉSAR MUZZIO
Fonte: Manuscrito Original, Arquivo ABL.

Ouro Preto, 6 de dezembro de [1866.][1]

Meu caro Assis.

Vieram ontem os *Diários* de 28, 29, 30, 1 e 2 do corrente. O de 28 veio repetido.

Continua a faltar o de 25, que todos reclamam. Dá pronta ordem a tal respeito.

De quem é a resposta ao Reclus²? Seja de quem for é ótima se bem um pouco ligeira.

O tal Serra³ nem nos versos nem no folhetim prova valer grande coisa. Quem é o João de Deus⁴? É algum *frade velho*, de *pince-nez* que ainda tem saudades da Corina⁵?

Esfrega-me sempre que puderes o tal Lafaiete⁶ correspondente histórico do *Jornal*.

Fala com o Afonso⁷ a tal respeito.

Não poupes o correspondente conservador, que é o Benjamim primo do Lafaiete⁸. *Les deux font la pair*⁹.

Teu do *Coração*
Henrique.

---

1 ∾ O desenvolvimento da carta relaciona-se às ações de Saldanha Marinho no ano de 1866, em favor da causa progressista em Minas Gerais. Ver em [56] e [60]. (SE)

2 ∾ Elisée Reclus, geógrafo francês, na *Revue des Deux Mondes* (15/10/1866), escreveu um artigo sobre a Guerra do Paraguai muito desfavorável ao Brasil. A resposta a que Muzzio alude – "ótima se bem que ligeira" – saiu num pequeno editorial do *Diário do Rio de Janeiro* em 01/12/1866 e num outro menor no dia seguinte. (SE)

3 ∾ Machado de Assis vinha abrindo espaço a Joaquim Serra* no *Diário do Rio de Janeiro*. No folhetim de 12/11/1866, Serra publicou "O Canto do Acauã" e as "Variações em Branco", este último uma tradução de um poema de Théophile Gautier. Em 16/11/1866, de novo o folhetim lhe foi entregue: uma carta aberta sobre as obras recém-lançadas de José de Alencar* e Araújo Porto Alegre*. Muzzio possivelmente não gostou e não poupou críticas a Joaquim Serra. Ver em [57], carta de 16/11/1866. (SE)

4 ∾ Machado de Assis, parece, andava encantado com João de Deus, pois nesta fase publicou muitos poemas dele, afirmando algumas vezes que eram enviados pelo próprio poeta. No microfilme do *Diário do Rio* de 10/11/1866, por exemplo, há a seguinte nota: "João de Deus. Continuemos na publicação dos versos do grande poeta" – seguindo-se um longo poema. Já em 12/11/1866, no "Noticiário", de novo reproduz um texto do poeta português:

"Toda palma / Tem seu licor; / Tem como a alma / Tem seu amor; / Tem como a hera: / tem seu abril / Tem como a fera / Tem seu covil. // Lá tem a planta / Que o sol queimou / Lágrima santa / Que a orvalhou / E o passarinho / Que ontem nasceu, / Lá tem o seu ninho / Que a mãe luz deu! // Só eu na mágoa / Do meu penar, / Sou como a água / Que anda no mar: / Sou como a onda, / Que em busca vem, / D'onde se esconda, / E onde, não tem! // Folha revolta / Que anda no chão / Lágrima solta / Do coração / Folha caída / Folha sem flor / Folha caída / Do meu amor.". (SE)

O poeta João de Deus (1830-1896), muito popular em seu tempo, nasceu no Algarve; fez direito em Coimbra e, acabado o curso, dedicou-se ao jornalismo e à advocacia. Escreveu uma poesia lírica de grande sonoridade e pulsação rítmica, com profundas raízes populares. As suas poesias foram reunidas na coletânea *Campo de Flores* (1893), incluindo-se nela duas obras anteriores: *Flores do Campo* e *Folhas Soltas*. (SE)

5 ∾ Há duas possibilidades de interpretação. Primeira: Muzzio não desconhecia quem era João de Deus, poeta muito em voga, apenas desaprovava o expediente de Machado de Assis, que publicava quase todo dia poemas do poeta português, mas não fazia o artigo de fundo com a defesa de Saldanha Marinho. Como os poemas publicados eram de acentuado padrão lírico-amoroso, a alusão ao "frade velho de *pince-nez*" poderia ser uma ironia com o próprio Machado, que andaria saudoso de seu período dos "Versos a Corina". Se, por outro lado, desconhecia quem era João de Deus, embora em vários momentos antes de publicá-lo Machado anunciasse o poeta, Muzzio poderia ter julgado que João de Deus fosse um pseudônimo do próprio Machado de Assis. (SPR/SE)

6 ∾ O mineiro Lafaiete Rodrigues Pereira (Queluz, 1834-1917), filho do barão de Pouso Alegre, formou-se pela Faculdade de Direito de São Paulo (1853). De volta a Minas, foi nomeado promotor público em Ouro Preto. Mais tarde, na corte, dedicou-se ao jornalismo e à advocacia no escritório Teixeira de Freitas. Presidente das províncias do Ceará (1864) e do Maranhão (1865), foi também ministro da Fazenda. Fundou com Pedro Luís* e Flávio Farnese a folha *Atualidade*, na qual escreveu de 1858 a 1860. Assinale-se que, em janeiro e fevereiro de 1898, no *Jornal do Comércio*, sob o pseudônimo de "Labieno", defendeu Machado de Assis que fora atacado por Sílvio Romero (*Machado de Assis, Estudo Comparativo de Literatura Brasileira*, 1897). Os cinco artigos de Lafaiete Rodrigues Pereira foram depois reunidos no livro *Vindiciae*. Na ABL, foi eleito sucessor de Machado de Assis na Cadeira 23, em 01/05/1909. (SE)

7 ∾ Afonso Celso, mineiro como Lafaiete Rodrigues, da região em que este fora promotor, devia conhecê-lo politicamente muito bem. Daí a recomendação. Teria Machado de Assis interesse em conversar tal assunto com Afonso Celso? Afinal neste momento o ministro trabalhava para favorecer o acesso de Machado de Assis à burocracia oficial. Sobre Afonso Celso, ver em [54], carta de 29/10/1866. (SE)

8 ∾ Em 25/11/1866, começam as manifestações no *Diário do Rio de Janeiro* em favor de Saldanha Marinho:

> "O correspondente de Ouro Preto para o *Jornal do Comércio* continua no sistema de atacar por todos os modos a pessoa e os atos do nosso prezado amigo e ilustre presidente da província de Minas Gerais. A correspondência data de 10 e publicada no suplemento de anteontem, que ontem recebemos, é uma diatribe de coluna e meia, respirando um desses ódios de partido que nem mesmo salvam a consciência do agressor. [...] A grande preocupação do correspondente é que o presidente de Minas vá desalojar alguns candidatos conservadores nas próximas eleições."

Em 01/01/1867, há o comunicado de Sebastião Belfort sobre a mudança de propriedade do *Diário do Rio*:

> "[...] Tendo pertencido à redação do *Diário do Rio de Janeiro* durante a direção do Sr. conselheiro Saldanha Marinho e o Sr. Quintino Bocaiúva, amamos esta folha e não hesitaremos em fazer por ela todos os sacrifícios necessários. / Pedimos, pois, ao público a sua coadjuvação, certo de que encontrará no proprietário do Diário do Rio toda energia e precisa para corresponder à confiança pública. Sebastião Gomes da Silva Belfort."

Em seguida ao comunicado, estrategicamente colocado vem o editorial contra Benjamin Rodrigues e Lafaiete Rodrigues Pereira, que vinham atacando Saldanha Marinho através do *Jornal do Comércio* e do *Constitucional* de Ouro Preto. É provável que tenha saído da pena de Machado de Assis, que finalmente tinha condições de atender ao pedido de Muzzio por um artigo de fundo:

> "Não cansam os adversários do Sr. Conselheiro Saldanha Marinho. Discordes no que concerne a uns princípios que dizem ter, estão todos de acordo num ponto, que é atacar por todos os modos o digno presidente de Minas. Para isso nenhuma arma lhes parece má, nenhum meio recusam por indecente; a calúnia anônima, a intriga epistolar, tudo quanto pode tolher os passos do digno funcionário; tudo isso é posto em jogo com uma audácia e um sangue-frio que admiraríamos, se já alguma coisa nos pudesse admirar. / Custa-nos a desenrolar o sudário das misérias com que a oposição do atual presidente de Minas tem procurado obter os seus fins. / Há poucos dias, vimos ainda no *Jornal do Comércio* um dos correspondentes de Ouro Preto (o histórico), mandar para cá uma série de destemperos e calúnias com o fim expresso de intrigar o Sr. Conselheiro Saldanha Marinho com os seus correligionários e com o seu país, que sempre respeitaram nele um caráter ilibado, uma verdadeira consciência política. / O correspondente conservador desta vez não escreveu. Parece que os dois Ajax revezam-se agora, e dividem a matéria, cabendo um correio a cada um deles. Política de família; harmonia fraternal; estilos gêmeos.

Não se distingue pela linguagem qual é o conservador, nem qual é o histórico; e às vezes ficar-se-ia em dúvida se eles não tivessem o cuidado de dizer no correr do pasquim em nome de que princípio caluniam o presidente de Minas. / A última carta do histórico afirma que a viagem do Sr. Conselheiro Saldanha Marinho foi infrutífera e atribui o insucesso dela à desconfiança em que toda a província está relativamente a S. Ex.. Não estamos convencidos do insucesso da viagem; mas se acaso as esperanças que todos depositaram na província fossem desvanecidas, acaso esse resultado teria a causa que o fogoso correspondente lhe atribui? O povo e os chefes desprevenidos de todos os pontos onde o Sr. Conselheiro Saldanha Marinho esteve deram-lhe vivas provas de adesão e confiança. E contudo nenhum lugar houve para onde os políticos, que se dizem descendentes da história, não mandassem previamente uma série de calúnias e intrigas não já políticas, senão inteiramente pessoais. / Quem acreditará que os inimigos do digno presidente de Minas, tendo exaurido a alcofa dos impropérios, até caluniaram a severidade de seus costumes, seus hábitos modestos? / Foi por esse meio que se contava preparar ao Sr. Conselheiro Saldanha Marinho, em toda a parte, uma reação à ponta de lança, não esquecendo nunca o condimento da intriga eleitoral, que é arma poderosa em todos os tempos contra todos os homens. / O Ajax histórico admira--se que se atribuísse a algumas pessoas dos dois grupos, que se intitulam políticos, a paternidade do *apedido* anônimo que aqui apareceu no *Jornal do Comércio* contra o bispo de Mariana. Pois admira-se de pouca coisa. Não nos admiramos de nada, nem mesmo se nos viessem dizer que o autor do artigo era o próprio correspondente do *Jornal do Comércio*. É verdade que o astucioso escritor censura agora o artigo em questão, e parece desligar-se assim da responsabilidade e da autoria; mas isso, que provaria alguma coisa favorável em outros casos, estará alguém certo de que prova alguma coisa, no caso do correspondente? / Anunciando-se a próxima volta do presidente de Minas a Ouro Preto, resolveram algumas pessoas influentes, a melhor sociedade da capital mineira oferecer um baile a S. Ex.. À frente dessa manifestação acha-se o Sr. Dr. Carlos Tomás, pessoa que goza de geral estima e consideração, graças ao caráter honesto de que é dotado. Pois é a respeito desta manifestação toda particular, toda espontânea, que o correspondente de Ouro Preto diz correr uma subscrição pelas repartições públicas. O escritor não aponta um fato, não exibe uma prova; apenas lança a calúnia, convencido como está do célebre aforismo a calúnia quando não queima, tisna. / Lançando ao papel estas palavras que a indignação nos dita, evitamos entrar por miúdo na exposição dos aleives e mentiras com que, como flores de martírio, foi juncado o caminho por onde teve que passar o nosso amigo presidente de Minas Gerais. / Quando acaso os detratores do Sr. Conselheiro Saldanha Marinho conseguissem voltar contra ele o ódio público, que vitória seria essa conquistada à sombra da intriga e pela arma desleal da 'calúnia'?

Pode ser que alguns lhas invejassem. Quanto a nós, parece-nos inútil dizer que o nosso parecer seria o de Catão: 'acompanharíamos o vencido'." (SE)

O final da citação alude ao verso de Lucano (*Pharsala*, I:128) – *Victrix causa diis placuit, victa Catoni* – ou seja, a causa vencedora agradou aos deuses, a vencida a Catão. (SPR)

9 ~ "Os dois fazem par": Benjamim Rodrigues, o correspondente conservador e seu primo, o liberal Lafaiete Rodrigues Pereira. Essa situação explica-se pela aliança entre liberais e conservadores resultante da antiga política de conciliação do gabinete do conservador marquês de Paraná. Entretanto o progressivo recrudescimento da disputa política ao longo da década de 1860 irá derrubar em julho de 1868 os liberais progressistas e promoverá o retorno dos conservadores radicais ao poder, com o gabinete Itaboraí. A presente carta bem como as [56], [60], [62], [70] e a [71] são testemunhos da crise por que passava a política do período. A conciliação encetada na década anterior pelo gabinete Paraná (de 06/09/1853 a 03/09/1856) sustentara que o sistema monárquico brasileiro deveria garantir a alternância no poder de grupos hegemônicos, oriundos das elites, porém conflitantes, porque isso asseguraria assim a legitimidade do governo e do regime. Reunindo um ministério composto de jovens políticos conservadores moderados e veteranos das hostes liberais, o marquês de Paraná afastou os correligionários radicais, introduzindo mudanças no sistema eleitoral, que permitiram a partir das eleições de 1860 o crescimento da bancada liberal-moderada, que comporá então o partido progressista na câmara. Este novo partido terminou por se dividir entre os dois grupos; os liberais históricos fortalecidos pela vitória de 1860 começaram a disputar a hegemonia no interior do partido com os parceiros egressos das fileiras moderadas do partido conservador. (SE)

[62]

De: HENRIQUE CÉSAR MUZZIO
Fonte: Fundação Biblioteca Nacional. *Catálogo da Exposição do Centenário de Nascimento de Machado de Assis. 1839-1939.* Rio de Janeiro: Ministério da Educação e Saúde, 1939. Transcrição do fac-símile do original.

Ouro Preto, 16 de dezembro [1866.][1]

Meu caro Assis.

O correio que chegou ontem não trouxe *Diários* para ninguém[2]!

Isto no fim do ano é a maneira mais conveniente para acreditar a folha e conservar os assinantes!

O que irá por outras localidades?!

Já não faria reclamação alguma porque nem são atendidas nem *vocês* se dignam ao menos responder-me, se o *Doutor* Saldanha mo não ordenasse positivamente.

Torno a pedir e os outros assinantes comigo o *número* de 25 do [mês] passado.

Rogo-te pela última vez como o único favor que ainda tenha de pedir-te que me remetas o recibo do Coronel Carlos de Assis Figueiredo[3] desta cidade visto como já recebi o dinheiro e quero remetê-lo.

Rogo também que vejas do Belfort[4] o recibo de um assinante de Jaguari[5] nesta província, cujo nome lhe mandei.

Tenho também o dinheiro para mandar.

Custa a crer o procedimento de Vocês para comigo, mas, enfim, paciência.

Teu Amigo

Muzzio

Post Scriptum. Aí vai correspondência que manda o *Doutor* (não eu).

Publica-a (é ele quem fala) como julgares melhor. Por que não teve resposta a última correspondência do Lafaiete no dia 26? O Celso podia orientar-te bem.

---

1 ∾ Todo o desenvolvimento desta carta está relacionado às ações de Saldanha Marinho no ano de 1866, em favor da causa liberal em Minas Gerais. Ver em [56] e [60]. (SE)

2 ∾ Machado de Assis ficara responsável por enviar a Ouro Preto os exemplares do *Diário do Rio de Janeiro*, para que Muzzio se inteirasse da vida social e política da corte. Machado de Assis, parece, não andava muito atento às solicitações e adiava. O tom da carta bastante mal-humorado deixa clara a impaciência de Muzzio. Os motivos são vários: os espaços abertos a Joaquim Serra*, a João de Deus, aos intermináveis folhetins franceses e brasileiros, a descrição de pequenos conflitos domésticos no interior da província mineira, mas sobretudo, pelo fato de Machado de Assis não escrever

uma resposta vigorosa aos ataques do *Jornal do Comércio*. Além disso, havia também o isolamento de Muzzio em Ouro Preto, do qual irá se queixar mais tarde em [71], carta de 28/09/1867, bem como a pressão exercida sobre si pelo cargo de secretário de governo da província mineira. (SE)

3 ∾ Importante figura da política local, parente de Afonso Celso de Assis Figueiredo, o ministro da Marinha. Registre ainda que na carta [61], Muzzio sugere que Machado de Assis deveria aconselhar-se com Afonso Celso a respeito das disputas políticas em Minas: "Esfrega-me sempre que puderes o tal Lafaiete correspondente histórico do *Jornal*. Fala com o Afonso a tal respeito." Sobre Afonso Celso, ver em [54], de 29/10/1866. (SE)

4 ∾ Sebastião Gomes da Silva Belfort, administrador do *Diário do Rio de Janeiro*. Ver em [56], carta de 10/11/1866. (SE)

5 ∾ São Sebastião do Jaguari, atual cidade de Andradas, no sul de Minas Gerais. (SE)

6 ∾ Machado de Assis de novo não atendeu à solicitação por um artigo atacando Lafaiete e Benjamim Rodrigues. Somente em 01/01/1867, o *Diário do Rio de Janeiro* se manifestará contra os dois. Ver o artigo já inteiramente reproduzido em [62], carta de 06/12/1866. Ver também em [60], carta de 30/11/1866. (SE)

[63]

Para: QUINTINO BOCAIÚVA
Fonte: Manuscrito Original. Arquivo Quintino Bocaiúva. Centro de Pesquisa e Documentação da Fundação Getúlio Vargas, 1866.

Rio de Janeiro, 24 de dezembro de 1866.

Meu Quintino.

Tenho a tua carta trazida pelo *South America*, e cumpri logo o que me disseste. O discurso do Azambuja[1] saiu em artigo de fundo, e como havia acumulação de trabalho (três paquetes) só no dia seguinte pôde sair o artigo que lerás no *Diário*.

O Caymari e sua senhora[2] deram-me notícias tuas, e boas, o que eu estimo deveras. Vejo que os teus negócios vão adiante, o Caymari dá-me excelentes notícias. Deus o queira!

Espero o Longfellow³, se puderes arranjá-lo. Aqui continuo às tuas ordens para o que quiseres. Sinto bem não poder continuar esta carta; tenho o meu espírito realmente atribulado⁴. Tudo isto vai em desalinho; desculpa-me. Agradeço-te o abraço, e mando-te outro, apertado e de amigo.

Teu do coração
Machado de Assis

---

1 ∾ Referência ao editorial do *Diário do Rio de Janeiro*, de 20/12/1866, no qual se transcreveu o discurso proferido pelo enviado extraordinário e ministro plenipotenciário do Brasil nos Estados Unidos, Joaquim Maria Nascentes de Azambuja (1812--1896), na Câmara de Comércio de Nova York, com o título de *Imigração*. (SE)

2 ∾ Ver em [54], carta de 29/10/1866. (SE)

3 ∾ Em [54], carta de 29/10/1866, Machado de Assis relembra o pedido de um exemplar das poesias de Longfellow. Na presente carta, com a elegância costumeira outra vez insiste, o que dá a medida do seu interesse pelo poeta norte-americano. Ver carta daquela data. (SE)

4 ∾ Com o jornal em decadência, Machado de Assis sentia-se sobrecarregado, apesar de haver outros editores (Amaral Tavares, por exemplo), tocava a folha praticamente sozinho, porém subordinado a Sebastião Gomes da Silva Belfort. Além de receber as mais diversas solicitações, tanto de Henrique César Muzzio*, que falava por si e por Saldanha Marinho, quanto de Bocaiúva, Machado de Assis estava em plena articulação política com Afonso Celso de Assis Figueiredo (1836-1912) para alcançar junto ao presidente do gabinete, ministro Zacarias de Góes e Vasconcelos (1815-1877), a desejada posição na burocracia oficial que lhe permitisse mais estabilidade, a fim de poder dedicar-se com tranquilidade a escrever. (SE)

[64]

> De: NUNO ÁLVARES PEREIRA E SOUSA
> *Fonte:* Manuscrito Original, Arquivo ABL.

[Rio de Janeiro], [...] de [...] de [1864 a 1866][1]

Ilustríssimo Senhor Machado de Assis

Releve-me dirigir-lhe pela primeira vez letras minhas para pedir-lhe um favor.

Recebi o incluso artigo do Rio Grande do Sul que muito me interessa seja publicado no *Diário*, quisera porém que saísse no Noticiário para obter ainda maior atenção. Ser-lhe-á possível prestar-me esse importante favor? Eu conto [com] a sua benevolência para crer-me atendido.

Aproveito este ensejo para oferecer-lhe o 6.° volume da Biblioteca literária[2] publicada na minha província; e peço-lhe que seja bastante indulgente para com ele, senão por mim, ao menos pelo Serra[3] que não se esqueceu do seu nome tratando da forma e delicadeza do estilo dramático. Creia-me com a [verdad]eira[4] simpatia.

Seu

muito afetuoso admirador

Nuno Álvares[5].

Rua da Ajuda, 179.

---

1 ◦ O endereço que Nuno Álvares forneceu ao final, rua da Ajuda, 179, auxiliou a definir as possíveis datações para esta carta. Analisando os *Almanaque Laemmert*, de 1858 a 1864, seção *Guia do Rio de Janeiro*, que é o "indicador alfabético da morada dos seus principais habitantes", não há endereço em seu nome. Nos anos de 1865 e 1866, o seu endereço residencial é rua da Ajuda 179, e o profissional é rua da Candelária 6 A, o escritório da *Rio de Janeiro City Improvements Company Limited*, onde trabalhava na equipe de engenheiros. Depois, nos anos à frente da secretaria de governo da província (1867-1871), a residência será na rua da Ajuda 119. Em 1872 e 1874 não se editou o *Guia do Rio de Janeiro*; mas, no ano seguinte, Nuno Álvares estava de volta à rua da Ajuda 179. (SE)

2 ⚭ *Prazeres do Campo, Prazeres da Corte* faz parte da coleção "Biblioteca Literária", n.º 6, publicada em São Luís, em 1863, cujo editor Belarmino de Matos, no proêmio, dá a notícia de que o volume n.º 6 seria composto pela produção de três autores; entretanto, no exemplar da Fundação Biblioteca Nacional a que se teve acesso, só figura o pequeno conto de Nuno Álvares Pereira e Sousa. Apesar disso, é interessante reproduzir o que diz o editor:

"Com a publicação da – Biblioteca Literária – tivemos principalmente em mira facilitar aos engenhos novéis os meios de darem à luz suas produções. / Já um outro ensaio temos publicado sempre esperançados em obras de mais fôlego, até que neste número aí vão dois do nosso talentoso comprovinciano o Sr. Nuno A. Pereira e Sousa, conhecido já na república das letras, uma comédia do Sr. Joaquim Maria Serra Sobrinho, e um conto em verso pelo Sr. Dias Carneiro, que não são inferiores àqueles trabalhos." (SE)

3 ⚭ Nuno Álvares Pereira e Sousa, maranhense como Joaquim Serra*, parece ter sido o responsável pela aproximação entre os dois Joaquim Maria, Serra e Assis. (SE)

4 ⚭ Trecho do original danificado, entretanto foi possível inferir o sentido. (SE)

5 ⚭ Nuno Álvares, amigo de Casimiro de Abreu*, frequentou a roda da Tipografia de Paula Brito e a Sociedade Filomática. Em 31/01/1862, juntamente com Machado de Assis, Manuel Álvares de Araújo e outros, foi admitido como membro do Conservatório Dramático Brasileiro, conforme a ata da sessão plenária, lavrada pelo 2.º Secretário, Domingos Jaci Monteiro*. (SE)

[65]

De: JOAQUIM SERRA
Fonte: Fundação Biblioteca Nacional. *Gazeta de Notícias*, 1888. Setor de Periódicos. Microfilme do original impresso.

Paraíba do Norte, 10 de março de 1867.[1]

(...) Já te escrevi algumas linhas acerca de minha *adiada* viagem em maio. Foi mister... Não sei como se exigem sacrifícios da ordem daqueles que ultimamente se me têm exigido. Se eu te contasse tudo, talvez não acreditarias. Enfim, não te verei em maio, mas hei de ir ao Rio este ano. (...).

I ❧ Fragmento de uma carta do jornalista maranhense reproduzido na *Gazeta de Notícias* (309: 1), de 05/11/1888, após o seu falecimento em 29/10/1888. Algumas fontes secundárias dataram-na de 03/03/1867, mas no microfilme do jornal a data é fornecida por Machado de Assis: 10/03/1867. Há também outra questão: quanto tempo Serra ficou na Paraíba como secretário de governo? Em sua biografia (Serra, 1986), informa-se que foi entre 07/02/1863 e 07/04/1864, na presidência de Sinval Odorico de Moura; mas em documentos oficiais do governo paraibano, verificou-se que a presidência se deu entre 18/05/1864 e 29/07/1865, e que Serra só assumiu em 18/08/1864, e em 29/07/1865, estava de volta ao Maranhão conforme consta no Relatório com que Sinval Odorico de Moura passou o governo a Felizardo Toscano de Brito: "O Chefe desta Repartição, Joaquim Maria Serra Sobrinho, tendo entrado no gozo de uma licença, que lhe concedi, comunicou ultimamente que tomara assento como Deputado na Assembleia Provincial do Maranhão, onde se achava.". No *Relatório à Assembleia Legislativa Provincial*, de 05/11/1866, o 2.º vice-presidente, João José Inocêncio Poggi, ao passar a administração da província ao dr. Américo Brasiliense de Almeida Melo, faz a seguinte observação:

"Em consequência de ter seguido para a corte, como representante da Exposição Nacional, por parte da Província do Maranhão, o secretário desta província Joaquim Maria Serra Sobrinho, designei em data de 9 do mês passado, para durante a sua ausência servir o dito cargo de Secretário o Chefe de Seção João Francisco de Melo Barreto, que em tal qualidade o tem ocupado diversas vezes."

❧ Esses documentos oficiais confirmam o que era voz corrente, mas cuja comprovação não se tinha, o que justifica a reprodução dos dados acima. No *Relatório à Assembleia Legislativa Provincial* (22/04/1867), Américo Brasiliense de Almeida Melo, ao passar o governo ao barão de Maraú, diz: "Não devo deixar de declarar a V. Ex. que o digno Secretário Joaquim Maria Serra Sobrinho, de reconhecido talento e ilustração, presta bom auxílio à administração e igualmente o Chefe da 1.ª Seção João Francisco de Melo Barreto.". E o barão de Maraú no *Relatório* de 29/11/1867, declara: "Ainda não voltou do Maranhão, onde estava gozando de uma licença que lhe concedi, o Secretário desta Província, Joaquim Maria Serra Sobrinho." (SE)

[66]

De: JOAQUIM SERRA
Fonte: Cartas de Joaquim Serra a Machado de Assis.
Revista da Academia Brasileira de Letras, III,
Rio, 1911, p. 58-74.

Paraíba do Norte, 8 de abril de 1867[1].

Meu Machado,

>Meu Conselheiro da Rosa[2],
>– Da rosa púrpura e bela!
>Desta vez dispenso a prosa
>Em verso dou a taramela[3].

>>Poetas gostam de flores,
>>Gostam de fitas também,
>>Barateiam os seus amores,
>>Dão valor ao que não têm.

>Como lhes sabem da balda,
>Pregam-lhes peças bonitas,
>Ora um ramo, uma grinalda,
>Ora uma *peça* de fitas [.]

>>Eu creio ser verdadeiro,
>>Que as flores perdem o mistério,
>>Quando se faz jardineiro
>>Algum Ministro do Império!...

>Por isso estou que não deste
>Grande valor à teteia:
>O presente recebeste
>Fazendo carinha feia.

Que a rosa de todo ano
É florinha bem vulgar,
Colhe-a qualquer carcamano,
Que saiba desafinar...

O Ministro foi avaro,
Sendo pródigo por vezes,
Um dia vende-se caro,
Baratinho largos meses.

Eu, porém, te condecoro,
Sem do Torres[4] fazer caso,
Em maior coisa; te arvoro
Comendador do Parnaso!

Por certo estará contente
A ordem que vê-te aí...
Mas a rosinha indecente
Será digna de ti?

Parabéns eu não te mando,
Não quero zombar contigo,
Manda saudades em bando
O teu Serra, teu amigo...

Note Bem. – Quebro o protesto, e escrevo prosa, e que prosa! Uma repreensão, nem mais, nem menos!
   É preciso que me escrevas; há dois vapores, que sou taboqueado por ti, e isso não tem lugar. Vê lá!

o teu

Serra

1 ◦∾ De volta à Paraíba onde era secretário do governo provincial desde 18/08/1864, Serra licenciou-se para concorrer a deputado pelo Maranhão (1865); passou a alternar-se nas duas funções, ora no Maranhão, ora na Paraíba. Na secretaria de governo, era substituído pelo chefe da 1.ª seção, João Francisco de Melo Barreto. Em 1866, foi à corte representando o governo maranhense na Exposição Nacional; aproveitou para fazer contatos a fim de fixar-se ali, retornando depois à Paraíba, e transferindo-se por fim ao Rio, em 1868. (SE)

2 ◦∾ A Imperial Ordem da Rosa (1829) foi criada por D. Pedro I, para perpetuar a memória do seu segundo casamento com D. Amélia de Leuchtenberg. Premiava militares e civis, nacionais e estrangeiros, que se distinguissem por sua fidelidade à pessoa do imperador ou por serviços prestados ao estado brasileiro, e comportava três graus de hierarquia: cavaleiro, oficial e comendador. De 1829 a 1831, D. Pedro I concedeu cento e oitenta e nove insígnias. Já D. Pedro II, ao longo do Segundo Reinado (1840--1889), agraciou 14.284 pessoas. (SE)

3 ◦∾ A carta-poema ironiza o grau recebido em 16/03/1867, porque para Serra cavaleiro era pouco dada a importância e os serviços prestados ao Brasil por Machado de Assis, já que qualquer cantor de ópera medíocre era condecorado pelo imperador como cavaleiro, tal como diz na sexta estrofe: "Que a rosa de todo ano / É florinha bem vulgar / Colhe-o qualquer carcamano / Que saiba desafinar.". Vinte anos mais tarde, em 18/04/1888, Machado de Assis foi agraciado com o grau de oficial. Registre-se ainda que Machado de Assis foi condecorado cavaleiro juntamente com o jornalista Emile Adnet e o editor B. L. Garnier*. Manuel Araújo Porto Alegre* foi agraciado com grau de comendador; e com o grau de oficial, Tavares Bastos e José de Alencar*, que ostensivamente recusou a condecoração por meio de uma declaração no *Jornal do Comércio*. (SE)

4 ◦∾ O mineiro José Joaquim Fernandes Torres (1797-1869), formado em direito por Coimbra (1827), na vida pública exerceu o cargo de ministro da Justiça e, interinamente, o de ministro da Fazenda; foi deputado provincial (1835-1839; 1839-1842); deputado geral (1845); senador (1848-1869); presidente da província de São Paulo (1857-1860). No gabinete presidido por Zacarias de Góes e Vasconcelos, de 1866, ocupou a pasta do Ministério dos Negócios do Império, tendo a atribuição de chanceler da Imperial Ordem da Rosa. (SE)

[67]

De: JOSÉ VIEIRA DE CASTRO
Fonte: Fundação Biblioteca Nacional. *Diário do Rio de Janeiro*, 1867. Setor de Periódicos. Microfilme do original impresso.

Rio de Janeiro, 8 de abril de 1867.[1]

Meu querido poeta e amigo *Senho*r Machado de Assis.

Deixe-me trocar hoje a minha modestíssima tribuna de orador pela sua tão galharda e tão elegante tribuna de jornalista. Nela falaram ontem as suas saudades pela minha próxima partida: consinta que no mesmo lugar venha hoje dizer adeus a tantos corações afetuosos, e a tantos espíritos eminentes que vou deixar nesta terra de eternos escritores.

Levo daqui, meu querido amigo, a memória das melhores impressões da minha alma, e a saudade dos melhores enlevos do meu espírito.

Creia, meu querido poeta, na profunda sinceridade destas minhas palavras; e à alma privilegiada do cantor delicadíssimo das crisálidas possa eu abrir-me em cheio confiando-lhe que até neste momento estou sentindo necessidade de dizer ao coração que hei de voltar aqui para poder convencê-lo a partir.

De brasileiros, de portugueses, de todos os estrangeiros, de quantas criaturas enfim repartiram comigo nesta terra um quinhão da sua benevolência e do seu afeto, de todos precisava eu despedir-me, e a todos devia eu deixar meu último abraço. É o que faço agora. Digo o meu adeus do alto da sua tribuna, que foi a maior que eu conheci na imprensa da América, deixo o meu abraço no seu peito, que foi o mais generoso e o mais forte que eu senti bater ao lado do meu sempre que entre nós se discutia, ou me ditava, uma ideia superior, ou uma deliberação generosa.

Há não sei quantos dias, meu querido amigo, que um pulso covarde, e anônimo insinua nas suas *mofinas* de alguns jornais desta terra as mais pérfidas aleivosias e calúnias contra mim. Pois creia, meu querido amigo, que nunca em um só minuto logram essas ascorosas diatribes, nem empanar-me a vista para a contemplação das maravilhas opulentas deste mundo original, nem escurecer-me com uma levíssima sombra as mil gratidões devidas a todos quantos aqui conheci, e que serão imorredouras na minha memória, como eu creio intimamente que há de ser imorredouro o afeto no espírito fidalgo dos meus verdadeiros amigos, como eu sei com certeza que há de ser também imorredoura a inveja, a imbecilidade, e a covardia, nos corpos apodrecidos que trouxeram a este mundo essas três coisas, sós: um pecado mortal por dote, uma impotência por qualidade e uma SEZÃO de raiva por aspecto!

Adeus, meu querido amigo. Fecho estas linhas mal escritas aos sobressaltos da minha saudade, repetindo-lhe mil vezes o que hei dito, que é a esperança consoladora para o meu espírito a que eu tenho que voltar ainda a esta terra daqui a alguns anos, e encontrar então, ao lado da tribuna donde saíram estrofes da Corina, uma outra donde sairão promiscuamente com outros cantos, lições e discursos de moral política, e doutrinas sociais que o seu brilhante talento e a sua privilegiada inspiração tem já no futuro o duplo emprego de proferir e ensinar. É isso mesmo que lá estão fazendo a esta hora, na minha pátria, os meus irmãos Mendes Leal e Tomás Ribeiro[2].

Adeus, meu primorosíssimo poeta e excelente amigo.

José Cardoso Vieira de Castro.

I ∞ Carta aberta – pela primeira vez **transcrita integralmente** – que foi publicada no *Diário do Rio de Janeiro* em 09/04/1867, sob o título "Despedida", com a seguinte introdução:

"O ilustre deputado português Sr. Vieira de Castro dirigiu ao nosso colega Sr. Machado de Assis a carta que em seguida publicamos. A consideração que tem direito o hóspede e os sentimentos que manifesta ao deixar o Brasil bastariam para assegurar a S. Ex. a nossa consideração, se não tivéssemos além disso a retribuir a sua cortesia em nome do amigo a que se dirige e que infelizmente não é quem lha retribui nestas linhas."

Machado se desligara do *Diário do Rio de Janeiro* no dia em que a carta lhe foi dirigida (ver em [68], carta de 09/04/1867). O missivista, após obter enorme sucesso como orador, partia para os Estados Unidos, deixando atrás de si queixas quanto a palestras subitamente canceladas. (IM)

2 ∾ Os escritores portugueses Mendes Leal (ver em [43], carta de 15/08/1865) e Tomás Ribeiro (ver em [22], carta de 22/07/1864) tinham entrado na vida política. (IM)

[68]

Para: QUINTINO BOCAIÚVA
Fonte: MAGALHÃES JR., Raimundo.
Vida e Obra de Machado de Assis.
Rio de Janeiro: Civilização Brasileira, 1981. vol. I.

[Rio de Janeiro,] 9 de abril de 1867.[1]

Meu Quintino.

Recebe apertado abraço pelas boas palavras que disseste hoje de mim. A mão que me fez entrar para essa casa há 7 anos é a mesma que tão lealmente me dá o adeus de despedida[2]. São coisas que não esquecem. Crê na amizade do

> Teu do coração,
> Machado de Assis.

---

1 ∾ Por ora não se encontrou a fonte primária; a fonte secundária que informou a existência da carta não menciona a localização do arquivo a que pertence o documento. (SE)

2 ∾ Em 1860, depois de um ano de inatividade, o *Diário do Rio de Janeiro* havia ressurgido sob a direção do liberal Joaquim Saldanha Marinho (1816-1895). Machado de Assis convidado por Quintino Bocaiúva, o novo redator-chefe, entra no quadro de redatores da folha, o que foi decisivo para sua carreira jornalística. A presente carta assinala o reconhecimento de Machado a Bocaiúva no momento em deixava a folha liberal, após ser nomeado auxiliar da diretoria de publicação do *Diário Oficial do Império do Brasil*, em portaria assinada pelo ministro da Fazenda Zacarias de Góes e Vasconcelos (1815-1877). (SE)

[69]

De: JOAQUIM SERRA
Fonte: Cartas de Joaquim Serra a Machado de Assis.
Revista da Academia Brasileira de Letras, III, Rio, 1911, p. 58-74.

Maranhão, 30 de maio de 1867.

Meu Machado,

Quousque tandem?[1]

Continuas no mais ingrato de todos os silêncios, e eu já vou perdendo a esperança de restituir-te a fala! O que é isso, meu caro amigo? Aí vai um vomitório, que por força te fará lançar... Acompanha esta carta um livro que tem por título "*Um coração de mulher, poema-romance* por Joaquim Serra."

Reveste-te de toda aquela indulgência, que guardas para as ocasiões de grande jubileu, e lê o meu livro.

É uma lenda simples, e que tem o único mérito de apresentar alguns quadros de paisagens maranhenses. Está escrita na singelíssima toada da *Adozinda*[2]. Se puderes chegar ao fim do volume, conta-me as tuas impressões.

Pelo vapor passado escrevi-te e dei conta do bom acolhimento que teve no teatro de São Luís uma comédia deste teu criado; entretanto não me quiseste contar o magnífico efeito da *Família Benoiton*[3], que foi magistralmente traduzida pelo tradutor do *Barbeiro de Sevilha*[4]!

Escreve-me e abraça o

Teu amigo
J. *Serra*

N*ote Bem* — Descobre-me o Meneses[5] e entrega-lhe também o meu presente que aí vai.

1 ∾ Citação parcial da célebre frase *Quousque tandem abutere Catilina patientia nostra?* (Até quando, enfim, ó Catilina, abusarás da nossa paciência?), das *Catilinárias*, série de discursos pronunciados pelo cônsul Marco Túlio Cícero, mais precisamente, parte do exórdio da "Primeira Oratória" contra Catilina feito no senado romano, em 08 de novembro de 63 a.c., quando Cícero censurou a atitude de Lúcio Sérgio Catilina, nobre falido, que planejava com seus seguidores derrubar o governo da república. Após o discurso, Catilina afastou-se do senado, reunindo-se ao seu exército para armar a defesa. No ano seguinte, cai e acaba morrendo no campo de batalha. Esta frase passou ao repertório de máximas políticas usadas para censurar os abusos. (SE)

2 ∾ Poema-balada "Adozinda" de Almeida Garrett (Londres, 1828), inspirado nas lendas medievais portuguesas, que também servirão de substrato ao *Romanceiro*, que Garrett publicaria entre 1843 e 1851. (SE)

3 ∾ Machado de Assis traduziu *Família Benoiton*, de Sardou (1831-1908), que foi encenada pela companhia de Furtado Coelho (1831-1900), em 1867. Sobre Victorien Sardou, ver em [51], carta de 09/09/1866. (SE)

4 ∾ Tradução de Machado de Assis da peça de Pierre de Beaumarchais *O Barbeiro de Sevilha*, encenada no Rio de Janeiro em 1866. Sobre *O Barbeiro de Sevilha*, ver em [51], carta de 09/09/1866. (SE)

5 ∾ O jornalista e amigo comum José Inácio Gomes Ferreira de Meneses*. (SE)

[70]

De: HENRIQUE CÉSAR MUZZIO
Fonte: Fundação Biblioteca Nacional. *Catálogo da Exposição do Centenário de Nascimento de Machado de Assis. 1839-1939*. Rio de Janeiro: Ministério da Educação e Saúde, 1939. Transcrição do original.

Ouro Preto, 28 de agosto de 1867.

Meu caro Assis.

Recebi ontem uma cartinha tua de 16[1].

Aceito e não aceito as tuas desculpas. Em todo o caso tu ou pessoa que te mereça absoluta confiança pelo critério e pela inteligência mandem já e já a primeira correspondência no sentido que te disse[2].

Podes reduzir isso a duas vezes por semana menos quando haja notícias de grande importância, neste caso devem vir por todos os correios.

Confio em ti porque o Paula Castro do *Diário de Minas* aqui confiou em mim.

Creio que só voltarei para o ano com o Saldanha cuja vinda outra vez para Minas é indeclinável.

Quer-me sempre bem que to mereço.

Avia-me isso sem demora que o homem está impaciente. Lembra-te que a correspondência deve ser francamente liberal e sustentadora da atualidade.

Teu do *Coração*
Muzzio.

---

1 ❦ Embora modalizando o seu discurso, certamente porque a "cartinha de 16" havia suavizado a enorme tensão em que esteve mergulhado, Muzzio continuava insistindo em colocar Machado de Assis inteiramente dedicado à causa de Saldanha Marinho. Registre-se que em 25/11/1866 saiu a primeira matéria do *Diário do Rio de Janeiro*, pequena, mas claramente em defesa do presidente de Minas e, no primeiro número de 1867, o tão desejado artigo de fundo em resposta a Benjamim e Lafaiete Rodrigues, sem, no entanto, lhes citar os nomes: "os dois Ajax revezam-se agora, e dividem a matéria, cabendo um correio a cada um deles. Política de família; harmonia fraternal; estilos gêmeos." (SE)

2 ❦ Certamente Machado de Assis recusou a função de correspondente na folha liberal de Ouro Preto. As suas razões se elucidam no tom impositivo de Muzzio: as correspondências deveriam subordinar-se às posições políticas defendidas por Saldanha Marinho. Embora liberal Machado de Assis percebeu que não teria liberdade nos comentários e preferiu resguardar-se. A correspondência a que Muzzio se refere deveria sair no *Diário de Minas*, jornal de João Francisco de Paula Castro, citado mais abaixo no corpo da carta, editor do jornal e proprietário da Tipografia Minas Gerais. Sobre o substituto para a tarefa, ver em [71], carta de 28/09/1867. (SE)

[71]

De: HENRIQUE CÉSAR MUZZIO
Fonte: Manuscrito Original, Arquivo ABL.

(Reservada)

Ouro Preto, 28 de setembro de 1867.

Meu caro Assis.

Recebi tua carta de 7.

Já têm vindo três correspondências do Póvoas. Aqui para nós e sem que reveles o que te digo a ninguém, para nada prestam[1].

Vê se o guias melhor; dá-lhe alguns conselhos e se vires que os não toma procura outro.

O Paula Castro[2] *dá por enquanto* 60$000 mensais.

O Póvoas que me mande diretamente a mim as correspondências.

O pagamento será feito aí pontualmente.

Escreve-me. Não desabafo contigo sobre milhares de coisas que aqui me atormentam o espírito porque teria de aborrecer-te muito.

Entre outras dir-te-ei que o *Constitucional*[3] daqui atira-me semanalmente toda a sorte de injúria. No último número chamam-me de Rocambole e ao Saldanha de Sir William[4]! Que te parece?

Não achas que vale a pena estar aqui atado a um infame pelourinho defendendo os interesses de quem nem sequer se importa com os que os servem?

Sebo!

Meu caro Assis, sou tolo e tolo morrerei. Já me convenci disso há muito.

Reserva completa sobre tudo isto que só a ti digo e na mais íntima confiança.

Teu do *Coração*
Muzzio.

1 ◐ Machado de Assis não quis escrever a série de artigos para o jornal mineiro, indicando na carta de 16/08/1867 um jornalista de sobrenome Póvoas. Magalhães Jr. (1981) supõe que seja Joaquim José Peçanha Póvoa; e a grafia "Póvoas", um equívoco do missivista. De toda sorte, ou pela pressão que poderia estar sofrendo de Saldanha Marinho, ou mesmo aborrecido com mais uma recusa, Muzzio é enfático em manifestar o seu desagrado com a produção do substituto, fazendo severas recomendações. Os artigos solicitados teriam a finalidade de comentar a viagem do presidente pelo interior de Minas Gerais. Em algumas cidades, Saldanha Marinho fora francamente hostilizado. Muzzio então enviara apontamentos para que os conflitos fossem tratados de modo favorável ao presidente. (SE)

2 ◐ Ver em [70], carta de 28/08/1867. (SE)

3 ◐ Jornal de Ouro Preto ligado ao partido conservador, dirigido por Camilo Cunha Figueiredo e Benjamim Rodrigues Pereira. Ver em [61], carta de 06/12/1866. (SE)

4 ◐ Rocambole e Sir William são dois personagens do romance *Rocambole* de Ponson Du Terrail. Sir William é um vilão abominável, usurpador e assassino, nascido na França, mas que se faz passar por um nobre inglês, e que toma a seu serviço o jovem Rocambole, inteiramente dedicado ao mal. (SPR)

[72]

De: NUNO ÁLVARES PEREIRA E SOUSA
Fonte: Manuscrito Original, Arquivo da ABL.

[Rio de Janeiro, 1867.][1]

Meu Caro Machado.

Depois que nos separamos ontem, e tendo pensado maduramente sobre a curta conversa que tivemos, resolvi-me a pedir-lhe o favor de não publicar no seu belo folhetim a carta que lhe dirigi. Bem vê, querido, que nela lancei-lhe o meu coração, e o mundo é bem mau para ler nessas páginas escritas ao amigo uma oblação ao Ministro[2]. Faça-me este sacrifício, e dou-me por bem pago da sinceridade com que ontem me falou.

Remeto-lhe uma anedota para as suas notícias diversas.

Adeus.

Seu

Muito dedicado

Nuno Álvares.

---

1 ∞ Todas as circunstâncias a que alude Nuno Álvares reúnem os dois no Rio de Janeiro. Já o limite temporal situa-se até abril de 1867, pois Machado de Assis só poderia atender ao pedido enquanto fosse redator responsável pelo *Diário do Rio de Janeiro*, função que abandonou quando nomeado para o *Diário Oficial do Império*. (SE)

2 ∞ Se for o ministro a que o missivista estava subordinado, trata-se do titular da pasta da Agricultura, Comércio e Obras Públicas, Manuel Pinto de Sousa Dantas. Nuno Álvares era funcionário na Diretoria de Obras Públicas desde 1865, conforme consta no *Almanaque Laemmert* daquele ano, mas não há certeza de que esteja falando daquele ministro. (SE)

[73]

De: JOAQUIM SERRA
Fonte: *Cartas de Joaquim Serra a Machado de Assis.*
Revista da Academia Brasileira de Letras, III, Rio, 1911, p. 58-74.

Maranhão, 2 de janeiro de 1868.

Meu querido Machado,

A tua estimável carta veio-me às mãos em um dos dias da festa do Natal, e quando eu, sofrivelmente aborrecido, desesperava de um presente de festas, que satisfizesse-me o coração e o espírito. Obrigado pelo desmentido que deste a essa minha persuasão, e aceita um abraço muito apertado em pagamento das boas palavras que recebi.

Se cavaqueio solenemente com o teu silêncio de meses, sou incapaz de azedar o meu sentimento com um vislumbre de malquerer. Amo-te muito para poder zangar-me, e ainda mal, que vais abusando desta minha fraqueza.

É certo que estive calado ultimamente, mas nem adivinhaste a razão de tal, e nem eu tampouco sou capaz de encontrar uma razão qualquer.

O amigo e irmão de letras nunca saiu-me da lembrança, mas a preguiça, também nunca saiu-me do costado. E dizes que não tenho te remetido o *Semanário Maranhense*[1]?

Dei ordem à tipografia, desde a saída do I.º número[2], para que fossem enviados todos os números à redação do *Diário Oficial*[3]. É possível que a tipografia me tenha enganado, ou o correio ter-te-á pregado o logro?

Para sanar o mal, deste vapor em diante, além dos números enviados ao *Diário*, irão outros dirigidos a ti.

Olha que o *Semanário* está muito entanguido e feio, não é possível que encontres atrativos em semelhante leitura. Eu quase que não dou importância a essa gazetinha, e só escrevo por desfastio. Ando tonto. Quão contente não me farias, se realizasses a promessa de mandar artigos para o periódico maranhense! Isso é tão bom, tão do meu gosto, e tão precioso, que eu não acredito na realidade. Prometeste, é certo, mas entre a promessa e o fato! Enfim, é preciso pedir muito, aqui estou eu solicitando a execução do lindo projeto. Agora cumpre a palavra[4].

Escrevem no *Semanário* o Gentil, Marques Rodrigues[5], Sotero dos Reis[6], Nuno Álvares, etc.; muitos dos artigos porém, são assinados com pseudônimos. Além desses amigos (que são devotos do teu nome) todos os leitores do *Semanário* intercedem um milagre teu, em prosa ou verso. São pois muitos os que rogam. Veremos.

Dizes que nada tens escrito, e tens coragem para confessar tão feio pecado? E o romance que esboçaste[7], e cujos primeiros capítulos me anunciaste? Não posso crer na tua inação, ainda que a documentos com a falta de documentos publicados. Creio no fundo da tua gaveta, e nas entranhas da tua pasta. Se o 1868 obrigar-te aos muitos trabalhos que premeditas, eu hei de cantá-lo em um poema épico. A esperança que alimentas já é uma boa nova. Ainda bem.

Pelos meus lares não há nada. Estou aprendendo o alemão e não me ocupo senão nisso.

Dei tréguas à poesia e à prosa, enquanto não der lições capazes na língua do Goethe.

Pelo correio receberás a *Eloá*, traduzida pelo Gentil. O trabalho está muito mimoso e digno de apreço. Aprecia-o[8].

Estão impressas as poesias do Franco de Sá[9], nome que deve ser para ti muito familiar.

Remeto-te o seu volume, para que ainda uma vez lamentes a morte de tão talentoso moço. A coleção de poesias dele não é grande, mas é suficiente para fundar uma reputação.

Vejo, com desgosto, que o *Ginásio* continua a estar *rocambolizado*[10] e a poesia da arte banida desse santuário[11]! O nosso amigo Furtado pensa que só o *Vinte-Nove* e a *Romã encantada*[12] é que ridicularizam o São Pedro[13]!... Sei que o público é o culpado, mas o público é suscetível de ser educado, e um teatro como o Ginásio tem obrigação de não dar arras ao mau gosto. Nunca mais tratou-se da representação do teu *Paraíso perdido*[14]? E a *Família*[15] do Quintino? Este nosso amigo Furtado Coelho não deveria ser empresário, mas só e exclusivamente artista, a fim de manter sempre ilesa a sua grande reputação cênica. Como empresário, ele sabe desprezar muita coisa de lei, com a mira na palhada produtiva. Se o teatro pudesse dispensar o balcão...

Estimarei que ele se esqueça de montar as *Coisas da Moda*[16], pois prefiro o ostracismo como os outros, ao prazer de servir de rabo-leva ao Rocambole. Demais, acho que vale tão pouco a minha comédia que me é indiferente o seu aparecimento em cena.

Se andas muito vadio, meu amigo, aconselho-te que ames. É isso mais do que uma distração, embora menos do que uma ocupação. E é tão delicioso esse emprego de horas, em desapego da terra[17]! Sinto-me tão bem neste momento, que aconselho aos meus amigos que imitem-me. Que interessante situação! Perde a gente um pouco do peso específico, e sente ao mesmo tempo atração do céu e repulsão da terra!

Às vezes passo as mãos pelas costas a fim de ver se já despontaram as asas; outras vezes parece que me caíram os pés. É um crepúsculo da existência que beatifica ou bestifica a humanidade. Nunca te aconteceu isto? Experimenta, experimenta enquanto é tempo, e me dirás depois se valeu a pena experimentar...

É preciso deixar cair o ponto final. Faço-o a meu pesar, mas é preciso. Escreve-me muito e sempre. Sacrifica-me meia hora em cada quinzena, e perderás o mau hábito que adquiriste. Abraça quem é com sinceridade

Teu sempre muito amigo

J. Serra.[18]

---

1 ∞ Fundada por Serra, essa revista literária circulou de 01/09/1867 a 08/09/1868; nela escreveram Joaquim Sousa de Andrade (o poeta Sousândrade), Marques Rodrigues, César Augusto Marques, Pedro Nunes Leal, Nuno Álvares Pereira e Sousa*, Antônio Henrique Leal, Gentil Braga*, Francisco Leite Bitencourt Sampaio, Teófilo Dias e Francisco Sotero dos Reis. (SE)

2 ∞ O *Semanário Maranhense* saía aos domingos, editado pela Tipografia de Belarmino de Matos, na rua da Paz, São Luís. O último número antes desta carta saíra em 29/12/1867, o que corresponderia a dezoito números lançados desde o aparecimento da revista. (SE)

3 ∞ Machado de Assis, graças ao apoio de Afonso Celso de Assis Figueiredo (1836--1912), fora nomeado ajudante do diretor de publicação do *Diário Oficial do Império do Brasil*, 8/04/1867. Ver em [54], carta de 29/10/1866. (SE)

4 ∞ No *Semanário Maranhense* (n.º 26) de 23/02/1868, figura a tradução feita por Machado de Assis do poema de Alexandre Dumas, filho, "Estâncias a Ema", publicado posteriormente nas *Falenas* (1870). Machado de Assis, parcimonioso, cedeu certamente em atenção a Joaquim Serra. (SE)

5 ∞ O maranhense Antônio Marques Rodrigues (1826-1873), ainda menino mudou-se para Portugal, onde fez os cursos primário e de humanidades. De volta ao Brasil, formou-se em direito pela faculdade de Olinda. Exerceu cargos públicos, obtendo diversos mandatos como deputado provincial; foi professor de história natural no Liceu de São Luís e autor de artigos publicados em periódicos literários e jornais. (SE)

6 ෴ Amigo pessoal do pai de Serra, Leonel Joaquim Serra, Francisco Sotero dos Reis (1800-1871) escritor, educador e gramático de renome, parece ter orientado os estudos do jovem Serra, não só no Liceu Maranhense que dirigia, como também em aulas particulares. (SE)

7 ෴ Machado de Assis não publicara ainda nenhum romance, o que não o impediria de já ter algo esboçado. Já fizera muitas traduções, já publicara a peça *Desencantos* (1861), o volume do *Teatro de Machado de Assis* (1863), a peça *Quase Ministro* (1864), a coletânea das *Crisálidas* (1864) e a comédia *Os Deuses de Casaca* (1866). Em 1870, publicaria os seus *Contos Fluminenses* e o volume das *Falenas*. Joaquim Serra estaria se referindo ao romance *Ressurreição*, só publicado em 1872? (SE)

8 ෴ *Eloá, a Irmã dos Anjos* (1824), do poeta francês Alfred de Vigny (1797-1863) foi traduzido por Gentil Braga* com o nome de *Eloá, Mistério* e publicado por Belarmino de Matos, em 1867, São Luís. Machado de Assis não fez comentário algum sobre a tradução. (SE)

9 ෴ Antônio Joaquim Franco de Sá (1836-1856), poeta maranhense morto precocemente, cujos versos de expressão romântica fizeram-no figurar ainda que sob a rubrica "poetas menores" na *História da Literatura Brasileira*, de José Veríssimo: "Cantou igualmente a paisagem, a vida campesina e coisas brasileiras, com sentimento e graça. Franco de Sá (Antônio Joaquim, 1836-1856) é poeta de grande sensibilidade e sinceridade de emoção e rara facilidade e singeleza de expressão, qualidades que a morte, colhendo-o aos vinte anos, lhe não deu tempo de cultivar." (SE)

10 ෴ Rocambole é o popular personagem de Ponson du Terrail (1829-1871), que deu origem ao ciclo de folhetins com o mesmo nome e, por fim, ao romance; caracterizava-se como um aventureiro vivendo grandes imprevistos e reviravoltas. A frase acima significaria que o responsável pelo teatro, pressionado pela necessidade de bilheteria, passara a encenar peças cujo enredo cheio de aventuras acidentadas e confusas atenderia ao gosto pelas antigas peças românticas, traindo, portanto, a profissão de fé no teatro realista. (SE)

11 ෴ Crítica ao fato de o ator Furtado Coelho, um entusiasta do teatro realista, na função de arrendatário do Ginásio Dramático (desde 1866), ter-se rendido ao gosto do público pelas comédias e dramas de apelo fácil, contrariando o que seria a tradição daquela sala iniciada por Joaquim Heliodoro que, entre 1855-1865, promoveu a renovação da cena brasileira. Furtado Coelho não pôde manter-se constantemente fiel ao chamado "teatro sério", porque, como empresário, a situação financeira de sua companhia precisava ser resguardada, recorrendo então ao teatro de entretenimento. (SE)

12 ෴ *A Romã Encantada* e o *Vinte-Nove* tiveram vida longa nos palcos, escritas por José Romano, autor popular em meados do século XIX, porquanto atendesse ao gosto

imediato do público. Machado de Assis escreveu sobre ele, oscilando entre a crítica forte e a aprovação discreta. Em 12/11/1859, referindo-se à peça *Feio de Corpo, Bonito de Alma*, diz: "Conhece esta composição, minha leitora? É do Snr. José Romano, autor do drama *Vinte e nove*./ Escrita debaixo de um sentimento liberal, e com intenção filosófica, nem assim o Snr. José Romano conseguiu fazer uma obra completa. Adivinha-se a substância, mas a forma é mesquinha demais para satisfazer a crítica.". Mais adiante, Machado faz uma apreciação positiva do protagonista Antônio, ao comparar as suas motivações com as de Quasímodo de Victor Hugo:

> "Há uma coisa que ainda separa Antônio do sineiro de V. Hugo, mas que o separa realçando-o, mas que o separa levantando-o na apreciação moral. Antônio é *bonito n'alma* por um sentimento de amizade, por uma confraternização de operário. Se a gratidão embeleza Quasímodo é um pagamento de serviço, uma dívida de dedicação. Antônio é pelo desinteresse que se eleva, pela fraternidade da bigorna. Avantaja-se mais."

Já em 27/11/1859, acerca do texto *Erro e Amor*, o crítico é absolutamente rigoroso: "*Erro e Amor* não é um drama, é uma galeria de cenas desconchavadas, que provam evidentemente a incapacidade do Snr. José Romano como dramaturgo. Tanto a concepção como a forma são um parto laborioso e exíguo de mal pensadas noites e lucubrações." (SE)

13 ෴ São Pedro de Alcântara, teatro em que atuou João Caetano (1808-1863), ator de características clássico-românticas, a cujo repertório (farsas portuguesas, dramas e melodramas românticos, e tragédias clássicas e neoclássicas) opunha-se o teatro realista, diante do qual Machado de Assis fez a sua profissão de fé dizendo: "Pertenço a esta última por mais sensata, mais natural, e de mais iniciativa moralizadora e civilizadora.". (SE)

14 ෴ Título de uma peça de Machado de Assis cujo teor é desconhecido e que vem sendo considerada perdida. A referência de Joaquim Serra ao próprio escritor é prova cabal de que o texto existiu. (SE)

15 ෴ Bocaiúva* a escreveu estimulado pelo sucesso de *Onfália* (1860) e de *Os Mineiros da Desgraça* (1861), para ser encenada no Ateneu Dramático; mas a primeira representação deu-se somente em 1868, depois da publicação pela Tipografia Perseverança. Consoante as ideias do teatro realista, do qual era entusiasta, o texto faz o elogio das virtudes da vida em família, partindo do equilíbrio para o desequilíbrio. A ação inicial mostra a família como o *locus amoenus*, o espaço em que predominam os bons sentimentos e as boas ações. Esta bem-aventurança será rompida por uma revelação feita pelo jovem amigo dos filhos de Clemência e Pedro. Ernesto, que fora educado em Paris por uma família adotiva, conta a Clemência detalhes que a fazem compreender que ele é

seu filho, fruto de um "erro" do passado. A partir daí, *A Família* descamba para um descabelado melodrama. (SE)

16 ∞ *Comédia de Serra*, escrita em 1866, de grande sucesso inclusive nos teatros da corte, aparentemente pouco apreciada pelo autor por não ser um texto com tratamento dramático orientado pelos cânones realistas. Enquanto a comédia realista seduzia os principais escritores e intelectuais do período, o teatro baseado na música ligeira, no bom humor, na malícia e na beleza das mulheres começava a atrair o grande público, que se foi desinteressando dos textos moralizadores e edificantes. O teatro de entretenimento ganhou força rapidamente, mudando o rumo de autores que vinham até então se dedicando às peças realistas, alguns decepcionados com o afastamento progressivo do público abandonaram a dramaturgia. Começam a subir à cena com frequência o teatro cômico e musicado, a opereta, as revistas, as paródias e as mágicas. (SE)

17 ∞ Serra estava apaixonado pela filha do conselheiro Mariani, Joana Mariani, com quem se casou. (SE)

18 ∞ Em abril de 1868, Serra transferiu-se definitivamente para a cidade do Rio de Janeiro, conforme se anuncia na "Declaração" do *Semanário Maranhense* (n.º 34), de 19/04/1868: "Tendo de partir para o Rio de Janeiro o Sr. Joaquim Serra, principal redator do *Semanário Maranhense*, o editor e colaboradores deste periódico não podem prescindir de publicamente louvar e agradecer os bons serviços prestados por S. S.". (SE)

[74]

De: JOSÉ DE ALENCAR
Fonte: Fundação Biblioteca Nacional.
Correio Mercantil, 1868. Setor de Periódicos.
Microfilme do original impresso.

Tijuca, 18 de fevereiro de 1868.[1]

Ilustríssimo Senhor Machado de Assis.

Recebi ontem a visita de um poeta.

O Rio de Janeiro não o conhece ainda; muito breve o há de conhecer o Brasil. Bem entendido, falo do Brasil que sente; do coração, e não do resto.

O Senhor Castro Alves[2] é hóspede desta grande cidade, de alguns dias apenas. Vai a São Paulo concluir o curso que encetou em Olinda.

Nasceu na Bahia, a pátria de tão belos talentos; a Atenas brasileira que não cansa de produzir estadistas, oradores, poetas e guerreiros.

Podia acrescentar que é filho de um médico ilustre[3]. Mas para quê? A genealogia dos poetas começa com seu primeiro poema. E que pergaminhos valem estes selados por Deus?

O *Senhor* Castro Alves trouxe-me uma carta do *Doutor* Fernandes da Cunha[4], um dos pontífices da tribuna brasileira. Digo pontífice, porque nos caracteres dessa têmpera, o talento é uma religião, a palavra um sacerdócio. Que júbilo para mim! Receber Cícero que vinha apresentar Horácio, a eloquência conduzindo pela mão a poesia[5], uma glória esplêndida mostrando no horizonte da pátria a irradiação de uma límpida aurora!

Mas também quanto, nesse instante, deplorei minha pobreza, que não permitia dar a tão caros hóspedes régio agasalho. Carecia de ser Hugo ou Lamartine[6], os poetas-oradores, para preparar esse banquete da inteligência.

Se ao menos tivesse nesse momento junto de mim a plêiade rica de jovens escritores, à qual pertencem, o senhor, o *Doutor* Pinheiro Guimarães, Bocaiúva, Muzzio, Joaquim Serra, Varela, Rosendo Muniz, e tantos outros![7]...

Entre estes por que não lembrarei o nome de Leonel de Alencar[8], a quem o destino fez ave de arribações na terra natal? Em literatura não há suspeição: todos nós, que nascemos em seu regaço, não somos da mesma família?

Mas a todos o vento da contrariedade os tem desfolhado por aí como flores de uma breve primavera.

Um fez da pena espada para defender a pátria. Alguns têm as asas cristadas (*sic*) pela indiferença; outros, como douradas borboletas, presas da teia de aranha, se debatem contra a realidade de uma profissão que lhes tolhe os voos.

Finalmente estava eu na Tijuca[9].

O *Senhor* conhece esta montanha encantadora. A natureza a colocou a duas léguas da corte, como um ninho para as almas cansadas de pousar no chão.

Aqui tudo é puro e são. O corpo banha-se em águas cristalinas, como o espírito na limpidez deste céu azul.

Respira-se à larga, não somente os ares finos que vigoram o sopro da vida, porém aquele hálito celeste do Criador, que bafejou o mundo recém-nascido. Só nos ermos em que não caíram ainda as fezes da civilização, a terra conserva essa divindade do berço.

Elevando-se a estas eminências, o homem aproxima-se de Deus. A Tijuca é um escabelo entre o pântano e a nuvem, entre a terra e o céu. O coração que sobe por este genuflexório, para se prostrar aos pés do Onipotente, conta três degraus: em cada um deles, uma contrição.

No alto da *Boa Vista*, quando se descortina longe, serpejando pela várzea, a grande cidade réptil, onde as paixões rastejam; a alma que se havia atrofiado nesse foco do materialismo, sente-se homem. Embaixo era uma ambição; em cima uma contemplação.

Transposto esse primeiro estádio, além para as bandas da Gávea, há um lugar que chamam *Vista Chinesa*. Este nome lembra-lhe naturalmente um sonho oriental pintado em papel de arroz. É uma tela sublime, uma decoração magnífica deste inimitável cenário fluminense. Dir-se-ia que Deus entregou a algum de seus arcanjos o pincel de Apeles[10], e mandou-lhe encher aquele pano de horizonte. Então o homem sente-se religioso.

Finalmente, chega-se ao *pico da Tijuca*[11], o ponto culminante da serra, que fica do lado oposto. Daí os olhos deslumbrados veem a terra, como uma vasta ilha a submergir-se entre os dois oceanos, o oceano do mar e o oceano do éter. Parece que estes dois infinitos, o abismo e o céu, abrem-se para absorver um ao outro. E no meio dessas imensidades, um átomo, mas um átomo rei de tanta magnitude. Aí o ímpio é cristão e adora o Deus verdadeiro.

Quando a alma desce destas alturas e volve ao pó da civilização, leva consigo uns pensamentos sublimes que do mais baixo remontam à sua nascença, pela mesma lei que faz subir ao nível primitivo a água derivada do topo da serra.

Nestas paragens não podia meu hóspede sofrer jejum de poesia. Recebi-o dignamente. Disse à natureza que pusesse a mesa, e enchesse as ânforas das cascatas de linfa mais deliciosa que o falerno do velho Horácio.

A Tijuca esmerou-se na hospitalidade. Ela sabia que o jovem escritor vinha do norte, onde a natureza tropical se espeneja em lagos de luz diáfana, e orvalhada de esplendores abandona-se lasciva como uma odalisca às carícias do poeta.

Então a natureza fluminense que também, quando quer, tem daquelas impudências celestes, fez-se casta e vendou-se com as alvas roupagens das nuvens. A chuva a borrifou de aljôfares; as névoas resvalavam pelas encostas como as fímbrias da branca túnica roçagante de uma virgem cristã.

Foi assim, a sorrir entre os nítidos véus, com um recato de donzela, que a Tijuca recebeu nosso poeta.

O *Senhor* Castro Alves lembrava-se, como o senhor e alguns poucos amigos, de uma antiguidade de minha vida; que eu outrora escrevera para o teatro. Avaliando sobre medida minha experiência neste ramo difícil da literatura, desejou ler-me um drama, primícia de seu talento.

Essa produção passou pelas provas públicas já em cena competente para julgá-la. A Bahia aplaudiu com júbilos de mãe a ascensão da nova estrela de seu firmamento. Depois de tão brilhante manifestação, duvidar de si, não é modéstia unicamente, é respeito à santidade de sua missão de poeta.

Gonzaga, é o título do drama que lemos em breves horas. O assunto, colhido na tentativa revolucionária de Minas, grande manancial de poesia histórica ainda tão pouco explorado, foi enriquecido pelo autor com episódios de vivo interesse.

O *Senhor* Castro Alves é um discípulo de Victor Hugo, na arquitetura do drama, como no colorido da ideia. O poema pertence à mesma escola do ideal; o estilo tem os mesmos toques brilhantes.

Imitar Victor Hugo só é dado às inteligências de primor. O Ticiano[12] da literatura possui uma paleta que em mão de colorista medíocre mal produz borrões. Os moldes ousados de sua frase são como os de

Benvenuto Cellini[13]; se o metal não for de superior afinação, em vez de estátuas saem pastichios (*sic*).

Não obstante, sob essa imitação de um modelo sublime, desponta no drama a inspiração original, que mais tarde há de formar a individualidade literária do autor. Palpita em sua obra o poderoso sentimento da nacionalidade[14], essa alma da pátria, que faz os grandes poetas, como os grandes cidadãos.

Não se admire de assimilar eu o cidadão e o poeta, duas entidades que no espírito de muitos andam inteiramente desencontradas. O cidadão é o poeta do direito e da justiça; o poeta é o cidadão do belo e da arte.

Há no drama *Gonzaga* exuberância de poesia. Mas deste defeito a culpa não foi do escritor; foi da idade. Que poeta aos vinte anos não tem essa prodigalidade soberba de sua imaginação, que se derrama sobre a natureza, e a inunda?

A mocidade é uma sublime impaciência. Diante dela a vida se dilata, e parece-lhe que não tem para vivê-la mais que um instante. Põe os lábios na taça da vida, cheia a transbordar de amor, de poesia, de glória, e quisera estancá-la de um sorvo.

A sobriedade vem com os anos; é virtude do talento viril. Mas, entrado na vida, o homem aprende a poupar sua alma. Um dia, quando o *Senh*or Castro Alves reler o *Gonzaga*, estou convencido que ele há de achar um drama esboçado, em cada personagem desse drama.

Olhos severos talvez enxerguem na obra pequenos senões.

Maria[15], achando em si forças para enganar o governador em um transe de suprema angústia, parecerá a alguns menos amante, menos mulher, do que devera. A ação dirigida uma ou outra vez pelo acidente material, antes do que pela revolução íntima do coração terá na opinião dos realistas, a naturalidade moderna.

Mas são esses defeitos da obra, ou do espírito em que ela se reflete? Muitas vezes já não surpreendeu seu pensamento a fazer a crítica de uma flor, de uma estrela, de uma aurora. Se o deixasse, creia que se ele lançaria a corrigir o trabalho do supremo artista. Não somos homens debalde: Deus nos deu uma alma, uma individualidade.

Depois da leitura do seu drama, o Senhor Castro Alves recitou-me algumas poesias. *A cascata de Paulo Afonso, as duas ilhas* e *a visão dos mortos*, não cedem às excelências da língua portuguesa neste gênero. Ouça-as o senhor que sabe o segredo desse metro natural, dessa rima suave e opulenta.

Nesta capital da civilização brasileira que o é também de nossa indiferença, pouco apreço tem o verdadeiro mérito, quando se apresenta modestamente. Contudo, deixar que passasse por aqui ignorado e desapercebido (*sic*) o jovem poeta baiano, fora mais que uma descortesia. Não lhe parece?

Já um poeta o saudou pela imprensa; porém não basta a saudação; é preciso abrir-lhe o teatro, o jornalismo, a sociedade, para que a flor desse talento cheio de seiva se expanda às auras da publicidade.

Para Virgílio do jovem Dante[16], nesse ínvio caminho da vida literária, lembrei-me do senhor. Nenhum tem os mesmos títulos. Para apresentar ao público fluminense o poeta baiano, é necessário não só ter foro de cidade na imprensa da corte, como haver nascido neste belo vale do Guanabara (*sic*), que ainda espera seu cantor.

Seu melhor título, porém, é outro. O *Senhor* foi o único de nossos modernos escritores, que se dedicou à cultura dessa difícil ciência que se chama a crítica. Uma porção do talento que recebeu da natureza, em vez de aproveitá-lo em criações próprias, não duvidou aplicá-lo a formar o gosto e desenvolver a literatura pátria.

Do *Senhor*, pois, do primeiro crítico brasileiro, confio a brilhante vocação literária que se revelou com tanto vigor.

J. de Alencar.

---

1 ∞ Para fins de transcrição foram selecionadas e analisadas cinco variantes impressas: a primeira versão, adotada na presente transcrição, publicada no *Correio Mercantil* de 22/02/1868; a segunda, no *Semanário Maranhense* de 22/03/1868; a terceira no

pastiche anônimo *Literatura Pantagruélica — Os Abestruzes no Ovo e no Espaço*, de 1868; a quarta, no prefácio de *Gonzaga*, de Castro Alves, de 1875; e a quinta, publicada por Afrânio Coutinho (1974). Entre as cinco variantes, há diferenças mais ou menos substanciais, como por exemplo, a supressão de trechos; a alteração lexical com a troca de vocábulos ou de letras; a alteração da sintaxe de ordem; a inserção de frases e palavras, bem como a alteração na pontuação. No presente trabalho, escolheu-se a primeira versão surgida na imprensa, por ter sido o evento que motivou a carta em resposta de Machado de Assis. (SE)

2 ∞ O poeta romântico Antônio Frederico de Castro Alves (1847-1871) escreveu *Gonzaga ou a Revolução de Minas* em 1866; o drama estreou no Teatro São José de Salvador em setembro do mesmo ano. No dia 08/02/1868, Castro Alves partiu da Bahia no vapor *Picardie* em direção ao Rio de Janeiro, apresentando-se em 17 de fevereiro a José de Alencar, na Chácara do Castelo, na Estrada Nova da Tijuca n.° 33, residência de verão do Dr. Tomás Cochrane, pai de Georgiana Augusta, mulher de Alencar. (SE)

3 ∞ O poeta era filho do Dr. Antônio José Alves e de D. Clélia Brasília da Silva Castro. (SE)

4 ∞ Joaquim Jerônimo Fernandes da Cunha (1827-1903), advogado, magistrado, deputado provincial, deputado geral e senador do Império, amigo do pai do poeta. (SE)

5 ∞ Marco Túlio Cícero (106 a.C.-43 a.c.), advogado, orador, político, filósofo e escritor romano. Cícero teve educação esmerada, conduzida pelo célebre jurista romano Múcio Cévola, a pedido de seu pai; viveu seis meses em Atenas estudando filosofia com Ático; viajou pelo mundo grego, onde ouviu os grandes filósofos e retóricos. Cícero ganhou a admiração de seus contemporâneos pela poderosa inteligência, pela capacidade de improvisação e, sobretudo, pelo poder de persuasão; os seus discursos passaram à história como obras-primas da eloquência. Já Quinto Horácio Flaco (65 a.C.-8 a.C.) é conhecido como um dos maiores poetas da Roma antiga; foi poeta lírico, satírico e filósofo. Pelo reconhecimento da brevidade da vida, sua lírica cantou o gosto de aproveitar o presente, cada instante antes da morte, sem grandes preocupações com o futuro: *Carpe diem quam minimum credula postero...* (SE)

6 ∞ Victor Hugo (1802-1885) e Alphonse de Lamartine (1790-1869) são duas das três grandes influências na poesia romântica brasileira do século XIX, a terceira é Alfred de Musset (1810-1857). (SE)

7 ∞ Em *Gonzaga ou a Revolução de Minas*, de Castro Alves (1875), em que esta carta é prefácio, há um asterisco remetendo ao rodapé com a seguinte observação: "Devia ter mencionado Salvador de Mendonça, Ferreira de Meneses e Zaluar.". Fica-se sem saber se esta é uma interferência de José de Alencar ou de mão terceira, por razões que no momento não cabe conjecturar. Vale o registro para possível observação e análise. (SE)

8 ~ Ao chamar Leonel de "ave de arribações", José de Alencar refere-se certamente ao fato de ser seu irmão diplomata e, por isso, quase não parar no Brasil, vivendo de pouso em pouso. Leonel Martiniano de Alencar (Rio de Janeiro, 1832-1921) formou-se na Faculdade de São Paulo; foi jurista, diplomata, poeta e romancista, e membro correspondente do Conservatório Dramático Brasileiro, eleito a 07/02/1858. Em setembro de 1885, recebeu o título de barão de Alencar. (SE)

9 ~ Nome de origem indígena que significa charco, brejal, pântano, lamaçal, originalmente dado à lagoa e, pouco a pouco, metonimizado às regiões em derredor. (SE)

10 ~ Pintor grego do século IV a.c., é considerado o mais importante da antiguidade clássica por autores como Plínio, Estrabão, Luciano, Ovídio e Petrônio. Como a totalidade de suas obras foi perdida, restaram apenas referências ou descrições delas. (SE)

11 ~ O pico da Tijuca, com 1021 m. de altitude, está situado nos limites dos 39 km² de área do Parque Nacional da Tijuca. Primitivamente, a área era coberta por mata tropical pluvial; mas degradou-se ao longo dos três primeiros séculos de colonização, com a retirada constante de madeira para o Rio de Janeiro, seja para a construção da cidade, seja para o fornecimento de lenha e carvão dos engenhos de cana-de-açúcar ou das olarias, seja para a lavoura cafeeira nascente quando da implantação de seu cultivo. Na ação de reflorestamento foram plantadas milhares de mudas trazidas das áreas vizinhas, como o Maciço da Pedra Branca e a região de Guaratiba. (SE)

12 ~ Tiziano Vecellio ou Vecelli (1490-1576), um dos principais representantes da escola veneziana do renascimento. (SE)

13 ~ Escultor, ourives e escritor italiano (1500-1571). (SE)

14 ~ José de Alencar muito cedo ocupou-se dessa questão: a percepção de um sentimento que permitisse desvincular a literatura produzida no Brasil dos padrões da literatura de língua portuguesa europeia; um sentimento nacional que levará posteriormente à consciência da expressão literária em língua portuguesa do Brasil. Alencar fala em sentimento de nacionalidade, passo natural e necessário que antecede ao reconhecimento e à consciência da nacionalidade. (SE)

15 ~ Alusão ao nome da musa de Tomás Antônio Gonzaga (1744-1810), Maria Doroteia Joaquina de Seixas (1767-1853), a Marília de Dirceu. (SE)

16 ~ Função exercida por Virgílio na *Divina Comédia*, na qual o poeta florentino Dante Alighieri (1265-1321) realiza uma longa jornada espiritual pelos três reinos do além-túmulo (Inferno, Purgatório e Paraíso), tendo como guia e mentor na travessia do Inferno e parte do Purgatório o poeta latino, autor da *Eneida*. (SE)

[75]

Para: JOSÉ DE ALENCAR
Fonte: Fundação Biblioteca Nacional. "Critica".
Correio Mercantil, 1868. Setor de Periódicos.
Microfilme do original impresso.

A Sua Excelência o *Senhor* conselheiro José de Alencar.

Rio de Janeiro, 29 de fevereiro de 1868.[1]

Ex*celentíssi*mo *Senhor.*

É boa e grande fortuna conhecer um poeta; melhor e maior fortuna é recebê-lo das mãos de V*ossa* Ex*celência,* com uma carta que vale um diploma, com uma recomendação que é uma sagração. A musa do *Senhor* Castro Alves não podia ter mais feliz introito na vida literária. Abre os olhos em pleno Capitólio. Os seus primeiros cantos obtêm o aplauso de um mestre.

Mas se isto me entusiasma, outra coisa há que me comove e confunde, é a extrema confiança de V*ossa* Ex*celência* nos meus préstimos literários, confiança que é ao mesmo tempo um motivo de orgulho para mim. De orgulho, repito, e tão inútil fora dissimular esta impressão, quão arrojado seria ver nas palavras de V*ossa* Ex*celência* mais do que uma animação generosa.

A tarefa da crítica precisa destes parabéns; é tão árdua de praticar, já pelos estudos que exige, já pelas lutas que impõe, que a palavra eloquente de um chefe é muitas vezes necessária para reavivar as forças exaustas e reerguer o ânimo abatido.

Confesso francamente que, encetando os meus ensaios de crítica, fui movido pela ideia de contribuir com alguma coisa para a reforma do gosto que se ia perdendo, e efetivamente se perdeu. Meus limitadíssimos esforços não podiam impedir o tremendo desastre. Como impedi-lo se, por influência irresistível, o mal vinha de fora, e se impunha ao espírito literário do país, ainda mal formado e quase sem consciência de si? Era difícil plantar as leis do gosto, onde se havia estabelecido uma sombra de literatura, sem alento nem ideal, falseada e frívola, mal imitada e mal copiada. Nem os esforços dos que, como Vossa Excelência, sabem exprimir sentimentos e ideias na língua que nos legaram os mestres clássicos, nem esses puderam opor um dique à torrente invasora. Se a sabedoria popular não mente, a universalidade da doença podia dar-nos alguma consolação; mas é bem triste a consolação quando não se antolha remédio ao mal.

Se a magnitude da tarefa era de assombrar espíritos mais robustos, outro risco havia, e a este já não era a inteligência que se expunha, era o caráter. Compreende Vossa Excelência que, onde a crítica não é instituição formada e assentada, a análise literária tem de lutar contra esse entranhado amor paternal que faz dos nossos filhos as mais belas crianças do mundo. Não raro se originam ódios onde era natural travarem-se afetos. Desfiguram-se os intentos da crítica; atribui-se à inveja o que vem da imparcialidade; chama-se antipatia o que é consciência. Fosse esse, porém, o único obstáculo, estou convencido que ele não pesaria no ânimo de quem põe acima do interesse pessoal o interesse perpétuo da sociedade, porque a boa fama das musas o é também.

Cansados de ouvir chamar bela à poesia, os novos atenienses resolveram bani-la da república. O elemento poético é hoje um tropeço ao sucesso de uma obra. Aposentaram a imaginação. As musas, que já estavam apeadas dos templos, foram também apeadas dos livros. A poesia dos sentidos veio sentar-se no santuário, e assim generalizou-se uma crise funesta às letras. Que enorme Alfeu não seria preciso desviar do seu curso para limpar este presepe de Áugias[2]?

Eu bem sei que no Brasil, como fora dele, severos espíritos protestam com o trabalho e a lição contra esse estado de coisas; mas tal é a feição geral da situação ao começar a tarde do século. Mas sempre há de triunfar a vida inteligente. Basta que se trabalhe sem trégua. Pela minha parte, estava e está acima das minhas posses semelhante papel, mas, entendia e entendo, — adotando a bela definição do poeta que Vossa Excelência dá em sua carta, — que há para o cidadão da arte e [do] belo deveres imprescritíveis, e que quando uma tendência do espírito o impele para certa ordem de atividade, é sua obrigação prestar esse serviço às letras. Em todo o caso não tive imitadores. Tive um antecessor ilustre, apto para este árduo mister, erudito e profundo, que teria prosseguido no caminho das suas estreias, se a imaginação possante e vivaz não lhe estivesse exigindo as criações que depois nos deu. Será preciso acrescentar que aludo a V*ossa* E*xcelência*?

Escolhendo-me para Virgílio do jovem Dante[3] que nos vem da pátria de Moema[4], impõe-me V*ossa* E*xcelência* um dever, cuja responsabilidade seria grande se a própria carta de V*ossa* E*xcelência* não houvesse aberto ao neófito as portas da mais vasta publicidade. A análise pode agora esmerilhar nos escritos do poeta belezas e descuidos. O principal trabalho está feito.

Procurei o poeta cujo nome havia sido ligado ao meu, e com a natural ansiedade que nos produz a notícia de um talento robusto, pedi-lhe que me lesse o seu drama e os seus versos.

Não tive, como V*ossa* E*xcelência*, a fortuna de os ouvir diante de um magnífico panorama. Não se rasgavam horizontes diante de mim: não tinha os pés nessa formosa Tijuca, que V*ossa* E*xcelência* chama um escabelo entre a nuvem e o pântano. Eu estava no pântano. Em torno de nós agitava-se a vida tumultuosa da cidade[5]. Não era o ruído das paixões nem dos interesses; os interesses e as paixões tinham passado a vara à loucura: estávamos no carnaval.

No meio desse tumulto abrimos um oásis de solidão.

Ouvi o G*onzaga* e algumas poesias.

V*ossa* E*xcelência* já sabe o que é o drama e o que são os versos, já apreciou consigo, já resumiu a sua opinião. Esta carta, destinada a ser lida pelo público, conterá as impressões que recebi com a leitura dos escritos do poeta.

Não podiam ser melhores as impressões. Achei uma vocação literária, cheia de vida e robustez, deixando antever nas magnificências do presente as promessas do futuro. Achei um poeta original. O mal da nossa poesia contemporânea é ser copista, – no dizer, nas ideias e nas imagens. – Copiá-las é anular-se. A musa do Senhor Castro Alves tem feição própria. Se se adivinha que a sua escola é a de Victor Hugo, não é porque o copie servilmente, mas porque uma índole irmã levou-a a preferir o poeta das *Orientais* ao poeta das *Meditações*[6]. Não lhe aprazem certamente as tintas brancas e desmaiadas da elegia; quer antes as cores vivas e os traços vigorosos da ode.

Como o poeta que tomou por mestre, o Senhor Castro Alves canta simultaneamente o que é grandioso e o que é delicado, mas com igual inspiração e método idêntico: a pompa das figuras, a sonoridade do vocábulo, uma forma esculpida com arte, sentindo-se por baixo desses louvores o estro, a espontaneidade, o ímpeto. Não é raro andarem separadas estas duas qualidades da poesia: a forma e o estro. Os verdadeiros poetas são os que as têm ambas. Vê-se que o Senhor Castro Alves as possui; veste as suas ideias com roupas finas e trabalhadas. O receio de cair em um defeito não o levará a cair no defeito contrário? Não me parece que lhe haja acontecido isso; mas indico-lhe o mal para que fuja dele. É possível que uma segunda leitura dos seus versos me indicasse alguns senões fáceis de remediar; confesso que os não percebi no meio de tantas belezas.

O drama, esse li-o atentamente, depois de ouvi-lo, li-o e reli-o, e não sei bem se era a necessidade de o apreciar, se o encanto da obra, que me demorava os olhos em cada página do volume.

O poeta explica o dramaturgo. Reaparecem no drama as qualidades do verso; as metáforas enchem o período; sente-se de quando em quando o arrojo da ode. Sófocles pede as asas a Píndaro[7]. Parece ao poeta que o tablado é pequeno; rompe o céu de lona e arroja-se ao espaço livre e azul.

Esta exuberância que Vossa Excelência, com justa razão atribui à idade, concordo que o poeta há de reprimi-la com os anos. Então conseguirá separar completamente a língua lírica da língua dramática; e do muito que devemos esperar temos prova e fiança no que nos dá hoje.

Estreando no teatro com um assunto histórico, e assunto de uma revolução infeliz, o Senhor Castro Alves consultou a índole do seu gênio poético. Precisava de figuras que o tempo houvesse consagrado; as da Inconfidência tinham além disso a auréola do martírio. Que melhor assunto para excitar a piedade? A tentativa abortada de uma revolução que tinha por fim consagrar a nossa independência merece do Brasil de hoje aquela veneração que as raças livres devem aos seus Espártacos[8]. O insucesso fê-los criminosos; a vitória tê-los-ia feito Washingtons. Condenou-os a justiça legal; reabilita-os a justiça histórica.

Condensar estas ideias em uma obra dramática, transportar para a cena a tragédia política dos Inconfidentes, tal foi o objeto do Senhor Castro Alves, e não se pode esquecer que, se o intuito era nobre, o cometimento era grave. O talento do poeta superou a dificuldade; com uma sagacidade, que eu admiro em tão verdes anos, tratou a história e a arte por modo que, nem aquela o pode acusar de infiel, nem esta de copista. Os que, como Vossa Excelência, conhecem esta aliança hão de avaliar esse primeiro merecimento do drama do Senhor Castro Alves.

A escolha de Gonzaga para protagonista foi certamente inspirada ao poeta pela circunstância dos seus legendários amores, de que é história aquela famosa *Marília de Dirceu*. Mas não creio que fosse só essa circunstância. Do processo resulta que o cantor de Marília era tido por chefe da conspiração em atenção aos seus talentos e letras. A prudência com que se houve desviou da sua cabeça a pena capital. Tiradentes, esse era o agitador; serviu à conjuração com uma atividade rara; era mais um conspirador do dia que da noite. A justiça o escolheu para a forca. Por tudo isso ficou o seu nome ligado ao da tentativa de Minas.

Os amores de Gonzaga traziam naturalmente ao teatro o elemento feminino, e de um lance, casavam-se em cena a tradição política e a tradição poética, o coração do homem e a alma do cidadão. A circunstância foi bem aproveitada pelo autor; o protagonista atravessa o drama sem desmentir a sua dupla qualidade de amante e de patriota; casa no mesmo ideal os seus dois sentimentos. Quando Maria lhe propõe a fuga, no terceiro ato, o poeta não hesita em repelir esse recurso, apesar de ser iminente a sua perda. Já então a revolução expira; para as ambições, se ele as houvesse, a esperança era nula; mas ainda era tempo de cumprir o dever. Gonzaga preferiu seguir a lição do velho Horácio corneilliano[9]; entre o coração e o dever a alternativa é dolorosa. Gonzaga satisfaz o dever e consola o coração. Nem a pátria nem a amante podem lançar-lhe nada em rosto.

O *Senhor* Castro Alves houve-se com a mesma arte em relação aos outros conjurados. Para avaliar um drama histórico não se pode deixar de recorrer à história; suprimir esta condição é expor-se à crítica, a não entender o poeta.

Quem vê o Tiradentes do drama não reconhece logo aquele conjurador impaciente e ativo, nobremente estouvado, que tudo arrisca e empreende, que confia mais que todos no sucesso da causa, e paga enfim as demasias do seu caráter com a morte na forca e a profanação do cadáver? E Cláudio, o doce poeta, não o vemos todo ali, galhofeiro e generoso, fazendo da conspiração uma festa e da liberdade uma dama, gamenho no perigo, caminhando para a morte com o riso nos lábios como aqueles emigrados do Terror? Não lhe rola já na cabeça a ideia do suicídio que praticou mais tarde, quando a expectativa do patíbulo lhe despertou a fibra de Catão, casando-se com a morte, já que se não podia casar com a liberdade? Não é aquele o denunciante Silvério, aquele o Alvarenga, aquele o padre Carlos? Em tudo isso é de louvar a consciência literária do autor. A história nas suas mãos não foi um pretexto; não quis profanar as figuras do passado, dando-lhes feições caprichosas. Apenas empregou aquela exageração artística, necessária ao teatro, onde os caracteres precisam de relevo, onde é mister concentrar em pequeno espaço todos os traços de uma individualidade, todos os caracteres de uma época ou de um acontecimento.

Concordo que a ação parece às vezes desenvolver-se pelo acidente material. Mas esses raríssimos casos são compensados pela influência do princípio contrário em toda a peça.

O vigor dos caracteres pedia o vigor da ação; ela é vigorosa e interessante em todo o livro; patética no último ato. Os derradeiros adeuses de Gonzaga e Maria excitam naturalmente a piedade, e uns belos versos fecham este drama que pode conter as incertezas de um talento juvenil, mas que é com certeza uma invejável estreia.

Nesta rápida exposição das minhas impressões, vê V*ossa Excelência* que alguma coisa me escapou. Eu não podia, por exemplo, deixar de mencionar aqui a figura do preto Luís. Em uma conspiração para a liberdade, era justo aventar a ideia da abolição. Luís representa o elemento escravo Contudo o *Senhor* Castro Alves não lhe deu exclusivamente a paixão da liberdade. Achou mais dramático pôr naquele coração os desesperos do amor paterno. Quis tornar mais odiosa a situação do escravo pela luta entre a natureza e o fato social, entre a lei e o coração. Luís espera da revolução, antes da liberdade, a restituição da filha; é a primeira afirmação da personalidade humana; o cidadão virá depois. Por isso, quando no terceiro ato, Luís encontra a filha já cadáver, e prorrompe em exclamações e soluços, o coração chora com ele, e a memória, se a memória pode dominar tais comoções, nos traz aos olhos a bela cena do rei Lear, carregando nos braços Cordélia morta[10]. Quem os compara não vê nem o rei nem o escravo; vê o homem.

Cumpre mencionar outras situações igualmente belas. Entra nesse número a cena da prisão dos conjurados no terceiro ato. As cenas entre Maria e o governador também são dignas de menção, posto que prevalece no espírito o reparo a que V*ossa Excelência* aludiu na sua carta. O coração exigiria menos valor e astúcia da parte de Maria; mas, não é verdade que o amor vence as repugnâncias para vencer os obstáculos? Em todo o caso uma ligeira sombra não empana o fulgor da figura.

As cenas amorosas são escritas com paixão: as palavras saem naturalmente de uma alma para outra, prorrompem de um para outro coração. E que contraste melancólico não é aquele idílio às portas do desterro, quando já a justiça está prestes a vir separar os dois amantes?!

Dir-se-á que eu só recomendo belezas e não encontro senões? Já apontei os que me pareceram ver. Acho mais — duas ou três imagens que me não parecem felizes; e uma ou outra locução suscetível de emenda.

Mas que é isto no meio das louçanias da forma? Que as demasias do estilo, a exuberância das metáforas, o excesso das figuras devem obter a atenção do autor, é coisa tão segura que eu me limito a mencioná-lo; mas como não aceitar agradecido esta prodigalidade de hoje, que pode ser a sábia economia de amanhã?

Resta-me dizer que, pintando nos seus personagens a exaltação patriótica, o poeta não foi só fiel à lição do fato, misturou talvez com essa exaltação um pouco do seu próprio sentir. É a homenagem do poeta ao cidadão. Mas, consorciando os sentimentos pessoais aos dos seus personagens, é inútil distinguir o caráter diverso dos tempos e das situações. Os sucessos que em 1822 nos deram uma pátria e uma dinastia apagaram antipatias históricas que a arte deve reproduzir quando evoca o passado.

Tais foram as impressões que me deixou este drama viril, estudado e meditado, escrito com calor e com alma. A mão é inexperiente, mas a sagacidade do autor supre a inexperiência. Estudou e estuda; é um penhor que dá. Quando voltar aos arquivos históricos ou revolver as paixões contemporâneas, estou certo que o fará com a mão na consciência. Está moço; tem um belo futuro diante de si. Venha desde já alistar-se nas fileiras dos que devem trabalhar para restaurar o império das musas.

O fim é nobre, a necessidade evidente. Mas o sucesso coroará a obra? É um ponto de interrogação que há de ter surgido no espírito de *Vossa Excelência*. Contra estes intuitos, tão santos quanto indispensáveis, eu sei que há um obstáculo, e *Vossa Excelência*, o sabe também: é a conspiração da indiferença. Mas a perseverança não pode vencê-la? Devemos esperar que sim.

Quanto a *Vossa Excelência*, respirando nos degraus da nossa Tijuca o hausto puro e vivificante da natureza, vai meditando, sem dúvida, em outras obras-primas com que nos há de vir surpreender cá embaixo. Deve fazê-lo sem temor. Contra a conspiração da indiferença, tem *Vossa Excelência*, um aliado invencível: é a conspiração da posteridade.

Machado de Assis.

1 ༽ Carta aberta publicada no *Correio Mercantil*, em 01/03/1868. Para fins de transcrição foram selecionadas e analisadas quatro variantes impressas: a do *Correio Mercantil*; a do prefácio do drama de Castro Alves, em *Gonzaga ou a Revolução de Minas* (1875); a do pastiche anônimo *Literatura Pantagruélica* (1868) e a publicada por Afrânio Coutinho (1974). Tal como em [74], transcreveu-se a primeira versão surgida na imprensa, porque esta reflete a resposta imediata de Machado de Assis, com o menor número de alterações, sejam voluntárias e advindas de decisões posteriores, sejam acidentais ou resultantes dos equívocos que soem numa republicação. Sobre o *Correio Mercantil*, ver em [59], carta de 25/11/1866. (SE)

2 ༽ Áugias, rei da Élida, no Peloponeso, herdou um rebanho com cerca de três mil bois, mas os estábulos onde os alojava jamais foram limpos, razão pela qual as instalações e os arredores acumulavam uma quantidade imensa de esterco. A limpeza do lugar foi a tarefa que o rei Euristeu, de Micenas, confiou a Hércules, sob a condição de ser efetuada num único dia. Apesar do desagrado, Hércules, que assumira realizar os doze trabalhos, seguiu para a Élida. Ao chegar, acertou com o rei e seu filho Fileu receber pelo serviço a décima parte do rebanho. O rei aceitou sem restrições, pois não acreditou que a tarefa seria feita no prazo. Hércules, contudo, tinha um plano. Perto dos estábulos passava o rio Alfeu, com volume e força suficientes para realizar as intenções do herói, bastando abrir uma larga fenda por onde o rio fluísse. Foi o que fez. A correnteza atravessou os estábulos arrastando todos os dejetos, retornando ao seu leito e dali em direção ao mar. Hércules fechou a passagem, as águas secaram e tudo ficou limpo rapidamente. Ao final, o rei Áugias recusou-se a pagar alegando que o herói servira a Euristeu, não a ele. Fileu testemunhou a favor do herói diante dos juízes; mas o rei os expulsou do seu reino. Ao fim dos doze trabalhos, Hércules retornou à Élida para destronar o rei em favor de Fileu. (SE)

3 ༽ Ver em [74], carta de 18/02/1868. (SE)

4 ༽ Personagem do poema *Caramuru* do agostiniano frei José Santa Rita Durão (1722-1784), escrito em 1781, cujo modelo foram os *Lusíadas* de Camões. O poema é a primeira obra a tomar como motivo uma narrativa local, a falar do índio brasileiro e a descrever os seus costumes. Composto fielmente segundo o modelo camoniano, tem como argumento a lenda do aventureiro português Diogo Álvares Correia, que naufragou na costa da Bahia, e recolhido pelos índios, fascinou-os com a sua espingarda, alcançando grande autoridade entre eles. Uniu-se à índia Paraguaçu, levando-a à Europa para ser batizada. (SE)

5 ༽ Wilson Martins (1977) nomeia o pequeno grupo de ouvintes presentes à leitura do *Gonzaga*, feita por Castro Alves, no *Diário do Rio de Janeiro*: Machado de Assis,

Quintino Bocaiúva*, Francisco Otaviano*, Pinheiro Guimarães, Salvador de Mendonça*, Joaquim Serra*, Henrique César Muzzio* e Ferreira de Meneses*. (SE)

6 ～ Neste trecho, em que fala das *Orientais* e das *Meditações*, a primeira referência é a Victor Hugo (1829), e a segunda é a Alphonse de Lamartine (1820 e 1823). Machado reconhece em Castro Alves a influência do hugoanismo, que foi decisiva na vertente libertária da poesia romântica brasileira, sobretudo depois dos quatro livros produzidos por Victor Hugo entre 1852-1859: *Napoléon Le Petit, Les Châtiments, Les Contemplations* e o primeiro volume da *Légende des Siècles*. (SE)

7 ～ Sófocles (496 a.C.-406 a. C) foi um dos grandes dramaturgos gregos, ao lado de Eurípedes e Esquilo; escreveu, entre outras, *Édipo Rei, Antígona, Filoctetes* e *Édipo em Colona*. Píndaro (518 a.C.-438 a.C.) foi poeta também grego de grande expressão e popularidade, autor de *Epinícios* ou *Odes Triunfais*. (SE)

8 ～ Espártaco (120 a.C.-70 a.C.), gladiador de origem trácia, foi líder da mais célebre revolta de escravos na Roma antiga. (SE)

9 ～ Alusão ao episódio da história romana, narrado por Tito Lívio, no qual Roma e Alba, em guerra, decidem confiar o seu destino a campeões escolhidos por cada cidade. Alba escolhe os três Curiácios, e Roma os três irmãos Horácios. Dois dos Horácios são mortos. O terceiro, simulando fugir, mata separadamente os três Curiácios. De volta, o vencedor encontra a sua irmã Camila chorando por um dos Curiácios mortos, seu noivo. Enfurecido, Horácio a mata. É absolvido pelo povo, porém o velho Horácio o condena a passar sob o jugo. O episódio serviu de base à tragédia de Corneille, *Horace*. Na peça, o velho Horácio crê a princípio que seu filho havia fugido diante dos inimigos, e o amaldiçoa. A tragédia é uma das ilustrações mais vigorosas do tema corneilliano por excelência, o conflito entre as inclinações e o dever. (SPR)

10 ～ Referência ao final da cena III, do quinto ato, de *Rei Lear* de Shakespeare, em que o velho monarca desesperado pede que lhe tragam um espelho para colocá-lo junto à boca de sua filha Cordélia na esperança de que, embaçando, ela ainda estivesse viva. (SE)

[76]

De: FAUSTINO XAVIER DE NOVAIS
Fonte: Fundação Biblioteca Nacional.
Jornal do Comércio, 1868. Setor de Periódicos.
Microfilme do original impresso.

Rio de Janeiro, [12 de] abril de 1868.[1]

Meu amigo,

Entro tímido e receoso neste perigosíssimo campo! Assusta-me o burburinho imenso que soa ao longe nos arraiais da crítica; e eu, pouco habituado a tais refregas, mais monge que soldado, confesso que me falece o ânimo de que precisava para sair afoitamente do esconderijo em que vivo, estranho às pelejas em que tantos se arriscam. Saio, finalmente, mas Deus sabe que temores me assaltam.

Tu que, no remanso da paz, descansavas à sombra dos louros que ceifaste, por esforço próprio, sem auxílio estranho, foste obrigado a empunhar armas. Chamou-te o general em chefe[2], restava-te obedecer, ainda que mesmo que te não agradasse o terreno em que havias de caminhar.

Foi-te dado, por distinção, um posto superior, e essa homenagem ao mérito ofendeu a antiguidade dos cabos de esquadra que não querem ver-te tão alto, ainda sem jus ao hábito de São Bento de Avis, sem, ao menos, um diploma de bacharel!

Não podias, pois, escapar do tiroteio. Os projéteis andavam rasteiros e tu, novo Aquiles, foste ferido num calcanhar! Não faças caso.

Deves supor que aludo às seguintes linhas que li, há dias, num jornal desta Corte:

"Se aquele que não tem conhecimento das línguas para estudar e analisar os clássicos; que tem apenas habilidade de ler e escrever folhetins, mereceu foros de cidade no jornalismo, não tenho medo de errar, etc."[3]

É clara a alusão e não me surpreendeu.

É opinião do signatário do folhetim, que não é obrigado a seguir em tudo os pensamentos alheios.

No mesmo caso estou eu, e é por isso que enviando-te um exemplar do *Riachuelo*, vou prevenir-te sobre o valor do mimo, segundo o meu voto, que submeto à tua apreciação.

Eu creio que escrever um poema épico é a mais difícil empresa a que pode abalançar-se um poeta.

Não citarei poemas estranhos, visto que não tens *conhecimento das línguas para estudar e analisar os clássicos*; mas como ninguém te nega *a habilidade de ler*, devo supor que tudo o que lês é escrito na língua materna, e por isso te falarei de poemas que deves conhecer.

Sabes que existem muitos, e que são bem poucos os que têm podido salvar-se à indiferença pública, sejam épicos ou de outro gênero.

Camões atraiu para o seu a glória que, bem repartida, sobejaria para imortalizar outros muitos; fala-se – bem pouco – da *Ulisseia* de Gabriel Pereira de Castro[4]; do *Ulissipo* de Antônio de Sousa Macedo[5]; do *Caramuru* de Frei José de Santa Rita Durão[6] e de poucos mais.

O *Afonso*, de Francisco Botelho[7], o *Viriato Trágico* de Brás Garcia de Mascarenhas[8], o *Condestabre*, de Francisco Rodrigues Lobo[9], o *Afonso Africano* de Vasco Mousinho de Quevedo[10], a *Espanha Libertada* de D. Bernarda Ferreira de Lacerda[11] e outros, debatem-se, quase asfixiados, nas águas do Letes, sujeitos à imersão completa, apesar do prestígio adquirido por alguns dos autores, com trabalhos de outro gênero.

Hoje que a poesia, despida das pesadas galas de outrora, é toda vaporosa e ligeira, não deve passar desapercebido (*sic*) o poeta que, afrontando as dificuldades inerentes à epopeia, apresenta um trabalho dessa ordem, que se pode ler, que agrada, que entusiasma, algumas vezes, e que também outras vezes comove.

Neste caso eu penso que está o RIACHUELO. Tem defeitos, e muitos; mas são em maior número as belezas, e o poema, no fim de tudo, merecia aceitação mais lisonjeira para o laborioso poeta, que se deu a um trabalho árido e fatigante para coligir dados, sem os quais de pouco lhe valeria, para o efeito, a imaginação que a natureza lhe dera.

Dói-me deveras, meu amigo, a frieza com que a sociedade recebe estas revelações do talento e da aplicação!

E dói-me ainda mais, quando o assunto do poema é um dos mais gloriosos feitos da atual guerra do Brasil com o Paraguai, e o livro apareceu no momento que o Império festejava os seus triunfos, precursores de uma completa vitória[12].

Que importa que eu seja estrangeiro? Não tenho eu pátria também; não abrigo no coração esse sentimento inato que se chama patriotismo? Daqui resulta que o poema, que eu aprecio unicamente pelo lado literário, deve ter para ti duplo valor. Ali acharás perpetuados os feitos de muitos teus patrícios, talvez amigos, cujos nomes têm sido apenas registrados nas colunas dos jornais, tendo por consequência uma duração efêmera, se não tiverem o vigor necessário para se gravarem na memória do povo.

A primeira oitava convida à leitura do resto. Há certa imponência nestes vigorosos versos:

> *Glória aos valentes da brasília armada!*
> *E tu, gigante pátria minha, exulta!*
> *Tremenda afronta foi por nós vingada,*
> *Lavando-a o sangue da nação estulta!*
> *Vês? — Inda desce e rola ensanguentada*
> *Do rio a onda, em cuja riba inculta*
> *Da pugna horrível os destroços restam*
> *Que ao mundo em pasmo nossa glória atestam!*

No segundo canto há uma ideia verdadeiramente poética, e que me parece desenvolvida com gosto e critério.

> *Cena medonha, vai passar-se agora,*
> *Tétrica cena, lamentosa e triste!*
> *Nem um raio de sol os céus colora,*

Nem branca nuvem lá nos céus existe!
Jaz muda a natureza e se apavora
Do quadro horrível, cujo horror consiste
Descer das nuvens, e pausada e lenta
Outra nuvem mais negra, outra sanguenta.

E paira a nuvem negra, e se embalança
Por sobre os vasos da brasília armada
Desce depois, e sempre, até que alcança
Sobre as vagas pousar. Então, delgada,
Rasga-se a nuvem, e nos ares lança
A doce e pura essência perfumada
Que por vezes do céu baixar costuma
Nas asas brancas da gelada bruma.

E surge aos ares uma imagem santa
De virgem meiga, mas chorosa e langue;
C'o a destra leve o níveo véu levanta
E os olhos mostra a gotejarem sangue.
Tristeza pálida e cruel quebranta
As róseas flores do semblante exangue,
E aqui e ali, na túnica alvacenta
Divisa-se uma nódoa macilenta.

Afasta as dobras que do ebúrneo seio
Recata aos olhos a pureza amena;
Nem mago encanto, nem já doce enleio;
Só dor amarga, só tristeza e pena
Inspira o colo de feridas cheio.
Mas fala a virgem, e na voz condena
Quem lhe murchara de donzela as flores,
Quem lhe rasgara aquele céu de amores:

Era a imagem da pátria contando a seus filhos as mágoas que a pungiam, e incitando-os a que livrassem de outras maiores.

Segue-se feita pela virgem, a narração das afrontas que sofrera no começo da luta com o Paraguai. Não quero transcrever o poema; não posso, todavia, deixar de apontar-te uma belíssima oitava, continuação do episódio citado.

> *Inda pálido o sol a luz esconde,*
> *Testemunha da cena ensanguentada;*
> *Inda o eco das florestas vos responde,*
> *Das vítimas a voz entrecortada,*
> *Que inda geme e soluça, ao longe, aonde*
> *Existe a terra pátria abençoada!*
> *E luto vestem só, perdido o encanto,*
> *O sol, a pátria, a natureza em pranto!*

Há defeitos nesses versos; há mesmo erros muito repreensíveis, mas que não deixam de encontrar-se na citada *Ulisseia*, do douto jurisconsulto Gabriel Pereira de Castro, e em outros poemas, onde passavam como liberdades poéticas, porque os nomes dos autores os defendiam da justa classificação de incorreções gramaticais.

Entretanto, esse começo do segundo canto constitui uma linda ficção, digna de qualquer dos bons poemas da nossa língua, e seria injustiça exigir mais do poeta que se estreia em gênero tão difícil.

É igualmente notável o episódio de Marcílio Dias, em luta, braço a braço, com quatro valentes inimigos[13]. Apontar-te-ei a última oitava dessa narração, e será também a derradeira das citações do poema:

> *Esvaído depois, pérfido o alento,*
> *O herói guerreiro enfraqueceu na luta...*
> *Ao contrário valeu o atroz momento,*
> *A cólera, o furor somente escuta,*

*E o golpe descarrega violento
Sobre o marujo, que na barba hirsuta
Procura, do inimigo, apoio ainda;
Mas foge a mão, vacila, e a luta finda.*

Basta. Isto não é uma crítica. É simplesmente uma carta a um amigo. Lê o *Riachuelo*, analisa-o e não o poupes, na certeza de que os teus conselhos serão úteis ao autor.

Luís José Pereira Silva é modesto, como todo homem de verdadeiro talento. É mais que modesto, é tímido, não se apresenta. Apresentemo-lo nós. A minha missão termina aqui. Pertence-te mostrá-lo ao público, tal qual é, e para isso não precisa ele de recomendação do

Teu amigo F. X. de Novais.

Rio de Janeiro, abril de 1868.

---

1 ∾ Carta aberta, em "Publicações a pedido", com o título: RIACHUELO / *Poema épico em cinco cantos, por Luís José Pereira Silva* / (A Machado de Assis). Pereira da Silva (1837-1908) já era autor de *Os Desterrados* (1854, novelas) e do romance *Cenas do Interior*, que Machado comentara detidamente no *Diário do Rio de Janeiro* em 24/06/1865. O volume *Riachuelo* (Tipografia do Imperial Instituto Artístico, 1868) foi posto à venda por 3$000 em maio do mesmo ano. Observe-se que o nome do autor é sistematicamente referido como Luís José Pereira da Silva, embora Faustino o apresentasse como Pereira Silva desde os tempos do seu jornal *O Futuro*. Sobre este periódico, ver em [6], carta de 27/12/1863. (IM)

2 ∾ Referência à carta aberta de José de Alencar dirigida a Machado de Assis, no *Correio Mercantil* (ver em [74], carta de 18/02/1868), onde se lê: "O senhor foi o único dos nossos modernos escritores, que se dedicou sinceramente à cultura dessa difícil ciência que se chama crítica. Uma porção de talento que recebeu da natureza, em vez de aproveitá-lo em criações próprias, teve a abnegação de aplicá-lo a formar o gosto e desenvolver a literatura pátria." (IM)

3 ∾ A publicação anônima e bastante agressiva, intitulada *Literatura Pantagruélica. Os Abestruzes no Ovo e no Espaço (Uma Ninhada de Poetas)* (Rio de Janeiro, Tipografia Progresso, 1868), folheto com 32 páginas, tem seis textos, sendo o primeiro uma paródia desta carta aberta de Faustino:

"Entro tímido e receoso no perigosíssimo campo da nova literatura. Assusta-me o burburinho imenso que soa ao longe nos arraiais do senso comum; apesar disto saio, mas Deus sabe que cócegas me assaltam. Eu sei que, obrigado como o *Cantor de Corina*, a empunhar as armas por quatro glórias esplêndidas que admiram duas estrelas coruscantes fosforescendo na amplidão do espaço, ofendo a Antiguidade dos anspeçadas, que não querem ver-me tão alto, ainda sem jus ao hábito que não faz o monge, sem ao menos uma carta de licenciado em línguas. Eu não posso, pois, escapar do bombardeio. As setas não andam rasteiras, e eu, Botocudo do progresso, temo ser ferido na pontinha do nariz! Não faço troça, torço a venta."

Tal introdução é assinada "Bernardo Senior", em maldosa alusão a Faustino Xavier de Novais, que usara o pseudônimo de "Bernardo Junior" em suas "Cartas de um Roceiro" (folhetins no *Correio Mercantil*, de 01/11/1863 a 12/06/1864), reunidas no livro com o mesmo título, em 1867. A *Literatura Pantagruélica* prossegue, transcrevendo as cartas abertas de Alencar e Machado (tais como se apresentam em [74] e [75]), referentes ao jovem Castro Alves. Depois faz longas paródias das mesmas, criando uma correspondência fictícia de Alencar, assinada por "F. G. de Freitas" (também conhecido como *mal das vinhas*), cuja saúde mental deixava a desejar; e, quanto à resposta de Machado, uma carta assinada por "Nunes Garcia", outro tido como doido, que era filho do grande compositor Padre José Maurício. *Os Abestruzes* têm por fecho "Última palavra de Rocambole", onde o autor dá uma falsa pista sobre a própria identidade, passando por José Agostinho de Macedo (1761-1831), padre e escritor panfletário português que usava o pseudônimo de "Elmiro Tagideu". Este pretendera superar Camões em *O Gama* (1811) e atacou Bocage, sendo considerado, pelo crítico luso Antonio Sergio, como um "polemista brutal". Esta malícia do autor fez com que no verbete *Literatura Pantagruélica*, da *Enciclopédia de Literatura Brasileira* (2001), fosse atribuída ao brasileiro Joaquim Manuel de Macedo a sua autoria. Já o ataque referido por Faustino, aparece na mesma publicação anônima, e, entre muitas caçoadas, diz:

> "Se aquele que não tem conhecimento das línguas para a analisar os clássicos; que tem apenas habilidade de escrever folhetins, mereceu foros de cidade no jornalismo e título pomposo de primeiro crítico [*sic*] brasileiro, não tenho medo de errar conferindo-te até *foros de império* a ti que és mais versado naqueles rendimentos de literatura."

Massa (1971) atribuiu aos venenosos *Abestruzes no Ovo* o ataque a Machado, fazendo tal publicação preceder à carta aberta de Faustino. Mas, como explicar uma paródia impressa antes de vir à luz o texto original? Nessa ocasião, Faustino, amigo de Machado desde 1858, com as faculdades mentais inexoravelmente abaladas, *talvez* estivesse envolvido com a tal crítica "num jornal desta Corte". (IM)

4 ∞ *Ulisseia, ou Lisboa Edificada*, poema moldado sobre a estrutura de *Os Lusíadas*, de Gabriel Pereira de Castro (1571-1632), jurisconsulto e poeta, a quem o dramaturgo e poeta espanhol Lope de Vega (1562-1635) dedicou um soneto. Pereira de Castro se tornou famoso na Espanha e em Roma. (IM)

5 ∞ *Ulissipo*, de Francisco Botelho de Morais e Vasconcelos (1670-1734). O poema épico tem como argumento a fundação de Lisboa e é considerado superior à *Ulisseia*, referida na nota anterior. (IM)

6 ∞ O poema épico *Caramuru*, do frei José Santa Rita de Durão (1722-1784), brasileiro que morreu em Portugal e é considerado um dos precursores do indigenismo no Brasil. (IM)

7 ∞ *El Afonso* (1711), de Francisco Botelho de Morais e Vasconcelos (1670-1747). (IM)

8 ∞ *Viriato Trágico* (1699), impressão póstuma (Coimbra), poema de Brás Garcia de Mascarenhas (1595-1656), nobre de vida aventurosa, mesmo assim condecorado com o hábito de Avis. (IM)

9 ∞ *O Condestabre de Portugal D. Nuno Álvares Pereira* (1610), poema épico de 20 cantos em oitavas, de Francisco Rodrigues Lobo (c. 1580-1621). (IM)

10 ∞ *Afonso o Africano* (1611), poema heroico da presa de Arzila e Tangor, de Vasco Mousinho de Quevedo, um jurisconsulto de fino estilo, porém muito criticado porque aderiu ao domínio espanhol sobre Portugal. (IM)

11 ∞ Dona Bernarda Ferreira de Lacerda (1595-1644) é a autora de *Espanha Libertada* (1618). Filha de um chanceler-mor português, teria sido evocada como "a décima musa", pelo espanhol Lope de Vega. (IM)

12 ∞ A famosa batalha do Riachuelo (11/06/1865), no rio Paraná, feito que sob o comando do Almirante Barroso, futuro barão do Amazonas (Francisco Manuel Barroso da Silva, 1804-1882), garantiu a hegemonia brasileira nas comunicações fluviais com o Paraguai, na guerra contra esse país. (IM)

13 ∞ Marcílio Dias (1838-1865), marinheiro, herói da batalha do Riachuelo. (IM)

[77]

> Para: FAUSTINO XAVIER DE NOVAIS
> *Fonte:* Fundação Biblioteca Nacional. *Diário do Rio de Janeiro*, 1868. Setor de Periódicos. Microfilme do original impresso.

Rio de Janeiro, 21 de abril de 1868.[1]

Meu amigo.

Quer a cortesia que eu acuda ao teu convite de 12 deste mês. Mas posso fazê-lo sem mostrar-me pretensioso? Confesso que hesitei durante algum tempo.

É a situação igual àquela em que me vi, não há muito, quando o ilustre autor do *Iracema* teve a generosidade e a benevolência de apresentar-me um poeta e um livro[2]. Agradeci a confiança; mas tratei de defini-la. Apesar dos termos em que me era manifestada, tão acima do que eu podia ambicionar, apenas vi nela uma animação aos meus esforços, um benévolo parabém, um honroso aperto de mão. Já era aceitar muito quem vale tão pouco; mas a natureza pôs em todos nós uma parcela de vaidade. Podemos disfarçá-la; não suprimi-la.

Agora vens tu, com a mesma confiança, pedir-me a apreciação de um livro e de um poeta. As circunstâncias são mais graves. Ao primeiro convite respondi como pude; mas como responder a este que, precisamente pelo fato de suceder ao outro, parece dar por assentada uma posição que seria gloriosa se fosse legítima?

Adverte, meu amigo, que eu hesito assim pela consideração de que há em frente de nós um público de leitores, não por mim que sei extremar a benevolência da justiça, a ilusão da realidade.

Não quero aos olhos do público parecer que aceito um papel de juiz, eu que, no foro literário, mal posso alinhavar razões. Não levanto com isto um castelinho de palavras; exprimo a minha profunda convicção. Sinto-me débil e incompetente para a magistratura literária. E não me custa dizê-lo; não me custa recusar cortesmente um título que o meu coração pode agradecer sem que o sancione a minha consciência. Consciência? Se o sancionasse já não seria consciência; seria vaidade pueril. A minha não vai até lá.

Animações merecê-las-ia talvez; nada mais. Creio que as merece quem fez algumas tentativas num gênero de literatura tão difícil, sem presunção de possuir todos os elementos necessários para ela, mas com a firme resolução de os procurar correndo o tempo e mediante o estudo.

Sabes, meu amigo, com que intenções fiz essas tentativas. Eram desambiciosas e sinceras. Não pretendia galgar nenhum posto eminente; tão pouco pretendia defender interesses que não fossem comuns aos homens de letras. Expunha objeções, tecia louvores, conforme me iam impressionando os livros. A dissimulação não foi a musa desses escritos; preferi a franqueza. Alheio ao fetichismo e aos rancores literários, nem aplaudi por culto, nem censurei por ódio. A esperança de ganhar afetos ou o receio de criar ressentimentos, não me serviram de incentivo ou obstáculo. E é certo que mais de uma vez, comparando a minha obscuridade com a reputação dos que eu então apreciava, perguntei a mim mesmo, se na opinião geral, o louvor não parecia adulação e a censura inveja. Felizmente eu dava as razões do meu parecer; podia ser julgado por elas.

Insisto neste ponto porque era sem dúvida o merecimento daqueles escritos. Outros não tinham decerto, ou se os tinham eram em grau limitadíssimo.

Bem vês que em tais condições, cumprindo uma tarefa voluntária, talvez despercebida do público, tinha eu as mãos francas para abrir um livro, lê-lo, analisá-lo. Não havia nisto nenhum caráter solene; ninguém me atribuía a intenção de ser aferidor de méritos, mas só, mas unicamente, um espectador da plateia literária, usando do duplo direito de aplaudir e de reprovar.

Está esse duplo direito ao alcance de qualquer; é igual ao do cidadão no estado político. O cidadão tem o direito de aplaudir ou de censurar um ato público. Não influirá, nem decidirá; mas expõe a sua opinião. Não tem outra raiz o meu direito.

Foi sem dúvida por ver a boa vontade com que meti ombros à tarefa, a independência e a cortesia com que a desempenhei, o zelo com que procurava analisar escritos geralmente lidos, raras vezes comentados; foi sem dúvida por tudo isto que o autor do *Guarani* me honrou com uma carta que o arquivo literário nacional não pode perder porque é um primor de estilo.

Quiseste fazer o mesmo. Já me tardava que se manifestasse o teu coração tão nobre e cheio de entusiasmo. Mas desta vez (só desta vez) preferia que não tivesses coração. Verias então friamente que, se me não assombram as responsabilidades, acanham-me as eminências; e que o segundo exemplo de um convite público faz crer realizada uma posição de que estou e me sinto longe.

Era preciso dizer tudo isto antes de escrever em poucas linhas a minha opinião acerca do livro do *Senhor* L. J. Pereira Silva.

Conhecia já alguns versos do autor, e confesso que não tinha a respeito do seu talento poético a mesma opinião que tenho hoje. É natural. Às vezes acontece o contrário; passa-se de uma opinião absoluta a uma opinião restrita. Só o talento feito dá lugar ao juízo definitivo. Com outros modifica-se muita vez a opinião à medida que se vão conhecendo os elementos e as provas.

O poema *Riachuelo* aumentou a minha confiança no talento do *Senhor* Pereira Silva. É evidentemente um progresso, que eu aplaudo de todo o coração.

A grandeza do assunto fascinou o poeta. Aquela magnífica batalha que iniciou a longa série das nossas vitórias no Sul, pareceu-lhe que exigia as proporções de um poema. A ode estaria mais com a feição do seu talento; o poema pedia-lhe esforço. Mas a dificuldade, longe de o abater, deu-lhe ânimo e resolução; o poeta travou da lira épica, e escreveu um livro.

Aceitemo-lo como um fruto de inspiração e vontade, posto reconheçamos no poeta uma vocação essencialmente lírica. Se o plano apresenta imperfeições, derramam-se pelo livro belezas dignas de nota. A estrofe em geral é vigorosa e corrente; a descrição da batalha está feita com animação e colorido; os episódios estão variados de maneira que sustentam com o calor da inspiração o interesse da narrativa. Os pedaços que citaste são na verdade uma boa amostra de poesia e talento; o livro contém outros muitos que eu poderia mencionar aqui se não receasse alongar a carta.

Creio que o poeta leu e releu Camões, a fim de aprender com ele: e fez bem, porque o mestre é de primeira ordem. A oitava rima que adotou do mestre querem alguns espíritos severos que seja uma forma monótona; eu penso que fez bem em empregá-la, tanto mais que o poeta a sabe esculpir com opulência e harmonia.

Não quer isto dizer que todos os versos estejam isentos de mácula. Há alguns frouxos, outros duros, outros prosaicos; a rima que em geral é rica e feliz, uma ou outra vez me pareceu forçada e descaída; mas lembremo-nos que o poema tem cinco cantos. Em troca de alguns maus versos há muitíssimos bons.

Parece-me que o poeta consultaria melhor os interesses da inspiração dando menos lugar a algumas descrições minuciosas. A fidelidade com que nos conta todos os incidentes da batalha é, às vezes, escrupulosa demais. A relação dos tiros recebidos pelas duas frotas, a apreciação dos danos causados, a nomenclatura marítima, deviam ter dado trabalho ao poeta para as acomodar no verso; mas eu creio que a necessidade era fictícia.

Os defeitos que apontei não tiram ao livro do *Senho*r Pereira Silva as qualidades que lhe reconheço. São defeitos explicáveis; estou que o poeta os reconhecerá comigo. Tem este livro uma qualidade valiosíssima – é sincero; respira de princípio ao fim a emoção do poeta, o entusiasmo de que ele está possuído. O patriotismo, que vai produzindo milagres de bravura nas terras do inimigo, produziu nas terras da pátria o esforço de um talento real e conscencioso.

O poeta está agora obrigado ao cultivo assíduo das musas; abandoná--las seria descortesia e ingratidão.

Cuido, meu amigo, que os reparos que fiz, não hão de magoar o autor do *Riachuelo*; é filho de uma sociedade literária, onde a modéstia anda casada ao estudo. Demais, a franqueza é uma homenagem que se presta à dignidade do talento; a lisonja seria uma injúria.

Aí tens em poucas linhas o que penso do livro e do poeta. Não é sentença: é puramente uma opinião.

Espero tirar um proveito da tua carta. Dizes que te fizeste monge; e efetivamente estás recolhido à cela. Mas cuidas que se não descobre por baixo do burel a espada do soldado? Não deste baixa; estás em tréguas. A profissão monástica é simplesmente uma dissimulação do combatente que descansa dos conflitos passados, planeando operações futuras.

É de todo o ponto cabida neste caso a alegoria militar. Um filho de Tolentino[3] é um combatente; escala a fortaleza dos vícios e ridículos. A musa é a sua Minerva protetora.

Não creio que vestisses o burel por cansaço ou desânimo. Foi outra coisa. Tu não és só um poeta satírico; és também um poeta sonhador. Quando compões uma sátira para o público suspiras contigo uma elegia. O satírico triunfou muito tempo; agora foi o sonhador que venceu.

Compreendo o triunfo. Para certas almas recolher-se à solidão é uma necessidade e uma afirmação. Mas a tua carta parece-me ser o rebate de uma nova campanha. Deus queira que sim. As musas têm direito de exigir a atividade de teu talento, já provado e aclamado pelos patrícios de Tolentino e pelos de Gregório de Matos.

Na literatura, como na religião, temos a igreja triunfante e a igreja militante. Uma é a condição da outra. Já trabalhaste muito para a primeira; mas a segunda exige que trabalhes mais, e sempre. Triunfa-se militando.

Machado de Assis.

I ∾ Carta aberta publicada em 24/07/1868, com o título: UM POETA (Carta a F. X. de Novais), em resposta à carta aberta de Faustino Xavier de Novais. Ver em [76], carta de 12/04/1868. (IM)

2 ∾ Referência à carta de José de Alencar, convidando Machado de Assis para apresentar Castro Alves e seu drama *Gonzaga*. Ver em [74], carta de 18/02/1868. (IM)

3 ∾ O célebre poeta satírico português Nicolau Tolentino (1740-1811). (IM)

[78]

> De: MANUEL DE ARAÚJO
> *Fonte*: Manuscrito Original, Arquivo ABL.

Rio de Janeiro, 18 de setembro de 1868.

Meu querido Machado.

Acabo de vê-la partir agora mesmo![1] Venho desabafar contigo porque não posso com tamanho sofrimento. E para que te havia eu de esconder as minhas lágrimas, se tu és o único que as não escarnecerás? Se nos visses no momento da separação, tinhas pena de nós ambos. Nunca experimentei na vida uma situação semelhante, nem ta desejo, nem a desejo ao meu maior inimigo. Acredita-me. Que saudades! meu querido amigo. E quem não terá saudades daquele anjo?

Ad*eus*[.] Vem logo aqui, e vem cedo, que preciso muito de ti a meu lado.

T*eu* do Cor*ação*.
Araújo[2]

---

1 ∾ Luís Viana Filho (1989) atribuiu este desabafo a Artur Napoleão*. (IM)

2 ∾ A carta traz apenas uma abreviatura que coincide com "M*anu*el de Ar*aú*jo" em [70], carta de 13/10/1868 . (IM)

[79]

De: MANUEL DE ARAÚJO
Fonte: Manuscrito Original, Arquivo ABL.

[Rio de Janeiro,] 13 de outubro de 1868.

Meu querido Machado.

Desgraçadamente creio que se realiza a tua triste profecia. O nosso infeliz Novais[1] piorou, segundo agora me disse o Ferreira[2], consideravelmente. Cumpre, portanto, que hoje não deixemos de ir lá.

Como não há de estar aquela pobre gente[3]!

Adeus, e vem cedo para combinarmos a hora da nossa partida.

Teu do coração.

Manuel de Araújo

---

1 ∾ O poeta Faustino Xavier de Novais*. (IM)

2 ∾ Possivelmente o médico Antônio Augusto Ferreira Soares, que assinaria, em 17/08/1869, o atestado de óbito do poeta. (IM)

3 ∾ Nessa ocasião já haviam chegado da cidade do Porto os irmãos de Faustino, Miguel de Novais* e Adelaide, além de Carolina Xavier de Novais*, que os precedera, desembarcando no Rio de Janeiro a 18/06/1868. (IM)

[80]

De: JOSÉ VIEIRA DE CASTRO
Fonte: Manuscrito Original, Arquivo ABL.

Morada Porto, 11 de dezembro de 1868.

Meu querido Machado de Assis,

Como vai você, meu adorável poeta?

Aí lhe apresento o Doutor Silva Pereira[1], notável professor da Universidade de Coimbra, talento elevado, e clínico peritíssimo. Proteja-o nesse país com o seu grande talento, e faça-lhe as honras da imprensa, sim? Eu mando um milhão de abraços e de profundíssimas saudades ao meu querido Machado de Assis.

[Obrigado][2]
Vieira de Castro

---

1 ∾ O médico e professor português Manuel José da Silva Pereira (1836-1870) fora incumbido de estudar a organização de hospitais no Brasil e a influência do clima na ação dos remédios. Chegou ao Rio de Janeiro em 03/01/1869, adquirindo logo grande clínica. Em março do ano seguinte, faleceu, vítima da febre amarela. (IM)

2 ∾ Palavra(s) de difícil legibilidade. (IM)

[81]

Para: CAROLINA XAVIER DE NOVAIS
Fonte: Museu da República. Arquivo Histórico.
Manuscrito original.

[Rio de Janeiro,] 2 de março [de 1869.][1]

Minha querida Carolina,

Recebi ontem duas cartas tuas, depois de dois dias de espera[2]. Calcula o prazer que tive, como as li, reli e beijei! A minha tristeza converteu-se em súbita alegria. Eu estava tão aflito por ter notícias tuas que saí do Diário[3] à 1 hora para ir a casa, e com efeito encontrei as duas cartas, uma das quais devera ter vindo antes, mas que, sem dúvida, por causa do correio foi demorada. Também ontem deves ter recebido duas cartas minhas; uma delas, a que foi escrita no sábado, levei-a no domingo às 8 horas ao correio, sem lembrar-me (perdoa-me!) que ao domingo a barca sai às 6 horas da manhã. Às quatro horas levei a outra carta e ambas devem ter seguido ontem na barca das duas horas da tarde. Deste modo, não fui eu só quem sofreu com demora de cartas. Calculo a tua aflição pela minha, e estou que será a última.

Eu já tinha ouvido cá que o *Miguel*[4] alugara a casa das Laranjeiras[5], mas o que não sabia era que se projetava essa viagem a Juiz de Fora. Creio, como tu, que os ares não fazem nada ao *Faustino*; mas compreendo também que não é possível dar simplesmente essa razão. No entanto, lembras perfeitamente que a mudança para outra casa cá no Rio seria excelente para todos nós. O *Faustino* falou-me nisso uma vez e é quanto basta para que se trate disto. A casa há de encontrar-se, porque empenha-se nisto o meu coração. Creio, porém, que é melhor conversar outra vez com o *Faustino* no sábado e ser autorizado positivamente por ele. Ainda assim, temos tempo de sobra; 23 dias; é quanto basta para que o amor faça um milagre, quanto mais isto que não é milagre nenhum.

Vais dizer naturalmente que eu condescendo sempre contigo. Por que não? Sofreste tanto que até perdeste a consciência do teu império; estás pronta a obedecer; admiras-te de seres obedecida. Não te admires, é coisa muito natural; és tão dócil como eu; a razão fala em nós ambos. Pedes-me coisas tão justas que eu nem teria pretexto de te recusar se quisesse recusar-te alguma coisa, e não quero.

A mudança de Petrópolis para cá é uma necessidade; os ares não fazem bem ao *Faustino*, e a casa aí é um verdadeiro perigo para quem lá mora. Se estivesses cá não terias tanto medo dos trovões, tu que ainda não estás *bem brasileira*, mas que o hás de ser espero em Deus.

Acusas-me de pouco confiante em ti? Tens e não tens razão; confiante, sou; mas se te não contei nada é porque não valia a pena contar. A minha história passada do coração, resume-se em dois capítulos: um amor, não correspondido; outro, correspondido. Do primeiro nada tenho que dizer; do outro não me queixo; fui eu o primeiro a rompê-lo. Não me acuses por isso; há situações que se não prolongam sem sofrimento. Uma senhora de minha amizade obrigou-me, com os seus conselhos, a rasgar a página desse romance sombrio; fi-lo com dor, mas sem remorso. Eis tudo.

A tua pergunta natural é esta: Qual destes dois capítulos era o da Corina[6]? Curiosa! era o primeiro. O que te afirmo é que dos dois o mais amado foi o segundo.

Mas nem o primeiro nem o segundo se parecem nada com o terceiro e último capítulo do meu coração. Diz a Staël[7] que os primeiros amores não são os mais fortes porque nascem simplesmente da necessidade de amar[8]. Assim é comigo; mas, além dessa, há uma razão capital, e é que tu não te pareces nada com as mulheres vulgares que tenho conhecido. Espírito e coração como os teus são prendas raras; alma tão boa e tão elevada, sensibilidade tão melindrosa, razão tão reta não são bens que a natureza espalhasse às mãos cheias pelo teu sexo. Tu pertences ao pequeno número de mulheres que ainda sabem amar e sentir e pensar. Como te não amaria eu? Além disso tens para mim um dote que realça os mais: sofreste. É minha ambição dizer à tua grande alma desanimada: "levanta-te, crê e ama; aqui está uma alma que te compreende e te ama também".

A responsabilidade de fazer-te feliz é decerto melindrosa; mas eu aceito-a com alegria, e estou que saberei desempenhar este agradável encargo.

Olha, querida; também eu tenho pressentimentos acerca da minha felicidade; mas que é isto senão o justo receio de quem não foi ainda completamente feliz?

Obrigado pela flor que me mandaste; dei-lhe dois beijos como se fosse em ti mesma, pois que apesar de seca e sem perfume, trouxe-me ela um pouco de tua alma.

Sábado é o dia de minha ida; faltam poucos dias e está tão longe! Mas que fazer? A resignação é necessária para quem está à porta do paraíso; não afrontemos o destino que é tão bom conosco.

Volto à questão da casa; manda-me dizer se aprovas o que te disse acima, isto é, se achas melhor conversar outra vez com o *Faustino* e ficar autorizado por ele, a fim de não parecer ao *Miguel* que eu tomo uma intervenção incompetente nos negócios de sua família. Por ora, precisamos de todas estas precauções. Depois... depois, querida, [ganharemos][9] o mundo, porque só é verdadeiramente senhor do mundo quem está acima das suas glórias fofas e das suas ambições estéreis. Estamos ambos neste caso; amamo-nos; e eu vivo e morro por ti. Escreve-me, e crê no coração do teu

Machadinho.

---

1 ◐ Esta carta e a seguinte, sem indicação do ano, foram vítimas de datações incorretas porque limitadas às informações de Sanches de Frias, em *Memórias Literárias* e no "Estudo Biográfico", ambos de 1907, nos quais se registra a chegada de Carolina ao Brasil no ano de 1866. Desfaz-se o equívoco na obra do mesmo autor sobre a trajetória do pianista Artur Napoleão* (Frias, 1913):

"Realizou-se a partida em **maio de 1868, levando o viajante [Napoleão] em sua companhia, por obséquio à família, a quem tão grato era, e em virtude de acontecimento grave, Carolina de Novais** [...]. / A viagem foi muito satisfatória, por outros companheiros, que a fortuna deparou [...]. O desembarque, na chegada ao Rio de Janeiro, fez-se ao anoitecer. / O pianista acompanhou Carolina de Novais à casa da Baronesa de Taquari (*sic*), onde se hospedava o irmão [Faustino], já combalido mentalmente da moléstia, que havia de matá-lo. / Por isto, o poeta não compreendeu as razões, que ali traziam a irmã, caiu em choro, e abraçou-se aos recém-chegados."

Partindo, possivelmente, dessa informação, Luís Viana Filho (1989) encontrou os detalhes necessários no *Diário do Rio de Janeiro* (18/06/1868) para confirmar a chegada de Carolina ao Rio de Janeiro, onde logo conheceria Machado de Assis, velho amigo do seu irmão Faustino Xavier de Novais*. (IM)

2 ◐ No final de 1868, Carolina se instalara em Petrópolis, na expectativa de que essa mudança pudesse ser benéfica para a saúde combalida do poeta Faustino. (IM)

3 ◐ *Diário Oficial*, onde Machado de Assis trabalhava desde abril de 1867, época em que se desligara do trabalho cotidiano no *Diário do Rio de Janeiro*. Ver em [68], carta de 09/04/1867. (IM)

4 ◐ Miguel Xavier de Novais*, irmão de Carolina. (IM)

5 ◐ Possivelmente a casa da Rua Ipiranga, 29, onde Faustino viria a falecer. (IM)

6 ◐ Referência à intrigante e ainda desconhecida inspiradora dos célebres "Versos a Corina", com cinco cantos publicados na imprensa do Rio de Janeiro entre março e abril de 1864, e o sexto em jornal da cidade do Porto. Esses versos foram incluídos nas

Crisálidas, ainda em 1864, e tiveram parte suprimida pelo próprio autor na sua *Poesia Completa* (1901). (IM)

7 ◦◦ Mme. de Staël, nome literário da escritora francesa Germaine Necker, baronesa de Staël-Hölstein (1766-1817). Seu romance *Corinne ou l'Italie* (1807) tem na protagonista a própria imagem da autora, inteligente, cativante e apaixonada. A amada Corina, a *Corinne* e Mme. de Staël são temas obrigatórios dos biógrafos machadianos. Magalhães Jr. (1981) atribuiu à atriz Gabriela da Cunha (ver em [1], carta de 19/07/1860) a inspiração dos "Versos", mas sobre isso não há consenso. **Já Caetano Filgueiras revela aspectos substantivos a respeito de convenções sociais que motivaram a perda da bem-amada.** Ver em [86], carta de 1869. (IM)

8 ◦◦ Machado apreciava, de fato, essa observação. Saudando o livro *Corimbos* do poeta e grande amigo Luís Guimarães Júnior, escreveu: "Dá-se com a literatura o mesmo que se dá com o amor. Mme. de Staël dizia que os segundos amores eram os mais profundos, porque os primeiros nasciam da simples necessidade de amar. Com a poesia é a mesma coisa." (*Semana Ilustrada*, n.º 473, 02/01/1870). (IM)

9 ◦◦ Em todas as transcrições, encontra-se "**queimaremos**". À vista do original manuscrito, "queimaremos" não parece aceitável. O mais possível é "**ganharemos**", sobretudo pela contextualização: "porque só é verdadeiramente senhor do mundo [...]". (IM)

[82]

Para: CAROLINA XAVIER DE NOVAIS
Fonte: Museu da República. Arquivo Histórico. Manuscrito original.

[Rio de Janeiro,] 2 de março [de 1869.]

Minha Carola.

Já a esta hora deves ter em mão a carta que te mandei hoje mesmo, em resposta às duas que ontem recebi. Nela foi explicada a razão de não teres carta no domingo; deves ter recebido duas na segunda-feira.

Queres saber o que fiz no domingo? Trabalhei e estive em casa. Saudades de minha *Carolina*, tive-as como podes imaginar, e mais ainda, estive aflito, como te contei, por não ter tido cartas tuas durante dois dias. Afirmo-te que foi um dos mais tristes que tenho passado.

Para imaginares a minha aflição, basta ver que cheguei a suspeitar oposição do F*austino*, como te referi numa das minhas últimas cartas. Era mais do que uma injustiça, era uma tolice. Vê lá; justamente quando eu estava a criar estes castelos no ar, o bom F*austino* conversava a meu respeito com a A*delaide*[1] e parecia aprovar as minhas intenções (perdão, as nossas intenções!)[.] Não era de esperar outra coisa do F*austino*; foi sempre amigo meu, amigo verdadeiro, dos poucos que, no meu coração, têm sobrevivido às circunstâncias e ao tempo. Deus lhe conserve os dias e lhe restitua a saúde para assistir à minha e à tua felicidade.

Contou-me hoje o Araújo[2] que, encontrando-se num dos carros que fazem viagem para Botafogo e Laranjeiras, com o Miguel, este lhe dissera que andava procurando casa por ter alugado a outra. Não sei se essa casa que ele procura é só para ele, se para toda a família. Achei conveniente comunicar-te isto; não sei se já sabes alguma coisa a este respeito. No entanto, espero também a tua resposta ao que te mandei dizer na carta de ontem – relativamente à mudança.

Dizes que, quando lês algum livro, ouves unicamente as minhas palavras, e que eu te apareço em tudo e em toda a parte? É então certo que eu ocupo o teu pensamento e a tua vida? Já mo disseste tanta vez, e eu sempre a perguntar-te a mesma coisa, tamanha me parece esta felicidade. Pois, olha; eu queria que lesses um livro que eu acabei de ler há dias; intitula-se: *A família*[3]. Hei de comprar um exemplar para lermos em nossa casa como uma espécie de Bíblia sagrada. É um livro sério, elevado e profundo; a simples leitura dele dá vontade de casar.

Faltam quatro dias; daqui a quatro dias terás lá a melhor carta que eu te poderei mandar, que é a minha própria pessoa, e ao mesmo tempo lerei o melhor (...)[4].

---

1 ∾ Adelaide Xavier de Novais, irmã de Carolina, que viera para o Brasil pouco depois desta. (IM)

2 ∾ Provavelmente o amigo comum Manuel de Araújo*. (IM)

3 ∾ *La Famille – la Mère* (1865), segundo Massa (1995). Obra do polígrafo francês Eugène Pelletan (1813-1884), por quem Machado teve grande admiração desde muito jovem. Dedicou-lhe o poema "O Progresso (Hino à Mocidade)" e citou-o inúmeras vezes. A respeito de suas ideias progressistas sobre a emancipação feminina, escreveu, em crônica publicada pelo *Diário do Rio de Janeiro* (21/11/1861):

"Pretende Eugène Pelletan que a mulher, com o andar dos tempos, há de vir a exercer no mundo um papel político. Sem entrar na investigação filosófica da profecia, a que dá uma tal ou qual razão a existência de certas mulheres da sociedade grega e da sociedade francesa, eu direi que é esse um fato que eu desejava ver realizado, em maior plenitude do que pensa o autor da *Profession de Foi*. Eu quisera uma nação, onde a organização política e administrativa parasse nas mãos do sexo amável, onde, desde a chave dos poderes até o último lugar de amanuense, tudo fosse ocupado por essa formosa metade da humanidade. O sistema político seria eletivo. A beleza e o espírito seriam as qualidades requeridas para os altos cargos do estado, e aos homens competiria exclusivamente o direito de votar. / Que fantasia! Mas, enquanto esperamos a realização dessa linda quimera, à mulher cabem outros papéis, que se não satisfazem **a inspiração de um humorista**, podem contentar plenamente o espírito de um filósofo e de um cristão." (IM)

4 ∾ Esta carta, incompleta, e a anterior – tão emocionantes – são o que restou da correspondência de Machado e Carolina. Ambas pertenceram à sobrinha-neta de Carolina, e herdeira universal de Machado, Laura Braga da Costa, mais tarde Laura Leitão de Carvalho (1894-1988). Concordam os biógrafos ao afirmar que, a pedido expresso do escritor, após seu falecimento fossem destruídos os papéis e outras recordações de sua companheira. Porém, um relato de Herculano Borges da Fonseca (1960) altera um pouco essa versão. Referindo-se ao pequeno móvel queimado com as relíquias, diz o autor:

"O famoso móvel, comprado por Carolina com suas economias mensais, foi mandado entregar por Machado às irmãs Pinto da Costa, que moravam perto, com instruções para que estas o dessem a minha tia, Fanny de Araújo, então residente na rua Moura Brasil, a quem Machado e Carolina votavam excepcional afeição. Sua vontade foi cumprida. Entretanto, jamais consegui apurar, com certeza, se Machado quisera as cartas queimadas ou não. / Sempre ouvi contar que tia Fanny o fizera para que olhos estranhos não profanassem o santuário de amor doméstico do casal; sempre ouvi observações de pessoas que ficaram inconsoláveis com o zelo excessivo de minha tia que, espontaneamente ou cumprindo instruções de Machado, agira em relação a ele e a Carolina, pensando mais nos grandes amigos que no escritor. De qualquer forma, recatado como foi, estou certo de que o autor do *Memorial de Aires* ratificaria, com um sorriso irônico, aquela deliberação, que veio privar-nos, os bisbilhoteiros da posteridade,

do maior e mais saboroso quitute e da mais preciosa relíquia de seu pequeno mundo."
(*Revista da Sociedade dos Amigos de Machado de Assis*, n.º 3, 1960). (IM)

[83]

> Para: FRANCISCO RAMOS PAZ
> *Fonte*: Fundação Biblioteca Nacional. *Catálogo da Exposição do Centenário de Nascimento de Machado de Assis. 1839-1939*. Rio de Janeiro: Ministério da Educação e Saúde, 1939. Transcrição do manuscrito original.

[Rio de Janeiro,] 1.º de maio [de 1869.][1]

Paz.

Procurei-te ontem e anteontem em casa, e não te achei. Hoje, se te não encontrar, deixarei esta carta, pedindo-te que me esperes amanhã de manhã para conversarmos sobre aquilo. Sei que tens andado ocupado, e temo importunar-te com estes pedidos; mas, como te disse, não tenho outro recurso, e desejava concluir o negócio o mais cedo que fosse possível. Não insisto sobre a importância capital do serviço que me estás prestando; tu bem o compreendes, e sabes além disso qual é a minha situação. Não pude arranjar a coisa só por mim, vê se consegues isso, e repara que os dias vão correndo. Ajuda-me, Paz; eu não tenho ninguém que o faça. Conselhos, sim; serviços, nada[2].

Espera-me amanhã, domingo; irei às dez horas e meia para dar-te tempo de concluir o sono que, por ser domingo, creio que irá até mais tarde.

Teu
Machado de Assis

1 ∽ O dia 1.º de maio de 1869 caiu num sábado; infere-se o ano pelo pedido: "Espera-me amanhã, domingo". (IM)

2 ∽ Segundo vários biógrafos, Machado se afligia muito com a própria situação financeira diante da perspectiva do casamento com Carolina Xavier de Novais*. (IM)

[84]

De: JOAQUIM SERRA
Fonte: *Cartas de Joaquim Serra a Machado de Assis.*
Revista da Academia Brasileira de Letras, III, Rio, 1911, p. 58-74.

Cachoeiras [de Macacu], 10 de outubro de [1869].¹

Machado,

....²

Que fúnebre silêncio! A folha oficial³
Acaso perderia o vate sem rival,
O jovem redator, o bardo de Corina,
Machado de Assis, crisálida divina?

Te escrevo em prosa chã, em verso coimbrão,
Te busco de mil modos, e busco sempre em vão!
Mando recados cem, duzentos portadores,
Figuro de galã, rondando os seus amores...
Esquivo assim por quê? Por que emudeceu?
Acaso colhe as rosas do fúlgido himeneu⁴?
Doente acaso está? Suporta um sinapismo?
Iria de roldão no feio cataclismo?
Evoco mil fantasmas, invoco o Macacu⁵,
E não avanço um passo... Machado, onde estás tu?

....

Tás tu... quase *tatu*; horrendo calemburgo,
E tremem de o escutar as flores de Friburgo!
....

Não tens nessa gaveta, ó escritor cruel,
Nem mesmo na do Souto[6], um quarto de papel?
Se assunto te faltar, escreve sem assunto,
Eu gosto de feijão na falta de presunto...

O livro do Varela[7]? a crise do Alencar?[8]
Do Póvoas[9] o folheto? *Diavolo* no Alcazar?
Do grande Gottschalk as muitas brilhaturas[10]?
A *marcha* que tal é, ergueu-te a essas alturas?
O furibundo Artur[11], descomunal herói?
O egrégio sacristão, apóstolo Niterói?
O baile que vai dar o Castro aos deputados?
O homem no *Jornal*[12] também quer *bons bocados*?
Sóror Rosina (*hélas!*) Sóror Ismênia (*hola!*)[13]
Après Agesilas s'avance l'Attila?[14]
Enfim, e tens aí um assunto precioso;
Dá breve o Garnier[15] o livro teu formoso?
....

Se agora não falares, não mais te hei de maçar,
Penedo ante penedo havemos de ficar!

———

E por ser mui pequenina
A minha pobre pessoa
Tratando dela a lira desentoa,
E dispensa a medida alexandrina.
Tenho visto, meu caro, mil paragens;
Ando só em viagens;

Friburgo, Cantagalo, Itab'raí,
São Fidélis e mais Capivari
E *Santo* Antônio de Sá,
Tem-me visto por lá[16].
A cavalo, embarcado, em ferrovia,
E até mesmo a pé,
Passeio noite e dia
E muito bem já sei o que isto é.
Estou matuto perfeito;
Quando chegar aí sou *capurreiro*;
Pois com chapéu de pelo não me ajeito
Nem com as modas dos janotas
Nem com botas
Onde não entre o homem quase inteiro.

———

Mas é boa a tal vidinha
E feliz quem na roça a vida encerra;
Mas como já vai longa a ladainha,

Te abraço e me assino
Joaquim Serra.

Note Bem – Manda, como tens feito, as tuas cartas à rua do Hospício[17], 53 E (Isto é prosa).

---

1 ∾ As alusões à região ao pé da Serra de Nova Friburgo permitiram completar o nome da cidade. Quanto ao ano, a carta foi datada de 1869, porque a maioria das referências é desse período. (SE)

2 ∾ As linhas pontilhadas ou contínuas foram reproduzidas tal como aparecem na *Revista Brasileira*. (SE)

3 ∾ *Diário Oficial do Império do Brasil*, localizado na rua da Guarda Velha n.° 3, 5 e 6 (atual avenida Treze de Maio), onde Machado de Assis passou a trabalhar desde abril de 1867 e, onde, em substituição ao antigo diretor de publicação, o jornalista Luís

Honório Vieira Souto, ex-chefe de Machado de Assis, Joaquim Serra trabalhará de 1878 até fins de 1882, quando será substituído por Otávio Rego Monteiro. (SE)

4 ∞ Referência ao próximo casamento de Joaquim Maria e Carolina, cuja celebração se daria em 12/11/1869. Certamente, atarefado com os preparativos, Machado andou sumido das páginas das gazetas, das redações e da roda de amigos. Serra, então, sem notícias e sem lê-lo nos jornais, escreve-lhe o poema. (SE)

5 ∞ Rio que corta a cidade fluminense de Cachoeiras de Macacu. Serra costumava passar o verão ali ou em Nova Friburgo refugiando-se do excessivo calor da corte, que não fazia bem à sua mulher, Joana Mariani Serra. (SE).

6 ∞ O banqueiro Antônio José Alves Souto. Em 10/09/1864, a sua casa bancária faliu e levou pânico à Praça de Comércio do Rio de Janeiro, promovendo uma crise de liquidez sem precedentes, ao disseminar a quebradeira a outras casas bancárias. A alusão deve ser entendida pela similaridade, descontado o traço negativo. Coisas espantosas podem estar guardadas na gaveta de Machado de Assis como estiveram também na do Souto, só que sem o traço negativo deste último. A respeito da famosa Crise do Souto, Machado de Assis, no *Diário do Rio de Janeiro* de 19/09/1864, dá aos leitores de hoje a dimensão e a gravidade do episódio, numa crônica da qual se reproduz um pequeno trecho:

"Crise! Crise! Crise! / Tal foi o grito angustioso que se ouviu, durante a semana passada, de todos os peitos da população e de todos os ângulos da cidade. / A fisionomia da população exprimiu sucessivamente o espanto, o terror, o desespero, – conforme cresciam as dificuldades e demorava-se o remédio. / Era triste o espetáculo: a praça em apatia, as ruas atulhadas de povo, – polícia pedestre a fazer sentinela, polícia equestre a fazer correrias, – vales a entrarem, dinheiro a sair, – vinte boatos por dia, vinte desmentidos por noite, – ilusões de manhã, decepções à tarde, – enfim uma situação tão impossível de descrever como difícil de suportar, – tal foi o espetáculo que apresentou o Rio de Janeiro durante a semana passada. [...]" (SE)

Antônio José Alves Souto tinha uma chácara na rua do Souto (atual Senador Furtado), transversal da rua Nova do Imperador (atual Mariz e Barros), famosa pela extravagância e ostentação do proprietário. Machado de Assis, Joaquim Manuel de Macedo e Alencar em algumas de suas peças fizeram alusões jocosas ao banqueiro. Em *Hoje Avental, Amanhã Luva* (Machado de Assis), a esperta criada Rosinha, desejando conquistar o rico e um tanto parvo Sr. Durval, finge ler uma carta de sua patroa D. Sofia, por quem Durval tem interesse. Eis o trecho em que Rosinha, lendo a falsa carta da patroa a uma inexistente amiga, diz da condição de marido em que Sofia gostaria de colocá-lo:

"ROSINHA – Não adivinha? Uma carta! Uma carta de minha ama a uma amiga. 'Querida Amélia: o Sr. Durval é um homem muito interessante; rico, amável, manso como um cordeiro, e submisso como o meu Cupido...' / DURVAL – Cupido?! / ROSINHA – Sim, Cupido é cãozinho que ela tem. O senhor não lembra? / DURVAL – Submisso como um cão?! / Meu Deus! Que comparação grotesca! Brutal! (refletindo consigo) É... a comparação é grotesca na forma, mas pensando bem acaba sendo exata no fundo. (a Rosinha) Continua, rapariga. / ROSINHA – Quer que continue? / DURVAL – Claro. Continue, vamos, continue! / ROSINHA (lendo) – 'Acho-lhe, contudo, alguns defeitos...' / DURVAL – Defeitos?! Eu?! / ROSINHA – Defeitos! 'Certas maneiras, certos ridículos, pouco espírito, muito falatório, mas enfim um marido com todas as virtudes necessárias, sobretudo, com muito dinheiro'... / DURVAL – Ah, não, é demais! É demais! / ROSINHA (continuando a leitura) – 'Quando eu conseguir fisgá-lo, peço-te que venhas vê-lo como um urso na chácara do Souto'." (SE)

7 ∞ Em 1869, Luís Nicolau Fagundes Varela (1841-1875) publicou dois livros: *Cantos Meridionais* e *Cantos do Ermo e da Cidade*. Poeta de existência atribulada e errante, Varela nasceu na província do Rio de Janeiro, mudando-se para São Paulo em 1859, a fim de terminar os preparatórios e ingressar na Faculdade do Largo de São Francisco, o que só alcançou em 1862. Não frequentou regularmente o curso, pois entregou-se à boêmia, profundamente atraído pela vida marginal e transgressiva. Em 1865, tentou prosseguir os estudos em Recife, mas desistiu; em 1866, voltou a São Paulo, matriculando-se de novo nas Arcadas, porém acabou por desistir e regressou à fazenda do pai em Santa Rita do Rio Claro (RJ). Lá permaneceu entregue à bebida e à vida de ambulante até que, em 1875, morreu aos 34 anos. (SE)

8 ∞ A "crise do Alencar" refere-se à série de desentendimentos entre o então ministro da Justiça e integrantes do parlamento, Zacarias de Góes à frente; entre Alencar e membros do gabinete Itaboraí, barão de Cotegipe à frente; entre Alencar e a imprensa, *Diário do Rio* à frente, Ferreira Viana à sombra; conflitos que resultaram numa sucessão de intrigas e confrontos, que terminaram inclusive por azedar as relações entre Alencar e D. Pedro II. Desde as mortes de Cândido Batista de Oliveira e de Miguel Calmon Du Pin e Almeida, ambas em 1865, as duas cadeiras do senado pelo Ceará estavam vagas. Em 20/07/1867, Antônio Pinto de Mendonça e Saldanha Marinho elegeram-se, porém uma comissão do senado apontou irregularidades e propôs a anulação do pleito. Consultado, o imperador foi de opinião que os dois deveriam assumir; enquanto Alencar, também consultado, opôs-se tenazmente. Nos bastidores, à voz pequena, dizia-se que a anulação era obra do ministro da Justiça, interessado em conquistar uma das cadeiras. A eleição enfim foi anulada, provocando o rompimento de Saldanha Marinho com a monarquia, que passou a defender o sistema republicano. Convocaram-se novas eleições para 12/12/1869. Alencar ouviu do imperador que preferia mantê-lo à frente do ministério. Voluntarioso o ministro insistiu, demitiu-se e assumiu a candidatura. Da

lista sêxtupla, Alencar foi o mais votado; entretanto o imperador, valendo-se de suas prerrogativas, vetou o seu nome. (SE)

9 ∾ O jornalista José Joaquim Peçanha Póvoa. (SE)

10 ∾ Gottschalk, músico e compositor, que faleceria em *tournée* no Rio de Janeiro, em dezembro de 1869. No microfilme de *A Reforma*, há uma curiosa notícia sobre o estilo do compositor e que corrobora a frase de Serra: Gottschalk regeu um concerto grandioso no Teatro Lírico Fluminense, com nada menos que trinta pianos, uma orquestra de quatrocentos músicos e, ao final, às últimas notas do Hino Nacional, este foi assinalado por uma salva de peça de artilharia. Sobre o compositor, ver em [41], carta de 09/06/1865. (SE)

11 ∾ Artur de Oliveira* (1851-1882), cuja personalidade exuberante fez Machado de Assis alcunhá-lo "Saco de Espantos", embora não tenha deixado obra perdurável, exerceu extensa influência sobre os de sua geração. Ao voltar de Paris, deu a conhecer aos contemporâneos as novidades literárias, vale dizer, o parnasianismo, difundindo Théophile Gautier, Leconte de Lisle, Théodore Banville, Sully-Prudhomme e outros. Silva Ramos (*apud*: Coutinho, 1979) transcreveu parte da entrevista de Alberto de Oliveira* a Prudente de Morais, neto, publicada em *Terra Roxa* (setembro de 1926): "O chamado parnasianismo saiu das largas algibeiras das calças inglesas de Artur de Oliveira". Em seguida, completa:

"Da influência de Artur, além de vários testemunhos, temos o indício das dedicatórias. Muitos foram os poetas seus contemporâneos que lhe dedicaram um livro ou uma poesia: Alberto de Oliveira, além de "Aparição nas Águas", toda a 2.ª parte de *Meridionais* – em sua memória –; Teófilo Dias (tradução de "O Albatroz", de Baudelaire, em *Cantos Tropicais*); Afonso Celso ("Poema de Todos Nós", em *Telas Sonantes*); Machado de Assis ("A Artur de Oliveira Enfermo"). Até de Fontoura Xavier, não fosse a morte, ele teria prefaciado as *Opalas*." (SE)

12 ∾ O *Jornal do Comércio*, cuja redação ficava na rua do Ouvidor 65 e, àquela altura, pertencia a Julius Villeneuve e, em 1890, foi vendido a José Carlos Rodrigues*. Ver em [59], carta de 25/11/1866. (SE)

13 ∾ Serra não gostou ou da personagem Rosina ou da peça de Beaumarchais (*hélas, Sóror Rosina!*), apesar de gostar imensamente de Ismênia (*holà Sóror Ismênia!*). Segundo Galante de Sousa (1960), Ismênia Augusta dos Santos (1840-1918) foi uma grande atriz dramática; em 1866, atuou ao lado de Furtado Coelho em *O Barbeiro de Sevilha* de Beaumarchais, numa tradução de Machado de Assis. Transferiu-se da Bahia para a corte, estreando em março de 1865 no Ginásio Dramático, na comédia do dramaturgo português José Carlos dos Santos, *Não é com Essas*. Em maio passou ao

Teatro São Januário; mas, em julho, retornou ao Ginásio, fixando-se na companhia de Furtado Coelho. Ainda em 1865, Ismênia brilhou no drama *O Anjo da Meia-Noite*, de Théodore Barrière (1823-1877) e Edouard Plouvier (1821-1876), também traduzido por Machado de Assis, trabalho que vem sendo considerado como perdido. (SE)

14 ∾ Duas peças de Corneille: *Agésilas* (1866) e *Attila* (1867). Serra está aludindo ao epigrama de Boileau (*Epigrammes*, VII): *Après l'Agésilas / Hélas! / Mais après l'Attila / Holà!*. O epigrama pode ser interpretado como uma crítica às duas peças – a primeira era fraca, a segunda pior ainda. É o que faz Gledson (1990). Mas como no século XVII *faire holà* significava aplaudir, o que Boileau talvez quisesse dizer era que *Agésilas* era fraca, mas com *Attila*, Corneille tinha se reabilitado. Ou seja, como sugere a nota 13, Serra criticava a personagem Rosina (*hélas*), mas elogiava a atriz Ismênia dos Santos (*holà*). (SPR)

15 ∾ Editor Baptiste Louis Garnier. Em outubro de 1869, data desta carta, Machado de Assis ultimava a edição dos *Contos Fluminenses* e das *Falenas* (1870), já que assinara contrato para publicação de ambas em 11/05/1869. *Contos Fluminenses* é a sua primeira coletânea de histórias curtas saída em livro. Anos mais tarde (1899), a editora Garnier lançou uma 2.ª edição, sem conhecimento do autor, o que contrariou bastante, pois em carta a Magalhães de Azeredo*, de 28/07/1899, o autor revela o desapontamento com uma edição, de certa forma, por ele, não chancelada:

"A casa Garnier reimprimiu ultimamente um dos meus livros mais antigos, os contos Fluminenses; fê-lo sem que eu houvesse revisto o trabalho, e (creio que por equívoco) sem aviso prévio, e sem lhe pôr a nota de que era edição nova. Por tudo isso não lhe mando um exemplar.". (SE)

16 ∾ Todas são cidades na antiga província do Rio de Janeiro, atual estado do mesmo nome. As cidades de Nova Friburgo, Cantagalo, Itaboraí e São Fidélis mantêm os mesmos topônimos; já a cidade de Capivari chama-se atualmente Silva Jardim, e o antigo município de Santo Antônio de Sá foi desmembrado e absorvido por diversos municípios. (SE)

17 ∾ Na *Nova Numeração dos Prédios da Cidade do Rio de Janeiro*, vol. I, diz-se que a rua do Hospício começava na rua Primeiro de Março e terminava na praça da Aclamação. Brasil Gerson (2000) informa que a partir de 1915 passou a chamar-se rua Buenos Aires. (SE)

[85]

Para: FRANCISCO RAMOS PAZ
Fonte: Fundação Biblioteca Nacional. *Catálogo da Exposição do Centenário de Nascimento de Machado de Assis. 1839-1939.* Rio de Janeiro: Ministério da Educação e Saúde, 1939. Fac-símile do manuscrito original.

[Rio de Janeiro,] 19 de novembro [de 1869.]

Meu caro Paz.

Estimo muito e muito as tuas melhoras, e sinto deveras não ter podido ir ver-te antes da tua partida para a Tijuca. Agradeço-te as felicitações pelo meu casamento[1]. Aqui estamos na Rua dos Andradas, onde serás recebido como um amigo verdadeiro e desejado.

Infelizmente ainda não te posso mandar nada da continuação do drama[2]. Na tua carta de 8 deste-me parte da tua moléstia e pediste-me que preparasse a coisa para a segunda-feira próxima. Não reparaste certamente na impossibilidade disto. Eu contava com aquele adiantamento e a tua carta anulou todas as minhas esperanças. Não imaginas o que me foi preciso fazer desde segunda-feira à noite até sexta-feira de manhã. De ordinário é sempre de rosas o período que antecede o noivado; para mim foi de espinhos. Felizmente o meu esforço esteve na altura de minha responsabilidade, e eu pude obter por outros meios os recursos necessários na ocasião. Ainda assim não pude ir além disso; de maneira que, agora mesmo, estou trabalhando para as necessidades do dia, visto que só do começo do mês em diante poderei regularizar a minha vida.

Tais são as causas pelas quais não pude continuar o nosso trabalho; continuá-lo-ei desde que tiver folga para isso. Ele me será necessário, e tu sabes que eu não poupo esforços. Espero porém que me desculpes se neste momento estou curando da solução de dificuldades que eu não previa nem esperava.

Se a Tijuca não fosse tão longe iria ver-te³. Apenas vieres para casa, avisa-me, a fim de te fazer a competente visita e conversarmos acerca da conclusão da obra:

Teu
Machado de Assis

---

1 ◦ Realizado em 12/11/1869. (IM)

2 ◦ Trabalho não identificado. (IM)

3 ◦ Tijuca não era o atual bairro com este nome, e sim o Alto da Boa Vista. Ver em [74], carta de 18/02/1868, a descrição de José de Alencar*. (IM)

[86]

De: CAETANO FILGUEIRAS
Fonte: FILGUEIRAS, Caetano Alves de Sousa. *Teteias*. Rio de Janeiro: Acadêmica, 1873. Fundação Casa de Rui Barbosa. Biblioteca São Clemente. Coleção Plínio Doyle.

VISÕES (1869)¹
A MACHADO DE ASSIS

[Madalena, 1869.]²

Meu querido poeta.

Pouco te falta saber do que vai por estas alturas, ninho que os homens construíram com inveja das águias. Mas ainda não sabes, nem por mim nem por outrem, aquilo que mais te poderia interessar como poeta, isto é: – quem é *ela*.

Vou dizer-to agora. E tu que cantaste, em dulcíssimas endechas, uma feliz Corina³, avalia por ti mesmo se era a única sobre a terra, e se a natureza, ó cantor panteísta, só confiou a uma sacerdotisa a pira da poesia!

Lúcia, a fada destas montanhas, a estrela destes céus, a baunilha destas matas, é alva como as nuvens que, às vezes, coroam os pincaros que nos cercam, mas não tem azuis nem verdes, nem pretos os vivos e expressivos olhos. Castanhos, castanhos escuros, radiam com fulgores estranhos numa zona sombria que mais lhes aviva o brilho das pupilas e a pureza do cristal em que se desenham.

Inquietos e obedecendo sempre aos imperiosos, mas desencontrados impulsos de sua natureza ardente e fantástica, ora abrigam-se tímidos e meigos à sombra dos cílios, ora resplendem com impávida majestade, não sendo, por certo, estas as horas em que mais vassalos conquista.

Sejam, porém, quais forem os influxos do momento, tempestade ou bonança, ajudam-lhes imensamente a expressão, os supercílios quase ligados no seu gracioso arquear, e a projeção simpática de um nariz do mais puro perfil grego.

Da boca, – da boquinha devera eu dizer, – não te falarei. De cantinhos arregaçados, e cheia de sensuais provocações, até mesmo o descrever-ta incomodar-me-ia, dando a este delicioso verbo a mais sutil e secreta das suas significações.

Mas, em compensação, falar-te-ei da fronte, – largo e formoso cofre de alabastro onde um deus pródigo, em hora abençoada, entesourou viveza, inteligência, memória e o segredo das divinas harmonias, levado quase ao assombro.

Eixo e mola motriz de uma máquina montada por Deus, e afinada pelos Arcanjos da música e da poesia, transmite aos torneados dedos a parte do segredo que lhes cabe, e por isso ao sopro potente do gênio que se inflama e gira no organismo pensante, – ei-los que saltitam sobre o ebúrneo teclado, a colher e a enfeixar notas, melodias, e doçuras que parecem descidas do céu no rocio da manhã ou nas estrelas cadentes. Como a Eólia[4], a harpa destas serranias é tangida pela própria natureza, e a citareda[5], como a ninfa Egéria[6], filha das suas florestas.

Infelizmente para todos, ou felizmente para a poesia, essa fronte inteligente e espalmada está, como os alcantis vulcânicos, quase sempre sombreada por nuvens de tristeza e agitada por íntimos terrores.

O sopro gelado da noite mais de uma vez tem-lhe roçado o coração e nele embebido a descrença e a saudade; e outros martírios sofre-os ela filhos de sua fantasia e especial natureza, — tumultos vagos, anseios inexplicáveis, mistérios indefiníveis, — mas que por isso não deixam de ser verdadeiras torturas que lhe trateiam a alma e lhe arrancam repetidos suspiros!

Nestas condições imagina, amigo, como lhe consoa o luto! Como respondem as cores do dó a estas perturbações secretas de uma natureza que aspira a mundos invisíveis, perfumes fantásticos, e que de modo algum pode caber e ajeitar-se no estreito quadro da nossa prosaica e positiva existência!... Que flor demandando o céu e ferrada na terra pelas raízes!

Sabe-o ela? Já definiu em sua alma, tão variamente agitada, a verdade daquela dupla pressão?

Não sei! O que sei e posso asseverar-to é que é bela, poética e inteligente; o que sei e posso asseverar-to é que, às vezes o sorriso lhe entreabre os nacarados lábios, e nesses momentos se ilumina a natureza e parece feliz!

Foi, sem dúvida, para perpetuar estes milagres produzidos pelo seu mágico influxo que o suavíssimo Méry[7], nosso dileto romancista, deixou escritas as seguintes linhas de que, — estou certo, — ainda te não esqueceste:

"C'est pour elle que les arbres donnent l'ombre, les fontaines l'harmonie, les oiseaux les concerts, les fleurs le parfum, le soleil l'amour!"[8]

Já a conheces, pois.

....

Mas, — dirás contigo mesmo, — sendo assim ao mesmo tempo musa da poesia e musa da música deve ter inspirado a mais de um poeta melífluas estrofes ou hinos exaltados...

Como não? Que lira acorde ficaria muda se lhe escutasse os cânticos que fala e entoa? Que alma de poeta, vendo-a e ouvindo-a, no meio desta natureza pomposa, desta vegetação luxuriante, surgindo como elemento primo de paisagens sem irmãs sobre a terra, poderia permanecer dormente, e não despertaria, pelo contrário, abrasada de amor e de volúpia, de entusiasmo e de inspiração aos raios vivificadores dos seus mágicos olhares, e ao místico sussurro de suas doces palavras? Que peito de homem quedaria inerte e estéril ante tão esplêndida encarnação do belo, da graça e do gênio? Afirmo-te, assevero-te que nenhum.

Tão afinada como essas não é a minha alma, e, apesar do abismo de desconfortos em que vive engolfada, despertou assim! Faltara apenas o ensejo. Ontem o céu, a lua, a mata, o silêncio, a noite e mais do que tudo ela e sua eterna e inebriante poesia conspiraram para esse despertar voluptuosíssimo da minha fantasia.

E eis aqui sob que condições:

Ontem, soando a hora de retirar-me, despedi-me dela e disse-lhe um triste: adeus! Dir-se-ia que eu me ia ausentar por dilatado tempo, tal era o aperto pungitivo do meu coração naquele instante!

Acompanhou-me até a porta, e encostou-se languidamente à ombreira.

Fitei-a. Os cabelos desciam-lhe mal seguros por sobre o seio que ofegava, – vítima dos seus íntimos impulsos. Ergueu um momento os olhos para a lua e depois relanceando-os por toda a paisagem circunstante, murmurou, como um soluço de brisa: Que linda noite!

Ao meigo influxo desse cicio e da visão que irradiava palidamente ao meu lado não te sei explicar o que senti então. Desci dos páramos ideais em que me perdera e contemplei o quadro que me cercava.

Que esplendor e que magia!

Atende, e, como se te estivera a falar ao ouvido, – escuta:

A noite ia avançada. Nem uma luz, nem uma estrela.

A terra dormia. A lua e as estrelas estavam veladas pela neblina e uma claridade embaciada banhava todos os outeiros e todas as vivendas.

Ligeira e fria viração, mais bafagem do que brisa, volteava preguiçosa pelo espaço, e, trêfega, vinha beijar-lhe as faces, fingindo brincar-lhe com os cabelos.

Sobre a colina mais próxima campeava a igrejinha do povoado e mais longe branquejavam por entre moitas sombrias de verdura os muros caiados e as pedras tumulares do cemitério. Era hora dos lêmures[9], e os pirilampos, esses fogos-fátuos do mundo vivo, haviam já cansado de luzir.

Que paz! Que mudez! Que tristeza!...

Ela estava pálida como a lua, e, envolta em suas vestes de luto, surgia e destacava-se da penumbra da porta como uma estátua de jaspe modelada por divino artista para representar a melancolia.

Dir-se-ia Julieta, nas catacumbas, ao despertar de sua morte letárgica, antes que a aparição do Romeu lhe tenha restituído a consciência da vida.

De espaço a espaço segredavam-lhe os lábios não sei que palavras de mel que perpassavam pelos meus ouvidos como sussurros inefáveis da viração.

Seria a mística comunicação daquela alma poética e visionária com as coreias[10] angélicas? Estaria aprendendo ali esses portentos de harmonia com que inebria a humanidade?

Assim o acreditei!

Calei-me, sustive o hálito e fixei-a com estático olhar! Pusera nele toda a minha alma!

Horas de tortura, séculos de luta insana comigo mesmo passei então naqueles breves instantes que me demorei junto dela.

A minha mente e o meu corpo tiveram ali as suas gemônias[11].

O coração, esse estalava-me na arcada do peito e rápidas vertigens, verdadeiros acessos de loucura, obscureciam-me a vista e vergavam-me as pernas.

Mil vezes estive para cair-lhe aos pés e pedir-lhe, – como pede o esfaimado – pão, – um minuto, um minuto só de amor!

Que manancial de volúpia não faria brotar a estátua se, como a de Pigmalião, se deixasse animar pelo sopro ardente da minha paixão!

Como me escaldava a fantasia!

Ia perder-me... Tinha já um pé sobre o abismo... Ia devorar com os meus beijos de fogo a visão tentadora, a estátua fascinante... Ia morrer... talvez!

A voz do dever, porém, do dever cruel mas santo, arrancou-me das garras do delírio. Comprimi o coração e recalquei no íntimo da alma os ímpetos apaixonados daquela hora divina... ou antes: infernal! E parti... não sem trazer de rastos e sangrando pelas urzes do caminho a minha pobre fantasia!

Quantos sonhos dourados, quantas miragens d'alma, quantos poemas cordiais têm o mesmo destino! Quantas vezes a voz solene do dever, como dobrar do sino em tardes de Maio, nos vem despertar do êxtase em que nos lançou a natureza ridente, para lembrar-nos que a vida não se tece de prazeres e que o suplício de Tântalo não é ficção mitológica, mas uma realidade que a vida social cria e regula?

Responde tu mesmo: — em tal fadário não foi a tua Corina[12] um signo?

Não viste sempre, como a sombra de Banquo[13], surgir entre ti e ela o tremendo fantasma das conveniências sociais? Mas porventura a sociedade meteu em linha de conta o teu martírio e compensou-te ao menos com uma *corona triumphalis* os sacrifícios consumados?

Venci, pois e parti: eis aqui o fato. O mundo não sabe nem saberá, porém, pelo que trocava eu os despojos opimos de tão custosa vitória!

....

Chegando à casa, achei o meu tugúrio mais triste e mais deserto do que nunca. Enojou-me a solidão; e a mente, ainda sob o invencível império das impressões sentidas, voltou-se, sem cessar, para a visão passada, como o ferro para o ímã.

Incapaz de dirigir o pensamento para lado diverso, vagando entre o desejo de esquecer e o de embriagar-me com a recordação da cena inspirativa, curvei-me sobre a mesa de trabalho, sócia e testemunha das minhas lucubrações noturnas, e, apoiando a fronte ardente sobre a mão esquerda, tracei convulsivamente com a destra estas estrofes, ressumadas do suplício tantálico de que acabava de ser vítima.

Era completa a solidão, e completo o silêncio: — só o ligeiro arruído da pena correndo sobre o papel fazia diversão a este:

Martírio

Per amica silentia lunae[14]
Virgilio

Era ontem!... Já bem alta
ia a noite deslizando,
e solene a voz do tempo
hora a hora assinalando.

A vila e a mata eram quedas.
Não velava um passarinho
Homens, aves àquela hora
dormiam quietos no ninho.

Dormiam também no éter
as estrelas empanadas,
e algumas nuvens cinzentas
dos montes nas cumeadas.

A lua sorria pálida,
toda coberta de véus.
E tu, de negro vestida,
olhavas, triste pra os céus.

Da zona escura que os cerca
teus olhos se destacavam,
e, aos raios do astro amigo,
ébrios de amor, cintilavam!

Tinhas a face encostada
sobre a mão, que se apoiava
da porta na tosca ombreira,
que a outra mal segurava.

E da fronte, mal compostos,
desciam-te alguns cabelos
sobre os seios que ondulavam
ao sopro dos teus anelos.

A brisa passando rápida,
ao ver-te assim tão sozinha,
parava... e, cessando os voos,
beijar-te os cabelos vinha!

É que assim e a tais desoras
de uma auréola de poesia
tu surgias, como o anjo,
da terna melancolia!

✢

Que poema que escrevias,
co'aqueles magos olhares!
Como brotavam teus lábios
hinos — sem mesmo cantares!

✢

Apenas de espaço a espaço,
baixinho, quase em segredo,
um suspiro... uma palavra,
— como saídos a medo, —

vinham, nas asas da brisa,
pairar um instante... e morrer!...
Murmúrios d'harpa divina
que os mortais soem perder!

E eu que te olhava mudo
bebendo-te a inspiração,

ao roçar desses murmúrios
mal continha o coração,

que me pulava no peito
a pedir-me delirante,
que te dissesse em soluços:
"Ama-me!... embora um instante!"
☆
Não!... Mais nunca, por piedade,
ai!... me apareças assim!...
Na loucura em que me lanças
não te respondo por mim!

Nem mesmo quero a lembrança
das que tive — ânsias mortais!
Nem me depare o destino
no futuro horas iguais!

Amém!... que são de força capaz de endoidecer! Nunca um poeta, meu caro amigo, fez voto mais sincero, mais emergido do sacrário de sua consciência!

Dessas torturas de precito[15] só se pode triunfar uma vez na vida!

O *estoicismo* não é do nosso tempo; é um anacronismo filosófico. O *confortable*, — essa deliciosa conquista da civilização, — matou-o, escarrando-lhe sobre os andrajos.

Já não é pouco meritório, pois, ter alcançado em um minuto da nossa existência fácil e afortunada o irrecusável direito de ocuparmos pelo menos uma hora o famigerado tonel![16]

Mas o meu martírio não estava findo!

Apenas pontuei a derradeira estrofe, cedendo à reação das comoções passadas, senti pender a cabeça invencivelmente para a mesa e deixando repousar aquela nos braços cruzados sobre esta, fechei os olhos e procurei esquecer a vertigem.

Faúlas[17] de mil cores começaram então a torvelinhar nas minhas trevas forçadas. Experimentava de vez em quando deslumbramentos passageiros... Custava-me respirar. Depois geral torpor apoderou-se do meu espírito e do meu corpo... Foram-se baralhando as ideias e embotando a percepção dos sentidos. Entrei no gozo de um inefável descanso... As pálpebras imobilizaram-se sem mais esforço e... adormeci.

De repente senti que me tomavam pela mão e conduziam, através de compridos corredores, para um ponto luminoso, porém distante, que luzia como o planeta Marte no meio de um horizonte fuliginoso.

Deixei-me conduzir e guiar: o delíquio voluptuoso em que me achava tirava-me até a veleidade da resistência. Acompanhei portanto, gostosamente o meu guia.

Não se ouvia o ruído dos nossos passos. Deviam ser de alfombras da Pérsia atapetados os corredores por onde caminhávamos ou antes – deslizávamos.

Chegamos, enfim!

O planeta, o ponto luminoso era... uma alcova para a qual coava-se a luz através de cortinas de tafetás cor-de-rosa.

Era essa a causa do viso avermelhado que a claridade ostentava ao longe: – laivos sanguíneos do planeta eram a cor da mais bela das flores.

A alcova era redonda e toda guarnecida de acetinados divãs, sobre os quais almofadas de várias e graciosas formas pareciam atiradas em harmônica desordem.

No centro, sobre uma trípode de alabastro, ostentava-se um elegante cabaz, de cujas bordas se precipitavam para todos os lados os formosos corimbos de variadas e odorantes flores. Era de encantar!

Circulava no ambiente o misto perfume que aquele turíbulo vegetal estava, de contínuo, a derramar no espaço.

Tudo ali falava desses édens deslumbrantes que a fantasia ardente dos poetas situa e descreve no Oriente.

O que faltava ao quadro encantador? O que vi!

Um levíssimo arruído, como de respirar ansiado, atraiu-me o olhar para um dos divãs, mais afastado da penumbra...

Era ela!... ela... e só!

Tinha os cabelos soltos e não estava de preto. Longo roupão branco, de mimosas ondulações, mal lhe desenhava os contornos do faceiro corpo[18].

Ligeiramente vergada para a frente, arregaçara as fímbrias do roupão e, firmando um pezinho de Cendrillon[19] sobre o tapete, cruzara a perna esquerda sobre o joelho da direita, e procurava atar a liga de cetim azul que se destacava da alvura deslumbrante de uma meia de finíssimo tecido.

Nessa posição tão gentilmente indiscreta estava arrebatadora. Nunca a vira tão bela!

Imagina, porém, como eu fiquei, ó meu poeta dos cânticos apaixonados, quando vi-a fitar em mim os brandos olhos, sorrir-me, e ouvi-a – compreendeste?... ouvi-a chamar-me para junto de si e pedir o auxílio da minha destreza para afivelar-lhe a liga!

Que momento, ó meu Deus! Foi vacilante e trôpego que me aproximei dela.

O aroma do ambiente, os eflúvios do seu sorriso, a fascinação de sua beleza, a solidão, o divã, a reminiscência, a volúpia, a liga, o sapatinho à Luís XV – tinham-me inebriado de todo; e eu me tornara o mesmo infeliz da véspera, o mesmo louco!...

....

O mesmo louco... sim! O mesmo infeliz... não! Porquanto nos últimos êxtases da voluptuosidade que eu fruía apertando-a docemente entre meus braços, – voluptuosidade que gozei deveras, – despertei, e, abrindo os olhos, vi, com os primeiros albores do dia, esvair-se num raio de luz solar a miragem edênica do meu sonho febril!

Não fui, pois, infeliz; mas louco... sim! E sabes por quê? Porque ainda hoje me parece realidade; tão alquebrado e enfermo me deixaram os combates lascivos daquele sonho atribulado!

E queres também saber até que ponto se estende a minha triste fraqueza? Mais de uma vez me tenho surpreendido a mim mesmo exclamando com o sonoroso bardo de *Amor e Melancolia*[20]:

"Mas se tu não existes fora da minha imaginação, filha de minha ternura, sê ao menos uma quimera eterna!"

E se a vida humana é tecida de ilusões, calcula quanto deve ser lastimado o homem que pede para sua felicidade a eternidade das quimeras.

Lastima, pois, o teu

Anacreonte[21]

---

1 ∞ Este é o capítulo VI do livro em prosa *Teteias* (aliás, *Teteyas*) do prefaciador de *Crisálidas*, ver em [22], carta de 22/07/1864, e do autor da *Epístola a Machado de Assis*, ver em [47], carta aberta de 16/05/1866. As peculiaridades ortográficas, na edição *princeps*, continuam esfuziantes, e o vocabulário é mais um exemplo de domínio do português castiço. (IM)

2 ∞ Local e ano figuram no fim do texto. O Dr. Filgueiras estaria morando no atual município de Santa Maria de Madalena (RJ). (IM)

3 ∞ Mais uma referência à musa machadiana. (IM)

4 ∞ Tangida pelo vento. (IM)

5 ∞ Na Grécia antiga, citaredo era o cantor que se acompanhava da cítara. (IM)

6 ∞ Segundo a lenda romana, a ninfa que aconselhava o rei Numa. Por extensão, mulher que inspira e aconselha. (IM)

7 ∞ Joseph Méry (1798-1865), polígrafo francês da chamada "literatura de consumo", que floresceu no século XIX, para atender, popularmente, à nova categoria de leitores, ávida por leituras atraentes e fáceis, não propriamente semelhantes às oferecidas por grandes escritores da época, como Musset e Lamartine. (IM)

8 ∞ É para ela que as árvores dão a sombra, as fontes a harmonia, os pássaros os concertos, as flores o perfume, o sol o amor! (IM)

9 ∞ Na Antiguidade romana, espectros que vinham atormentar os vivos. (IM)

10 ∞ Na Grécia antiga, dança acompanhada de cantos. (IM)

11 ∞ Local em Roma onde eram expostos e executados os criminosos; desonra pública. (IM)

12 ∽ Este parece ser o único trecho da copiosa carta, citado pelos biógrafos de Machado. (IM)

13 ∽ A alusão ao fantasma das conveniências sociais esclarece razoavelmente as causas do rompimento de Machado de Assis com a amada Corina, sempre misteriosa, mas, pelo visto, bastante conhecida pelo Dr. Filgueiras. Vale a pena confrontar com as explicações de Machado a Carolina, em [81], carta de 02/03/1869. (IM)

14 ∽ Pelos silêncios amigos da lua. (IM)

15 ∽ Condenado de antemão, amaldiçoado. (IM)

16 ∽ Referência a Diógenes de Sinope, filósofo grego (413-323 a.C.), fundador da escola cínica, que desprezava a riqueza e as convenções sociais, por serem entraves da liberdade. Segundo a tradição, Diógenes vivia num tonel, para demonstrar a sua renúncia aos apetites materiais. (IM)

17 ∽ Fagulhas. (IM)

18 ∽ Esta passagem faz pensar no capítulo II – Um roupão – do romance machadiano *A Mão e a Luva*. "Da casa vizinha saíra um roupão [...]" (IM)

19 ∽ A *Cendrillon* francesa é a nossa "Gata Borralheira", heroína de um conto de fadas cuja versão mais antiga seria chinesa. "Cinderela" tornou-se o nome popular da personagem no Brasil, por causa do desenho animado *Cinderella*, de Walt Disney (1950), que teve as canções lindamente adaptadas por Braguinha (dito João de Barro) para o português. (IM)

20 ∽ Antonio Feliciano de Castilho (1800-1875), autor de *Amor e Melancolia* ou *A Divina Heloísa* (1828). (IM)

21 ∽ O Dr. Filgueiras se subscreve usando o nome de Anacreonte, poeta lírico grego (séc. VI a.C.), cujas *Odes* celebravam o amor e a vida prazerosa. (IM)

[87]

> Para: FRANCISCO RAMOS PAZ
> *Fonte*: Fundação Biblioteca Nacional. *Catálogo da Exposição do Centenário de Nascimento de Machado de Assis. 1839-1939*. Rio de Janeiro: Ministério da Educação e Saúde, 1939. Transcrição do manuscrito original.

[Rio de Janeiro, sem data.]¹

Paz:

No domingo bati e rebati à tua porta. Nem viva alma. Queria dizer-te o que houve a respeito de bilhetes, e ao mesmo tempo falar-te de uma ideia soberba!!! Manda dizer onde me podes falar; caso recebas esta carta depois de vir o portador dela, escreve, para m*inha* casa (Andradas 119) e marcando hora e lugar hoje.

A coisa urge.

Teu

Machado de Assis.

---

1 ∾ A residência na rua dos Andradas, 119, é oferecida em [85], carta de 19/11/1869. O bilhete poderia ser do mesmo ano. (IM)

[88]

> Para: FRANCISCO RAMOS PAZ
> Fonte: Fundação Biblioteca Nacional. *Catálogo da Exposição do Centenário de Nascimento de Machado de Assis. 1839-1939*. Rio de Janeiro: Ministério da Educação e Saúde, 1939. Transcrição do manuscrito original.

[Rio de Janeiro, sem data.]

Paz am*igo*.

Ainda preciso daquilo de que te falei. Vê se me arranjas, e deixo ao teu parecer as condições, que conto serão razoáveis, favoráveis para mim[1].

Todo teu.
M. d'Assis.

---

1 ∾ O bilhete poderia se situar entre [83], carta de 01/05/1869 e [85], carta de 19/11/1869. (IM)

[89]

> Para: FRANCISCO RAMOS PAZ
> Fonte: Fundação Biblioteca Nacional. *Catálogo da Exposição do Centenário de Nascimento de Machado de Assis. 1839-1939*. Rio de Janeiro: Ministério da Educação e Saúde, 1939. Transcrição do manuscrito original.

[Rio de Janeiro, sem data.]

Meu caro Paz.

A pressa com que se precisa dos versos[1], a aglomeração de trabalho que sobreveio agora, e as circunstâncias referidas na nossa conversa anteontem me impedem de servir-te como estava decidido. Não te acanhes, se levar nisso gra*nd*e interesse de afeição; farei então o trabalho a todo o custo; mas, se o caso é como me disseste, vê se me hás por dispensado, e crê-me teu

amigo do Coração
Machado de Assis

I ✿ Não identificados pelos especialistas. (IM)

[90]

> Para: FRANCISCO RAMOS PAZ
> *Fonte*: Fundação Biblioteca Nacional. *Catálogo da Exposição do Centenário de Nascimento de Machado de Assis. 1839-1939*. Rio de Janeiro: Ministério da Educação e Saúde, 1939. Transcrição do manuscrito original.

[Rio de Janeiro, sem data.][1]

Meu Paz,

O homem que se encarregou da tal folha de Lisboa quer saber dos passos que se devem dar, direitos que se pagam, e coisas análogas para tirar os jornais do vapor, apenas ele chegar. Peço-te encarecidamente que vejas isto hoje, porque amanhã chega o paquete. Tenho certa responsabilidade nisto.

Teu
Machado de Assis

I ✿ Optou-se por incluir neste volume os bilhetes sem data de Machado de Assis a Ramos Paz, porque todos parecem ser do mesmo período, atribulado, conforme indicam os biógrafos de seu autor. (IM)

Correspondentes no período 1860-1869

Cartas de MACHADO DE ASSIS (1839-1908): [2], [3], [7], [16], [25], [26], [28], [30], [43], [54], [59], [63], [68], [75], [77], [81], [82], [83], [85], [87], [88], [89] e [90]. Estas cartas também estão indicadas nos perfis dos respectivos correspondentes.

ABREU, CASIMIRO José Marques DE. (1839-1860). Pairam dúvidas sobre o local de nascimento (provavelmente, Rio das Ostras), mas sabe-se que foi batizado em Barra de São João, na província do Rio de Janeiro. Filho natural do comerciante e fazendeiro português José Joaquim Marques Abreu e de Luísa Joaquina das Neves, estudou, dos 11 aos 13 anos, em Nova Friburgo, onde foi colega de Pedro Luís Sousa*, seu grande amigo. Em 1853, partiu para Portugal com o pai. Lá publicou *Camões e o Jaú* (teatro, 1856) e escreveu grande parte de suas poesias. Retornou ao Brasil em 1857, passando a trabalhar no comércio, por determinação paterna. Avesso a esse tipo de atividade e boêmio, frequentava as rodas literárias e conheceu Machado de Assis no escritório de advocacia de

Caetano Filgueiras*. Em 1859, publicou *Primaveras*, que teve grande repercussão no Brasil e em Portugal. Com a esperança de recuperar-se da tuberculose, partiu para Nova Friburgo em meados de 1860, e logo circulou a falsa notícia de sua morte, que veio a ocorrer pouco depois, a 18 de outubro daquele ano. Machado dedicou-lhe um saudoso e eloquente elogio póstumo no *Diário do Rio de Janeiro*, a 26 de outubro de 1861. Quando da fundação da ABL, foi escolhido patrono da Cadeira 6. [I].

ALENCAR, JOSÉ Martiniano DE. (1829-1877). Advogado, jornalista, romancista, teatrólogo e político; nasceu em Mecejana, na província do Ceará, e faleceu na cidade do Rio de Janeiro, aos quarenta e oito anos, de tuberculose. Por volta de 1836, a família de Alencar transferiu-se para a corte, onde o pai tornou-se senador pelo partido liberal, com notável liderança em favor da maioridade do príncipe D. Pedro. José de Alencar formou-se em direito por São Paulo. De volta à corte, escreveu no *Correio Mercantil*, no *Jornal do Comércio* e no *Diário do Rio de Janeiro*. Filiado ao partido conservador, participou do gabinete Itaboraí, como ministro da Justiça, de julho de 1868 a janeiro de 1870. No exercício da crítica literária, Machado analisou diversas de suas obras, e Alencar, conhecido por sua extrema suscetibilidade, parece ter percebido que aquele exercício crítico nunca se transformara em oportunidade para algum ataque pessoal. Talvez houvesse em ambos a percepção de que estavam diante de expressões singulares da potência artística. Machado considerou a peça *Mãe* o melhor drama nacional até então representado; fez restrições a *Minas de Prata* e a *Diva*, mas disse que algumas passagens de *Iracema* eram superiores às de Chateaubriand, nos *Natchez*. Alencar foi o mais respeitado interlocutor de Machado, quer estivessem na Garnier, quer andassem juntos no Passeio Público. Nome consagrado nas letras brasileiras, Alencar foi objeto de uma admiração incondicional por parte de Machado, que, em 1891, pronunciou o discurso de louvor ao escritor no lançamento da pedra fundamental de sua estátua no bairro do Flamengo, no Rio de Janeiro.

Quando da fundação da ABL, Machado de Assis escolheu-o como patrono da Cadeira 23. [74] e [75].

ÁLVARES, Nuno. Ver SOUSA, Nuno Álvares Pereira e.

AMIGO DA VERDADE. Pseudônimo. [35] e [38].

AMIGO E COLEGA. Identidade não revelada por Machado de Assis. [23].

AMIGO SALVADOR. Identidade não revelada por Machado de Assis. [11] e [13].

AMORIM, Francisco GOMES DE. (1827-1891). Nasceu na província do Minho, Portugal, de família modesta. Em 1837 decide emigrar para o Brasil, com seu irmão mais velho, desembarcando em Belém do Pará. Aí trabalha por algum tempo e, segundo própria confissão, aprende a ler aos 12 anos de idade. Penetra na Amazônia, exerce atividades rudes e adquire conhecimentos da linguagem dos indígenas. A descoberta de um exemplar de *Camões*, de Almeida Garrett, modifica-lhe a vida: cheio de admiração, escreve para o grande autor português. A resposta chega um ano depois. O jovem resolve voltar à pátria, encontra Garrett em 1846, tomando-o como mestre, estreitando-se entre ambos uma forte relação intelectual e de amizade. A formação tardia dá frutos notáveis. Polígrafo, dedica-se às *Memórias Biográficas* de Garrett, falecido em 1854, a colaborações eruditas para sociedades e academias, ao teatro e à ficção (contos e romances inspirados na experiência brasileira), à poesia e ao jornalismo. A admiração por Machado de Assis, que se prolongará até os últimos dias de Gomes de Amorim, já se manifesta em 1866. [48].

ARAÚJO, Joaquim Aurélio Nabuco de. Ver NABUCO, Joaquim.

ARAÚJO, MANUEL DE. Português, membro da Arcádia Fluminense, recitou o poema "Esperança" no primeiro sarau dessa associação, em

14 de outubro de 1865. Suas relações com Machado devem ter sido muito pessoais, a julgar pelo tom da carta de 18 de setembro de 1868, em que Araújo desabafa com o amigo, confessando seu sofrimento com a partida da mulher amada. Outra carta, de 13 de outubro do mesmo ano, informa do agravamento da doença de Faustino Xavier de Novais*, e sugere que os dois visitem naquele mesmo dia o amigo comum. Na última carta conservada, de 15 de maio de 1871, Araújo comunica o nascimento de uma filhinha. [78] e [79].

ARAÚJO, MANUEL do Monte Rodrigues DE; Conde de Irajá. (1779--1863). Sacerdote e político pernambucano, foi professor de teologia no Seminário de Olinda, e deputado por sua província (1834-1841) e pelo Rio de Janeiro (1845-1847). Capelão-mor de D. Pedro II, deu ao imperador e a D. Teresa Cristina a bênção nupcial; batizou os príncipes imperiais. Foi designado e confirmado Bispo do Rio de Janeiro em 1839, e recebeu o título de Conde de Irajá (1845). Doutrinariamente, algumas teses de seu *Compêndio de Moral* foram recusadas em Roma, e a obra permaneceu no *Index* até receber as necessárias correções; a partir de então, granjeou aplausos no Brasil e foi adotada nos seminários. Faleceu sem conseguir sustar pressões políticas desvantajosas às ordens religiosas, hostilidades que perdurariam até o fim do Império. [3].

ARAÚJO, Sizenando Nabuco de. Ver NABUCO, Sizenando.

BISPO DO RIO DE JANEIRO. Ver ARAÚJO, Manuel do Monte Rodrigues de.

BLEST GANA, GUILLERMO. (1829-1905). Nasceu em Santiago, de pai irlandês e mãe chilena, tendo sua família lutado na guerra de independência do Chile. Dedicou-se ao teatro, novela social e de costumes, e obteve destaque na poesia, com o volume *Armonías* (1884). Foi representante diplomático do Chile no Rio de Janeiro (cumulativamente com a representação em Buenos Aires), já granjeando a amizade de escritores, artistas e jornalistas em meados da década de 1860. O banquete de despedida que lhe foi oferecido em 1876 contou com a presença de figuras como o Visconde de Rio Branco, Quintino Bocaiúva e Machado de Assis. Este, muito amigo do diplomata chileno, traduziu seu poema "O primeiro beijo", publicado em 1869 na *Semana Ilustrada*. Blest Gana foi sócio correspondente da ABL, como primeiro ocupante da Cadeira 12. [50].

BOCAIÚVA, QUINTINO Antônio Ferreira de Sousa (dito). (1836--1912). Bocaiúva foi sobrenome que o jovem Quintino escolheu como afirmação de seu nativismo, pois designa uma espécie de coqueiro tipicamente brasileiro. Nascido em Itaguaí, no Rio de Janeiro; em 1850, foi estudar direito em São Paulo, desistindo por falta de recursos. De volta à corte, trabalhou no *Correio Mercantil*, no *Diário do Rio de Janeiro*, em *A República*, em *O Globo* e em *O País*. Republicano ardoroso, foi um dos redatores do *Manifesto Republicano* de 1870, e teve papel importante no movimento que levou ao fim da monarquia. Foi o responsável pela entrada de Machado de Assis no *Diário do Rio de Janeiro*, encarregando-o da cobertura jornalística do Senado. Quando na qualidade de codirigente da Sociedade Internacional de Imigração, Bocaiúva foi acusado de trazer para o Brasil imigrantes norte-americanos com problemas na justiça dos Estados Unidos; Machado de Assis fez então a sua defesa nas páginas do *Diário do Rio de Janeiro*. Quintino Bocaiúva auxiliou Machado na obtenção de seu primeiro emprego público e, mais tarde, já como ministro interino da Agricultura e Obras Públicas, foi, durante alguns dias, seu chefe. [7], [8], [54], [59], [63] e [68].

CASTILHO Barreto e Noronha, JOSÉ FELICIANO DE. (1810--1879). Formado em direito pela Universidade de Coimbra; em 1829, refugiou-se na França ao envolver-se numa conspiração contra o governo absolutista português. Em Paris, bateu-se nas barricadas na revolução de 1830, que depôs Carlos X e colocou Luís Filipe no trono. Em seu exílio francês, estudou medicina e, na Alemanha, doutorou-se em filosofia por Rostock. Em 1834, voltou a Lisboa, dedicou-se ao jornalismo e foi nomeado diretor da Biblioteca Nacional. Em 1847, emigrou para o Brasil, onde fundou o jornal *Íris*, publicando alguns livros antigos, como o *Diálogo das Grandezas do Brasil*. Em 1862, Machado de Assis fez restrições aos seus livros *À Memória de Pedro IV* e *Memória sobre a 22.ª Égloga de Virgílio*. Tornaram-se amigos em 1865, na fundação da Arcádia Fluminense, durante as comemorações do centenário de Bocage (1765-1865), de quem Castilho José foi biógrafo. Nada mais natural, portanto, que a ele Machado de Assis tenha se dirigido, em carta aberta transcrita no *Diário do Rio de Janeiro*, em 15 de agosto de 1865, recomendando-lhe a peça *Os Primeiros Amores de Bocage*, de Gomes Leal. [43].

CASTRO, JOSÉ Cardoso VIEIRA DE. (1838-1872). Político e escritor português, nasceu em Santo Ildefonso, filho de Luís Lopes Vieira de Castro e de Emília Angélica Guimarães. Em 1852, conheceu Camilo Castelo Branco, de quem se tornou amigo. No ano seguinte, ingressou na Universidade de Coimbra. Com excepcionais dotes de oratória, liderou um movimento estudantil, protestando publicamente contra uma decisão administrativa interna, o que lhe valeu a expulsão da Universidade. Voltou a Coimbra, mas em 1860 envolveu-se em novo conflito, sendo "riscado perpetuamente" do rol dos estudantes. Nesse mesmo ano, reforça-se sua amizade com Camilo Castelo Branco, que se abriga no solar ancestral de Vieira de Castro, por se encontrar foragido, acusado de adultério. Em 1861, publica uma biografia de Camilo, lançando-se como escritor. Em 1863, regressa a Coimbra, mas ali volta a encabeçar a contestação estudantil, ao lado de Antero de Quental, Eça de Queirós* e Teófilo Braga, e mais uma vez é afastado da Universidade. Readmitido no ano seguinte, consegue se formar. Entra na política e inicia uma bem-sucedida carreira parlamentar. Em 1866, publica seus *Discursos Parlamentares*. Nesse ano, embarca para o Brasil, com o objetivo confesso de refazer sua fortuna de família, casando-se com uma herdeira rica. É recebido com honras invulgares, inclusive pelo Imperador, que o agracia com a Ordem da Rosa. A viagem atinge seu objetivo quando ele se casa, em fevereiro de 1867, com Claudina Adelaide Gonçalves Guimarães, de apenas 15 anos, filha de um negociante português. O casal viaja pela América do Norte e Europa, antes de fixar residência em Lisboa, onde cultiva a amizade de intelectuais como Ramalho Ortigão. Vieira de Castro começa a suspeitar da fidelidade de sua jovem esposa, que ele acreditava estar mantendo uma relação com José Maria de Almeida Garrett, sobrinho de Almeida Garrett. Em 1870, julgando confirmadas essas suspeitas, assassina a moça com uma almofada embebida de clorofórmio. Foi condenado a 10 anos de degredo em Angola, onde morreu. Machado conheceu Vieira de Castro e, em crônica no *Diário do Rio de Janeiro*, referiu-se a seu talento oratório. Em 16 de março de 1867, anunciou a partida de Castro, que retribuiu, publicando no *Diário do Rio de Janeiro* uma carta de despedida. [67] e [80].

DIAS, OLÍMPIA da Costa GONÇALVES. Na existência dramática de Antônio Gonçalves Dias (1823-1864), foi o seu casamento mais um capítulo doloroso. Olímpia Coriolana da Costa, filha do renomado médico Cláudio Luís da Costa, conheceu o futuro marido numa festa em Porto das Flores, na província fluminense. Três anos mais velha, enamorou-se naquele encontro, em março de 1851. O poeta parte pouco depois para o Norte, comissionado pelo governo imperial para estudar a situação do ensino nas províncias da região e colher documentos históricos. Em São Luís, reencontra Ana Amélia Ferreira Vale, grande paixão de sua vida. Era ele amigo da família Vale que, no entanto, rejeitou secamente o pedido de casamento feito por um moço de talento já consagrado, mas filho ilegítimo de um comerciante português e de mãe mestiça. Ferido pela recusa, continua desempenhando seus deveres e retorna ao Rio de Janeiro, em 1.º de junho de 1852. Pede em casamento a bem-nascida Olímpia. A cerimônia se realiza na igreja da Glória do Outeiro no dia 26 de setembro. Uma esposa de gênio difícil, frustrada no desejo de ver correspondido o exaltado e possessivo amor que a domina, torna o convívio do casal um desastre. As desinteligências domésticas levam Gonçalves Dias a pleitear uma comissão para estudar arquivos estrangeiros, e ele parte para a Europa em junho de 1854, em companhia da mulher, grávida de quatro meses, e de uma jovem cunhada. Instala-as em Paris, a criança nasce no dia 20 de novembro. Chama-se Joana — a *Bibi* — e seu avô médico julga necessário que Olímpia e a filhinha, de saúde muito frágil, voltem ao Brasil. A menina falece de pneumonia em 24 de agosto de 1856. Gonçalves Dias permanecera na Europa, já praticamente separado de Olímpia. Ainda a reencontra entre setembro de 1858 e janeiro de 1859, no Rio de Janeiro, faz algumas gentilezas (como comprar-lhe um piano), negando-se a residir com ela. Muito doente, viaja, trabalha e nutre suspeitas indevidas sobre a fidelidade da mulher. Estava desfeito o casamento de uma moça "especiosamente romântica", no dizer de Manuel Bandeira, com o grande poeta romântico que jamais esqueceu Ana Amélia. [34].

FERRÃO, JOAQUIM Antônio da Silva. Há poucos dados sobre este amigo da juventude de Machado de Assis. Sabe-se que era membro do Conservatório Dramático Brasileiro. Na carta reproduzida neste volume, do final de maio de 1865, Ferrão enviou a Machado de Assis ingressos para a peça *Agonias do Pobre*, no Teatro São Januário, à qual o escritor não compareceu. Pelo tom da carta, percebe-se a intimidade entre ambos. [40].

FIGUEIRA, Luís RAMOS. (1843-1894). Nascido em Angra dos Reis, na província do Rio de Janeiro, formou-se pela Faculdade de Direito de São Paulo. Foi promotor público na comarca de Paranaguá; foi também deputado provincial no Rio de Janeiro e no Paraná. Publicou o romance *Dalmo ou os Mistérios da Noite* (1863), resenhado por Machado de Assis, e *Amores de um Voluntário* (1868), dedicado a José de Alencar*. Em 1865, dirigia o jornal dos estudantes *Imprensa Acadêmica*, em São Paulo. A carta que se publica na presente edição pede a colaboração de Machado de Assis no periódico, e alude à possibilidade de os dois se conhecerem desde 1859, quando Ramos Figueira residia no Rio de Janeiro e parece ter frequentado a Sociedade Filomática. [18].

FILGUEIRAS, CAETANO Alves de Sousa. (1830-1882). Poeta e advogado, formou-se pela Faculdade de Direito de Olinda, em Pernambuco; nasceu na Bahia e faleceu na Paraíba. Depois de formado, transferiu-se para a corte, abrindo o seu escritório na rua de São Pedro n.º 85, sala que se tornou conhecida na história da literatura brasileira por abrigar as reuniões do Grupo dos Cinco, do qual fazia parte o jovem Machado de Assis. Caetano Filgueiras, prefaciador de *Crisálidas* (1864), escreveu desde muito cedo; entre as suas obras citam-se *Meu Primeiro Dedilhar da Lira* (1846), *Arremedos de Poesia* (1851), *Idílios* (1872) e *Teteias* (1873). Para o teatro escreveu as comédias *Constantino*, *Lágrimas de Crocodilo*, *Baronesa de Caiapó*, *O Chapéu* e *Ora Bolas!*. Descobriu-se, durante as pesquisas para a *Correspondência de Machado de Assis*, que o livro *Efêmeras* também é de sua autoria, muito provavelmente editado depois de 1851, até no máximo 1864. Membro do Instituto Histórico e Geográfico Brasileiro, Caetano Filgueiras presidiu a província de Goiás e foi deputado pela Paraíba. [22], [26], [47] e [86].

GANA, Guillermo Blest. Ver BLEST GANA, Guillermo.

GUIMARÃES JÚNIOR, LUÍS Caetano. (1845-1898). Nasceu no Rio de Janeiro, filho de um abastado português, Luís Caetano Pereira Guimarães, e da brasileira Albina de Moura Guimarães. Desde cedo manifestou seu talento literário e um espírito romântico que contrariavam o austero temperamento paterno. Aos 17 anos, conhece Machado de Assis, a quem dedica uma "tentativa dramática" – *Cena Contemporânea* –, conquistando a amizade que perdurou por toda vida. Parte para São Paulo, onde termina os preparatórios e ingressa na Faculdade de Direito

(1862-1864). Escreve comédias, *Um Pequeno Demônio*, *Amores que Passam* e *O Caminho Mais Curto*, e colabora na imprensa paulistana, sob o pseudônimo "L. de Ataíde". Em 1865 transfere-se para Recife, onde conclui o curso jurídico e publica o volume de poesias *Corimbos*, no final de 1869. De volta ao Rio de Janeiro, torna-se ativo jornalista. Publica, sucessivamente, *A Família Agulha*, *Curvas e Zig-zags* (prosa humorística), *Noturnos*, *Contos sem Pretensão* e perfis biográficos; decidido a se casar com Cecília Canongia, abandona a vida boêmia, para ingressar no serviço diplomático. Postos na Bolívia, no Chile, na Grã-Bretanha, na Itália, onde publica *Sonetos e Rimas* (1880) e Portugal, entre 1872 e 1890, quando é removido para a Venezuela, como ministro de 2.ª classe. Posto em disponibilidade (1892), retorna a Lisboa e publica o *Livro da Minha Alma* (1895). Viúvo, enfermo e desiludido, queima uma imensa quantidade de poemas inéditos. Porém, criada a Academia Brasileira de Letras, manifestam-se o carinho e o apreço de Machado que o quis como fundador da Cadeira 31. Guimarães Júnior, poeta romântico de clara orientação parnasiana, faleceu em Lisboa, sem presenciar os primeiros momentos da Casa que guarda a sua copiosa correspondência, conservada por Machado de Assis. [5], [6], [9], [10], [12], [14], [15], [21], [24], [37], [39], [44] e [46].

IMPRENSA ACADÊMICA. Jornal dos estudantes da Faculdade de Direito de São Paulo (1864-1871), de orientação liberal, e para o qual Machado de Assis enviou três cartas, duas em 1864 (neste volume) e a última em 1870. Machado de Assis foi correspondente do periódico durante 1864 e por duas vezes em 1868. [25] e [28].

MELO, José Alexandre TEIXEIRA DE. (1833-1907). Médico, poeta e historiador. Nascido em Campos dos Goitacases, na província do Rio de Janeiro, Teixeira de Melo veio à corte terminar os estudos preparatórios no Seminário Episcopal de São José, entrando em 1853 na Faculdade de Medicina do Rio de Janeiro, onde formou-se em 1859. Conheceu Machado de Assis no período de estudante de ciências médicas e frequentou como ele as rodas de estudo e leitura do escritório de Caetano Filgueiras*. Em princípios de 1860, retirou-se para a terra natal, dedicando-se durante quinze anos quase exclusivamente à medicina, e de raro em raro ao jornalismo local. Em 1875, agora acompanhado da família, Teixeira de Melo transferiu-se à corte a fim de que os seus filhos tivessem formação acadêmica. Em 1876, por decreto imperial, foi nomeado chefe da Seção de Manuscritos da Biblioteca Nacional e, em 1895, passou a diretor daquela instituição. Teixeira de Melo é também o fundador da Cadeira 6 da ABL. [30].

MENDONÇA, SALVADOR de Meneses Drummond Furtado DE. (1841-1913). Romancista, poeta, jornalista, professor e diplomata, nascido em Itaboraí, na província do Rio de Janeiro, veio para a corte aos doze anos, a fim de completar os estudos. Em 1859, matriculou-se na Faculdade de Direito de São Paulo, mas com o falecimento dos pais, interrompeu os estudos para tornar-se responsável pelos oito irmãos menores, entre eles, Lúcio de Mendonça*. Escreveu no *Diário do Rio de Janeiro*, no *Jornal do Comércio* e no *Correio Mercantil*. Voltou a São Paulo, terminando os estudos; lá trabalhou em *O Ipiranga*, dedicando-se à causa republicana. De volta ao Rio de Janeiro, com Saldanha Marinho e Quintino Bocaiúva*, fundou o Clube Republicano, e integrou a equipe do jornal *A República*. Viúvo em 1875, entrou na diplomacia, tornando-se cônsul-geral em Nova York. Em 1877, casou-se com Mary Redman. Quando da proclamação da república, empenhou-se pelo reconhecimento do novo regime junto ao governo norte-americano. Como seu irmão Lúcio de Mendonça*, foi um dos amigos mais próximos de Machado de Assis, amizade que começou em 1857, quando os dois rapazes frequentavam as reuniões diante da loja de Paula Brito, no Rocio. A correspondência entre eles é das mais significativas. Salvador de Mendonça fundou a Cadeira 20 da ABL. [51].

MENESES, José Inácio Gomes FERREIRA DE. (1845-1881). Nascido no Rio de Janeiro, filho de Zeferino de Meneses Gomes Ferreira e Alexandrina de Meneses Drummond. Ferreira de Meneses estudou na Faculdade de Direito de São Paulo, permanecendo ali depois de formado, como promotor público, mas dedicando-se também ao jornalismo, à poesia e ao teatro. Escreveu regularmente na *Imprensa Acadêmica** com o seu próprio nome, bem como valendo-se do pseudônimo "Janny". De volta ao Rio de Janeiro, continuou atuando no jornalismo, sendo redator de *A República* e folhetinista da *Gazeta de Notícias*. Destacou-se, sobretudo, ao fundar e dirigir o jornal *Gazeta da Tarde*, de orientação abolicionista, que após a morte do jornalista foi adquirido por José do Patrocínio e circulou até 1901. Ferreira de Meneses escreveu ainda um livro de poemas *Flores de Cheiro*, encontrado na Biblioteca Nacional, no qual se pôde identificar o seu nome completo e a sua filiação, bem como se encontrou um estudo de Fagundes Varela sobre a sua poesia, informações que até o presente eram desconhecidas. Machado de Assis colaborou uma única vez na *Gazeta da Tarde*, um ano depois da morte do seu fundador. [41], [52], [53] e [55].

MONTEIRO, DOMINGOS JACI. (1831-1896). Nascido no Rio de Janeiro, formado em direito e medicina; foi professor do Colégio Pedro II e presidente da província do Amazonas (1876-1877). No Conservatório Dramático Brasileiro, deu parecer favorável (1863) à declamação em cena de um poema de Machado de Assis, dedicado às marinhas de Portugal e do Brasil. O poema é considerado perdido. Em 1864, Monteiro emitiu novo parecer favorável, dessa vez à comédia *O Pomo da Discórdia*, cujos originais também estão perdidos. Escreveu também em *O Futuro*. Foi responsável pelo relatório de análise e propostas de mudanças na instrução pública da corte no ano de 1866, segundo consta no *Almanaque Laemmert*. [16].

MUZZIO, HENRIQUE CÉSAR. (1831-1874). Nascido no Rio de Janeiro, seu pai chamava-se Sebastião José Muzzio, mas o nome de sua mãe não se pôde ainda apurar. Formou-se pela Faculdade de Medicina do Rio de Janeiro, defendendo a tese *Operações do Trépano* (novembro de 1856), porém jamais exerceu a profissão, dedicando-se desde muito cedo ao jornalismo. Como toda a juventude da época, interessou-se pela literatura, tendo publicado um livro de crítica, teoria e história literária, em 1861. Era secretário do *Diário do Rio de Janeiro*, posto que deixou para acompanhar o diretor do jornal, Saldanha Marinho, na presidência de Minas. Na época em que Machado e Muzzio conviveram no *Diário do Rio de Janeiro*, as relações entre eles eram muito próximas e cordiais; contudo as cartas do presente volume, do período de Ouro Preto, revelam a crise por que passava a amizade de ambos. Saldanha Marinho vinha sendo atacado por seus opositores nos jornais da corte e da província, e durante quase seis meses o *Diário do Rio de Janeiro* permaneceu silencioso. As cartas revelam o mal-estar de Muzzio, até que, nas duas últimas, sua impaciência principia a ceder. Registre-se que Muzzio foi um dos melhores cronistas de teatro e literatura do período. [56], [60], [61], [62], [70] e [71].

NABUCO de Araújo, JOAQUIM Aurélio Barreto. (1849-1910). Filho do Senador José Tomás Nabuco de Araújo, passou a infância na propriedade dos padrinhos, o engenho de Massangana, que ele imortalizaria em *Minha Formação*. Em 1859, sua educação foi confiada ao barão Tautphoeus, dono de um célebre colégio em Nova Friburgo. Depois estudou no Colégio Pedro II, bacharelando-se em letras. Com 16 anos, iniciou os estudos jurídicos na Faculdade de Direito de São Paulo, concluindo-os na Faculdade de Recife. Formado, trabalha no escritório de advocacia do pai, e escreve no órgão do partido liberal, *A Reforma*. Na primeira viagem à Europa (1873), visita Renan e George Sand. Em 1875, funda a revista *A Época*, na qual Machado de Assis colaborou. Nomeado adido da Legação brasileira nos Estados Unidos (1876), um ano depois é removido para

Londres. Atraído pela política, retorna ao país, sendo eleito deputado geral por sua província. Defende a liberdade religiosa e a emancipação dos escravos. Sem conseguir a reeleição, viaja pela Europa entre 1881 e 1884, publicando em Londres *O Abolicionismo*. Novamente eleito, retoma sua posição de destaque na campanha abolicionista, que seria coroada de êxito em 1888. Proclamada a república, mantém suas convicções monarquistas, retirando-se da vida pública durante uma década. Nessa fase, vive no Rio de Janeiro, exerce a advocacia e faz jornalismo. Participa das reuniões na redação da *Revista Brasileira*, onde lê o primeiro capítulo de *Um Estadista do Império*, em 1895, e assina a histórica ata da primeira sessão preparatória para a fundação da Academia Brasileira de Letras, a 15 de dezembro de 1896. Empenha-se nesse projeto, é eleito Secretário-Geral em janeiro de 1897. Na sessão inaugural de 20 de julho do mesmo ano, após a alocução do presidente Machado de Assis, pronuncia um admirável discurso. Em 1899, Campos Sales o convence a representar o Brasil na questão de limites com a Guiana Inglesa. Enquanto prepara sua defesa, reside em Londres, primeiro como chefe de missão especial relativa à questão da Guiana e depois acumulando essa função com a de chefe da Legação brasileira. Apesar dos intensos esforços, o laudo do árbitro não foi favorável à pretensão brasileira. Tal revés não abala o seu prestígio. Removido para os Estados Unidos, é nomeado embaixador, o primeiro do Brasil (1905), torna-se amigo dos Presidentes Theodor Roosevelt e Taft, bem como do Secretário de Estado Elihu Root, que consegue trazer para a 3.ª Conferência Pan-Americana, de 1906, realizada no Rio de Janeiro. Quatro anos depois, faleceu. Com honras excepcionais, seu corpo transportado num navio de guerra americano para o Rio, antes de ser levado para o Recife num navio da marinha brasileira. Nabuco publicou livros em francês e português, em campos tão diversos como a poesia *(Amour et Dieu,* 1874), o ensaio literário *(Camões e os Lusíadas,* 1872), o ensaio histórico-sociológico *(O Abolicionismo,* 1883) e a biografia *(Balmaceda,* 1895). Mas foi, sobretudo, o autor de duas obras fundamentais, *Um Estadista do Império* (1897-1899) e *Minha Formação* (1900). Durante suas longas permanências no exterior, a amizade com Machado de Assis, consolidada a partir da década de 1870, sustentou-se por cartas, que estão entre as mais interessantes da correspondência machadiana. O primeiro presidente da Academia e o fundador da Cadeira 27 se reencontraram em 1906, por ocasião da Conferência Pan-Americana. Foi a Nabuco que Machado dirigiu uma de suas últimas cartas, enviando o *Memorial de Aires*, em 1.º de agosto de 1908. [31].

NABUCO de Araújo, SIZENANDO Barreto. (1842-1892). Nasceu em Recife, filho do Senador José Tomás Nabuco de Araújo. Irmão mais velho de Joaquim Nabuco*, formou-se em direito pela Faculdade de São Paulo. Exerceu o cargo de promotor público e foi deputado à assembleia da província do Rio de Janeiro e à assembleia geral por sua província natal. Na juventude, escreveu vários dramas, entre os quais *Otávio, O Cínico, Olga, A Mulher do Século, História de um Artista* e *A Túnica de Nessus*. Foi fraternal amigo de Machado, a julgar pelas cartas que lhe mandou de São Paulo em 1864, nas quais transparece o hábito dos dois rapazes de trocar confidências amorosas. Através de Sizenando, Machado teve acesso às reuniões na casa dos Nabuco. Essa amizade não foi prejudicada quando o jovem Machado publicou comentários pouco entusiásticos sobre a *Túnica de Nessus*, e sua intensidade ainda ecoa numa carta de Machado a Joaquim Nabuco, de 5 de janeiro de 1902: "Admirei seu pai, e fui íntimo do nosso Sizenando, a quem V. acaba de oferecer tão piedosamente o seu livro." [17], [19] e [20].

NORONHA, José Feliciano de Castilho Barreto e. Ver CASTILHO, José Feliciano de.

NOVAIS, CAROLINA Augusta XAVIER DE. (1835-1904). Nascida no Porto, filha do ourives Antonio Luís de Novais e de Custódia Emília Xavier de Novais, Carolina era a mais jovem de seis irmãos. Foi bastante cortejada, em prosa e verso, e é possível que tenha experimentado uma desilusão amorosa, a julgar por uma carta Machado de Assis, em que ele diz que a moça "sofrera" no passado. O certo é que aos 33 anos veio para o Brasil, para cuidar do seu irmão Faustino Xavier de Novais*, que estava revelando graves sinais de perturbação mental. Mas em suas memórias, o pianista Artur Napoleão* declara que trouxe Carolina em sua companhia "por obséquio à família, a quem tão grato era, e em virtude de um acontecimento grave". R. Magalhães Jr. especula que a vida de Carolina teria sido ameaçada por um admirador desequilibrado. Em depoimento pessoal feito a Sergio Paulo Rouanet, a sobrinha trineta de Carolina, sra. Maria Theresa Sombra, informou que, segundo uma antiga tradição familiar, a moça "namoriscara" (*sic*) um rapaz nobre, cuja família, assustada com a *mésalliance*, teria forçado o fim da relação com a moça plebeia. Seria esse o "sofrimento" ao qual aludiu Machado, e o motivo real da viagem para o Brasil? Por essa razão ou qualquer outra, o fato é que Carolina chegou ao Rio de Janeiro a bordo do vapor *Estrémadure*, sob a proteção de Artur Napoleão (vale lembrar que o protetor tinha apenas 25 anos), em 18 de junho de 1868. Ela encontra Machado de Assis, seja no mesmo dia de sua chegada, pois como lembra Massa, Machado de Assis, amigo de Artur Napoleão, poderia ter ido esperá-lo no cais, seja poucos meses depois, visitando Faustino na casa de Rita de Cássia Rodrigues, filha da Baronesa de Taquari, protetora do poeta enfermo. Carolina logo aceitou o pedido de casamento de Machado. Apesar da oposição de seus irmãos Miguel e Adelaide, e do luto pelo falecimento de Faustino, ocorrido em 16 de agosto, Machado e Carolina se casaram a 12 de novembro de 1869. União muito harmoniosa, o sofrimento do escritor com a morte da companheira, em 1904, foi profundo, como testemunha o belíssimo soneto "A Carolina". [81] e [82].

NOVAIS, FAUSTINO XAVIER DE. (1820-1869). Nasceu no Porto, filho mais velho de Antonio Luís de Novais e de Custódia Emília Xavier de Novais. Após terminar os estudos primários, foi trabalhar no estabelecimento paterno, que logo abandonou, lançando-se como poeta satírico e folhetinista. Tornou-se amigo de Camilo Castelo Branco, fundou o periódico literário *Bardo* (1852) e publicou *Poesias* (1855), obra que logo se esgotou e teve nova edição, ampliada, no ano seguinte. A mordacidade dos seus versos rendeu inimizades, que o levaram a partir, com a esposa, para o Brasil, onde já gozava de algum prestígio entre portugueses e brasileiros; Casimiro de Abreu* saudou sua chegada, com um longo poema ("Bem-vindo, ó filho do Douro!"). Novais fixou-se no Rio de Janeiro, colaborou como folhetinista no *Jornal do Comércio* e em outros periódicos. A vida conjugal ia de mal a pior, devido ao gênio irascível da mulher, de quem se separou em janeiro de 1860. À mesma época, abriu uma livraria na rua Direita, que logo foi um desastre comercial. Continuava, porém, acolhido por famílias portuguesas abastadas e pelos escritores, entre os quais Machado de Assis, colaborador de *O Futuro*, periódico literário fundado e dirigido por Faustino (setembro de 1862 a julho de 1863). Dificuldades financeiras levaram-no a assumir os modestos empregos de estatístico da Praça do Comércio e de secretário da Sociedade Internacional de Imigração. Publica *Manta de Retalhos* (1864) e *Cartas de um Roceiro* (1867), livros em prosa. Por complacência, Machado de Assis incluíra nas *Crisálidas* (1864) um poema de Faustino, que já sofria de profunda depressão. Em carta aberta a Machado, Novais exigiu-lhe que elogiasse o poema "Riachuelo", de Luís José Pereira da Silva; a resposta veio prontamente, com muita habilidade e, na parte final, manifesta solicitude pelo amigo, vítima de graves perturbações mentais. Faustino mal reconheceu sua irmã caçula, Carolina*, quando esta chegou ao Rio, em 1868. Machado, noivo de Carolina, escreveu um poema em homenagem a Faustino, por ocasião do seu falecimento (16 de agosto de 1869) e homenageou-o com belas palavras de abertura no volume *Poesias Póstumas* (1870). [33], [42], [45], [58], [76] e [77].

PAZ, FRANCISCO RAMOS. (1838-1919). Português, nascido em Afife, Viana do Castelo, Ramos Paz emigrou para o Brasil com 12 anos de idade. Semianalfabeto ao chegar, o rapazinho, empregado como caixeiro, estudou com afinco e adquiriu, como autodidata, uma boa formação cultural. Em 1855 empregou-se numa casa de comissões, em Petrópolis, onde mais tarde colaboraria no *Paraíba*, jornal de Emilio Zaluar. Ajudou a traduzir o *Brasil Pitoresco*, do exilado francês Charles Ribeyrolles. Voltando à corte, dedicou-se a vários empreendimentos e adquiriu uma certa independência financeira. Sempre ligado à imprensa, foi intermediário de Elísio Mendes no convite para Machado de Assis colaborar na *Gazeta de Notícias*. Ramos Paz viajou muito. Grande amante dos livros, reuniu uma imponente biblioteca. Cedeu ao editor de Eça de Queirós* todos os jornais de sua coleção em que apareciam contribuições do escritor português, com isso tornando possível a publicação de boa parte da obra póstuma de Eça. Seus livros foram adquiridos por Arnaldo Guinle, que os doou à Biblioteca Nacional. Paz foi amigo fiel de Machado de Assis. No início dos anos 60, ambos moraram num sobrado da rua Matacavalos, e em várias ocasiões, ajudou-o financeiramente, sobretudo no período do noivado. Quando Alfredo Pujol preparava suas conferências sobre Machado, Ramos Paz forneceu-lhe material biográfico, como comprova a correspondência conservada na Biblioteca Nacional. [83], [85], [87], [88], [89] e [90].

REDATOR DE ECOS MARÍTIMOS. Não identificado por Machado de Assis. [2]

SERRA Sobrinho, JOAQUIM Maria. (1838-1888). Jornalista, professor, político e teatrólogo, nasceu em São Luís do Maranhão, onde fez as primeiras letras e humanidades; entre 1854 e 1858, estudou na Escola Militar do Rio de Janeiro, onde foi companheiro de Benjamin Constant, mas acabou por desistir do curso, para dedicar-se às letras, voltando ao Maranhão. Na capital, começou a dar aulas de português no Liceu de São Luís e a escrever no *Publicador Maranhense*, dirigido por Sotero dos Reis. A partir de 1862, quando o *Publicador* se torna diário, passa a usar o pseudônimo de "Pietro de Castellamare". Em 1862, junto com Gentil

Braga* e Belfort Roxo, funda o *Ordem e Progresso* e, em 1867, o *Semanário Maranhense*. Em 1868, transferiu-se para o Rio de Janeiro, onde foi redator dos jornais *A Reforma*, *Gazeta de Notícias* e *O País*. Serra foi também deputado geral pelo Maranhão (1864-1868; 1878-1881), e secretário de governo da Paraíba, na presidência de Sinval Odorico de Moura. Os primeiros contatos entre Machado de Assis e Joaquim Serra se deram em 1858, por meio do debate proposto por Paula Brito em *A Marmota*, em torno de saber quem seria mais infeliz: o cego de nascença (posição defendida por Machado) ou o cego por acidente (posição defendida por Serra). Não há evidências de que tenham se conhecido pessoalmente neste período; só mais tarde, aparentemente esquecidos da "Polêmica dos Cegos", conheceram-se oficialmente. Machado citou-o no *Diário do Rio de Janeiro* de 24 de outubro de 1864, quando da morte do poeta e tradutor Odorico Mendes. Da Paraíba, Serra agradeceu, começando assim uma amizade que se fortaleceu com a vinda deste para a corte, e que se estenderia até a sua morte, cinco meses depois da Lei Áurea. Quando da fundação da ABL, Serra foi escolhido patrono da Cadeira 21. [29], [32], [57], [65], [66], [69], [73] e [84].

SILVA, Francisco Joaquim BETHENCOURT DA. (1831-1911). Professor, poeta, escritor, jornalista e arquiteto de obras públicas e da Casa Imperial, Bethencourt da Silva nasceu nos arredores de Cabo Frio, a bordo do *Novo Comerciante*, navio vindo de Portugal. Estudou arquitetura na Academia Imperial de Belas Artes, sendo então aluno de Grandjean de Montigny (1776-1850). Na cidade do Rio de Janeiro, foi responsável por diversas obras de vulto, entre elas, os pórticos da Santa Casa de Misericórdia e do Cemitério de São João Batista; a ampliação do Palácio da Quinta da Boa Vista, a fachada em estilo neoclássico da igreja de São João Batista de Botafogo. Arquiteto de grande prestígio na segunda metade do século XIX, elaborou o projeto do edifício em linhas neoclássicas que hoje abriga o Centro Cultural do Banco do Brasil, cuja pedra fundamental data de 1880, sendo inaugurado como sede da Associação

Comercial do Rio de Janeiro. Foi professor da Escola Central, antiga Politécnica e, em 1856, fundou o Liceu de Artes e Ofícios, instituição que existe até hoje. Bethencourt da Silva era membro do Conservatório Dramático Brasileiro, emitindo parecer favorável à liberação e representação da peça de Machado de Assis, O Caminho da Porta. [4].

SOUSA, NUNO ÁLVARES PEREIRA E. (1836-1902). Nascido em São Luís, no Maranhão, era engenheiro, jornalista, poeta, tradutor, autor didático e infantil. Colaborou na *Revista Popular*, na *Marmota*, no *Jornal das Famílias*, na *Imprensa Acadêmica* e no *Semanário Maranhense*. Publicou as *Folhas Soltas* (1860), *Os Prazeres do Campo e os Prazeres da Corte* (1863), e *O Menino Endiabrado*, da Biblioteca Infantil (1870). Nuno Álvares deve ter conhecido Machado de Assis por volta de 1857-1858, ou na roda da Tipografia de Paula Brito ou na Sociedade Filomática do Rio de Janeiro. Em 1862, os dois participaram da diretoria da Sociedade Arcádia Brasileira, com sede na rua da Ajuda 55, 2.º andar. Nuno Álvares, como vice-presidente; Machado de Assis, como bibliotecário. Em 31 de janeiro de 1862, Nuno foi admitido como membro do Conservatório Dramático Brasileiro, em ata da sessão plenária, lavrada por Domingos Jaci Monteiro*. Em 1865, trabalhava na *Rio de Janeiro City Improvements Company Limited*, na função de engenheiro civil. Em 1872, Machado de Assis e Nuno Álvares passaram a ser colegas no Ministério da Agricultura, Comércio e Obras Públicas: Machado na Secretaria de Agricultura; e Nuno, na Diretoria de Obras Públicas. Em sessão extraordinária de 31 de janeiro de 1891, numa concorrência entre sete projetos, Nuno Álvares teve o seu aprovado, tornando-se o engenheiro responsável pela construção do Mercado Municipal erguido no aterro da praia de D. Manuel, desde o cais Pharoux até a Ponta do Calabouço, em substituição ao velho Mercado da Candelária. De todo o conjunto arquitetônico por ele projetado resta apenas um único prédio, onde até pouco tempo funcionou o tradicional restaurante Albamar. [27], [36], [49], [64] e [72].

Correspondentes de 1870 a 1908, citados neste volume

AZEREDO, MAGALHÃES DE. Fundador da Cadeira 9.

BRAGA, GENTIL

CUNHA, PEDRO W. DE MELO E

DÓRIA, FRANKLIN. Fundador da Cadeira 25.

FLEUISS, HENRIQUE

LUÍS, PEDRO. Patrono da Cadeira 31.

MENDONÇA, LÚCIO DE. Fundador da Cadeira 11.

NAPOLEÃO, ARTUR

NOVAIS, MIGUEL DE

OLIVEIRA, ALBERTO DE. Fundador da Cadeira 8.

OLIVEIRA, ARTUR DE. Patrono da Cadeira 3.

OTAVIANO, FRANCISCO. Patrono Cadeira 13.

PORTO ALEGRE, ARAÚJO. Patrono da Cadeira 32.

QUEIRÓS, EÇA DE. Primeiro ocupante da Cadeira 2, como sócio correspondente.

RODRIGUES, JOSÉ CARLOS

❦ Posfácio

A década de 1860, à qual se refere o presente volume da *Correspondência de Machado de Assis*, reveste-se de grande importância, porque abarca o período de formação e o início da maturidade intelectual de Machado de Assis.

Do ponto de vista biográfico, esses anos estão entre os menos conhecidos da vida de Machado. Suas cartas de mocidade contribuem para a reconstrução do que era o escritor durante esse período. Elas ajudam a desfazer a imagem de Machado como um homem ensimesmado, casmurro, frio nas relações humanas. Revelam, ao contrário, um jovem boêmio, namorador, a quem os amigos faziam confidências amorosas, no tom ultrarromântico de uma juventude que completara seu aprendizado literário lendo Musset e Álvares de Azevedo. São testemunhos preciosos, entre outras, as cartas de Luís Guimarães Júnior, Sizenando Nabuco, Nuno Álvares Pereira e Sousa, Faustino Xavier de Novais e Joaquim Serra. Essa fase de muito trabalho e alegre irresponsabilidade chega ao fim em 1869, ano do noivado e do casamento com Carolina.

Do ponto de vista da obra, as cartas dos anos 1860 vão mostrando a passagem de Machadinho a Machado de Assis. Ele vai se distanciando cada vez mais do adolescente que fazia poesias românticas na *Marmota*, para se tornar um jornalista reconhecido, um crítico equilibrado, um comediógrafo promissor, um poeta aclamado no Brasil e em Portugal, e um contista de talento. As cartas revelam traços de quase todas essas atividades, devendo-se destacar as de Henrique César Muzzio, como exemplo da exaustiva atividade jornalística, e a correspondência com José de Alencar, em que Machado é consagrado como crítico.

SERGIO PAULO ROUANET, 2008

ꙮ Bibliografia

ACADEMIA BRASILEIRA DE LETRAS. *Revista Brasileira*, fase VII, LV, Rio de Janeiro, abril-junho, 2008. Edição comemorativa 1908-2008.

_____. "Cartas de Joaquim Serra a Machado de Assis". *Revista da Academia Brasileira de Letras*, III, Rio de Janeiro, 1911, p. 58-74.

ALMEIDA, Renato. *História da Música Brasileira*. 2. ed. Rio de Janeiro: R. Briguet & Comp., 1942.

ANÔNIMO. *Literatura Pantagruélica; os Abestruzes no Ovo e no Espaço (Uma Ninhada de Poetas)*. Rio de Janeiro: Progresso, 1868. Exemplar da Fundação Biblioteca Nacional. Setor de Obras Raras.

AZEVEDO, José Afonso Mendonça. *Vida e Obra de Salvador de Mendonça*. Brasília: Seção de Publicações do Ministério das Relações Exteriores, 1971. Coleção Documentos Diplomáticos.

BAIÃO, Antônio. *Herculano Inédito, Correspondência de Faustino Xavier de Novais*. Anais da Academia Portuguesa de História, IV, Lisboa, 1953.

BÍBLIA. Português. *Bíblia de Jerusalém*. São Paulo: Paulus, 1995.

BLAZE, Henri. "Théâtre Italien: Le Nozze di Figaro". *Revue des Deux Mondes*, XVII, Paris: 1839, p. 844-850.

BLUTEAU, Rafael. *Vocabulário Português e Latino*. Rio de Janeiro: Dinfo-Uerj, 2000. CD-ROM. 8 v.

BOILEAU, Nicholas, dito Boileau-Despréaux. *Oeuvres*. Paris: Librairie Garnier Frères, 1928.

BOSI, Alfredo. *História Concisa da Literatura Brasileira*. 2. ed. São Paulo: Cultrix, 1979.

BRAGA, Francisco Gonçalves. *Tentativas Poéticas*. Rio de Janeiro: Nicolau Lobo Viana e Filhos, 1856.

CAMÕES, Luís de. *Os Lusíadas*. Rio de Janeiro: Xerox; BN; MinC, 1995. Edição fac-similar de 1572.

CANDIDO, Antonio. *Vários Escritos*. São Paulo: Duas Cidades, 1977.

CARVALHO, José Murilo de. *D. Pedro II*. São Paulo: Companhia das Letras, 2007. Coleção Perfis Brasileiros.

CAVALCANTI, José Cruvello. *Nova Numeração dos Prédios da Cidade do Rio de Janeiro*. Rio de Janeiro: Gazeta de Notícias, 1878. Coleção Vieira Fazenda, comemorativa do 4.º centenário da cidade do Rio de Janeiro.

CERNICCHIARO, Vicenzo. *Storia Della Musica nel Brasile dai Tempi Coloniali Sino ai Nostri Giorni*. Milano: Fratelli Riccioni, 1926.

COUTINHO, Afrânio (Org.). *A Literatura no Brasil*. 2. ed. Rio de Janeiro: Editorial Sul Americana, 1969. 6 v.

_____. *Caminhos do Pensamento Crítico Brasileiro*. Rio de Janeiro: Prolivro, 1974. 2 v.

DIAS, Antônio Gonçalves. *Poesia Completa e Prosa Escolhida*. Rio de Janeiro: José Aguilar, 1959.

_____. *Gonçalves Dias na Amazônia: Relatórios e Diário de Viagem ao Rio Negro*. Rio de Janeiro: Academia Brasileira de Letras, 2002. Coleção Austregésilo de Athayde.

FARIA, João Roberto. *O Teatro de Machado de Assis*. São Paulo: Martins Fontes, 2003.

FERREIRA, Aurélio Buarque de Holanda. *Novo Dicionário Aurélio da Língua Portuguesa*. 3. ed. Curitiba: Positivo, 2004.

FILGUEIRAS, Caetano. *Idílios*. Rio de Janeiro: Universal Laemmert. 1872. Exemplar da Fundação Casa de Rui Barbosa.

_____. *Teteias*. Rio de Janeiro: Acadêmica, 1873. Exemplar da Fundação Casa de Rui Barbosa.

FONSECA, Herculano Borges da. "O Pequeno Mundo de Machado de Assis". *Revista da Sociedade dos Amigos de Machado de Assis*, III, Rio de Janeiro, 1960, p. 23-26.

FRIAS, Sanches de. *Artur Napoleão, Resenha Comemorativa da Sua Vida Pessoal e Artística*. Lisboa: Pereira, 1913. Edição promovida e subsidiada por amigos e admiradores.

_____. Memórias Literárias: Apresentações e Críticas. Lisboa: Empresa Literária, 1907a.

_____. "Estudo Biográfico-Literário". In: NOVAIS, Faustino Xavier de. *Ignez d'Horta*. Lisboa: Tavares Cardoso, 1907b.

FUNDAÇÃO BIBLIOTECA NACIONAL. *Catálogo da Exposição Machado de Assis, 1839-1939*. Rio de Janeiro, 1939.

GERSON, Brasil. *História das Ruas do Rio*. 5. ed. Rio de Janeiro: Lacerda, 2000.

GONDIM, Eunice Ribeiro. *Vida e Obra de Paula Brito*. Rio de Janeiro: Brasiliana, 1965. Coleção Vieira Fazenda, comemorativa do 4.º centenário da cidade do Rio de Janeiro.

GLEDSON, John. (Org.). *Machado de Assis, Bons Dias! Crônicas (1888-1889)*. São Paulo: Hucitec, Campinas: Unicamp, 1990.

GOVERNO DA PROVÍNCIA DA PARAÍBA. *Relatórios Apresentados à Assembleia Provincial da Paraíba*. 1864-1868. Fundação Biblioteca Nacional.

_____. Exposição dos *Presidentes da Província da Paraíba à Assembleia Provincial*. 1864-1868. Fundação Biblioteca Nacional.

HALLEWELL, Laurence. *O Livro no Brasil*. São Paulo: T. A. Queiroz; Edusp, 1985.

HOUAISS, Antônio. *Dicionário Eletrônico da Língua Portuguesa*. São Paulo: Objetiva, 2001. Instituto Antônio Houaiss.

JUNQUEIRA, Ivan. (Coord.). *Escolas Literárias do Brasil*. Rio de Janeiro: ABL, 2004. Coleção Austregésilo de Athayde. Tomo I.

LASCELLES, George Henry Hubert. *Kobbé, O Livro Completo da Ópera*. Rio de Janeiro: Zahar, 1991.

LEAL, Cláudio Murilo. (Org.). *Toda Poesia de Machado de Assis*. Rio de Janeiro; São Paulo: Record, 2008.

LIMA, Manuel de Oliveira. *O Império Brasileiro (1821-1889)*. Belo Horizonte: Itatiaia; São Paulo: Edusp, 1989.

MACEDO, Joaquim Manuel de Macedo. *Um Passeio Pela Cidade do Rio de Janeiro*. São Paulo: Planeta, 2004.

MACHADO DE ASSIS, Joaquim Maria. *Desencantos*. Fantasia Dramática por Machado de Assis. Rio de Janeiro: Paula Brito, 1861. Exemplar da Fundação Biblioteca Nacional. Setor de Obras Raras.

_____. *Teatro de Machado de Assis*. Rio de Janeiro: Diário do Rio de Janeiro, 1863. vol. 1. Exemplar microfilmado da Fundação Biblioteca Nacional. Setor de Obras Raras.

_____. *Crisálidas*. Rio de Janeiro: B. L. Garnier, 1864. Exemplar microfilmado da Fundação Biblioteca Nacional. Setor de Obras Raras.

_____. *Obra Completa*. Rio de Janeiro: W. M. Jackson, 1937.

_____. *Obra Completa*. Rio de Janeiro: José Aguilar, 1959.

MACHADO, Ubiratan. *Bibliografia Machadiana, 1959-2003*. São Paulo: Edusp, 2005.

_____. *Dicionário de Machado de Assis*. Rio de Janeiro: Academia Brasileira de Letras, 2008. Em cópia reprográfica por gentileza do autor.

MAGALHÃES JR., Raimundo. "Prefácio". *Contos Esparsos*. Rio de Janeiro: Civilização Brasileira, 1966. Coletânea de contos de Machado de Assis.

_____. *Vida e Obra de Machado de Assis*. Rio de Janeiro: Civilização Brasileira, 1981. 4 v.

MAGALHÃES, Domingos José Gonçalves de. *A Confederação dos Tamoios*. 3. ed. Rio de Janeiro: Secretaria de Estado de Cultura do Rio de Janeiro, 1994.

MARTINS, Ana Luísa; BARBUY, Heloísa. *Arcadas, História da Faculdade de Direito do Largo de São Francisco* (1827-1997). São Paulo: Alternativa, 1998.

MARTINS, Wilson. *História da Inteligência Brasileira*. São Paulo: T. A. Queiroz, 1992-1996. 7 v.

MASSA, Jean-Michel. *Dispersos de Machado de Assis*. Rio de Janeiro: INL, 1965.

_____. *A Juventude de Machado de Assis*. Rio de Janeiro: Civilização Brasileira, 1971.

_____. *Machado de Assis, Écrivain "Stérile"*. Braga: Barbosa & Xavier, 1992.

MATOSO, Ernesto. *Coisas do Meu Tempo*. Bordeaux: Gounouilhon, 1916.

MAURÍCIO, Augusto. *Algo do meu Velho Rio*. Rio de Janeiro: Brasiliana, 1965. Coleção Vieira Fazenda, comemorativa do 4.º centenário da cidade do Rio de Janeiro.

MENESES, José Ferreira de. *Flores de Cheiro*. Rio de Janeiro: Episcopal, 1863. Exemplar da Fundação Biblioteca Nacional. Catálogo Geral.

MONTELLO, Josué. *O Presidente Machado de Assis nos Papéis e Relíquias da Academia Brasileira de Letras*. 2. ed. Rio de Janeiro: José Olympio, 1986.

_____. *Os Inimigos de Machado de Assis*. Rio de Janeiro: Nova Fronteira, 1998.

NASCENTES, Antenor. *Efemérides Cariocas*. 2. ed. Rio de Janeiro: Brasiliana, 1965. Coleção Vieira Fazenda, comemorativa do 4.º centenário da cidade do Rio de Janeiro.

NERY, Fernando (Org.). *Correspondência de Machado de Assis*. Rio de Janeiro: Américo Bedeschi, 1932.

NORONHA, José Feliciano de Castilho Barreto e. *Novo Almanaque de Lembranças Luso-Brasileiro Para o Ano de 1880*. Rio de Janeiro: Castilho, 1880.

NOVAIS, Faustino Xavier de. *Poesias Póstumas*. Rio de Janeiro: Imperial Instituto Artístico, 1870.

OLIVEIRA, Mário Alves de (Org.). *Correspondência Completa de Casimiro de Abreu*. Rio de Janeiro: Academia Brasileira de Letras, 2007. Coleção Afrânio Peixoto.

PEREIRA, Lúcia Miguel. *A Vida de Gonçalves Dias*. Rio de Janeiro: José Olympio, 1943. Coleção Documentos Brasileiros.

_____. *Correspondência Entre Quintino Bocaiúva e Machado de Assis*. Suplemento Literário do *Estado de São Paulo*, 161, de 12 de dezembro de 1959.

_____. *Machado de Assis*. 6. ed. Belo Horizonte: Itatiaia; São Paulo: Edusp, 1988.

PEREZ-SANJULIÁN, Carme Fernández. *Francisco Gomes de Amorim* (1827-1891). Revista Convergência Lusíada, 24, Rio de Janeiro, 2007, p. 348-351.

PINHO, Wanderley. *Salões e Damas do Segundo Reinado*. 5. ed. São Paulo: Gumercindo Rocha Dorea, 2004.

PORTO ALEGRE, Manuel de Araújo. *Colombo*. Rio de Janeiro: B. L. Garnier, 1866. Exemplar microfilmado da Fundação Biblioteca Nacional. Setor de Obras Raras.

PÓVOA, Joaquim José Peçanha. *Anos Acadêmicos: São Paulo 1860-1864*. Rio de Janeiro: Perseverança, 1870.

_____. *Revista Dramática*. São Paulo: Edusp, 2007. Edição fac-similar de 1860.

PUJOL, Alfredo. *Machado de Assis* – Curso de Literatura em Sete Conferências na Sociedade de Cultura Artística de São Paulo. Rio de Janeiro: Academia Brasileira de Letras: Imprensa Oficial, 2007. Apresentação de Alberto Venancio Filho.

RIBEIRO, João. "Machado de Assis". In: *Crítica: Clássicos e Românticos Brasileiros*. Rio de Janeiro: ABL, 1952. Organização, prefácio e notas de Mucio Leão.

RIOS, Adolfo Morales de los. *O Rio de Janeiro Imperial*. Rio de Janeiro: Topbooks, 2000.

ROMERO, Sílvio. *Compêndio de História da Literatura Brasileira*. Rio de Janeiro: Imago, 2001. Edição Comemorativa.

_____. *Machado de Assis: Estudo Comparativo de Literatura Brasileira*. Campinas: Unicamp, 1992.

SANDRONI, Cícero. *Os 180 Anos do Jornal do Commercio: 1827-2007*. São Paulo: Quorum, 2007.

SCHWARCZ, Lilia Moritz. *As Barbas do Imperador*. D. Pedro II, Um Monarca nos Trópicos. 2. ed. Rio de Janeiro: Companhia das Letras, 2004.

SECCHIN Antônio Carlos; ALMEIDA, José Maurício Gomes de; SOUZA, Ronaldes de Melo e. (Org.). *Machado de Assis, Uma Revisão*. Rio de Janeiro: In-Fólio, 1998.

SERRA. Joaquim de Almeida. *O Abolicionista Joaquim Serra*. Rio de Janeiro: Presença, 1986.

SILVA, Alberto da Costa e (Org.). *O Itamaraty e a Cultura Brasileira*. Rio de Janeiro: Francisco Alves, 2002. Realização do Instituto Rio Branco, Ministério das Relações Exteriores.

_____. *Castro Alves*. Rio de Janeiro: Companhia das Letras, 2006. Perfis Brasileiros.

SILVA, Antônio de Morais. *Dicionário da Língua Portuguesa*. 6. ed. Lisboa: Antônio José da Rocha, 1858. 2 v.

SOCIEDADE DOS AMIGOS DE MACHADO DE ASSIS. *Revista da Sociedade dos Amigos de Machado de Assis*, I-VII, Rio de Janeiro, 1958-1961.

SODRÉ, Nélson Werneck. *Panorama do Segundo Império*. Rio de Janeiro: Graphia, 1998.

SOUSA, José Galante de. *Bibliografia de Machado de Assis*. Rio de Janeiro: INL, 1955.

_____. *O Teatro no Brasil*. Rio de Janeiro: INL, 1960.

_____. *Machado de Assis: Poesia e Prosa*. Rio de Janeiro: Civilização Brasileira, 1957.

VAMPRÉ, Spencer. *Memórias Para a História da Academia de São Paulo*. São Paulo: Acadêmica; Saraiva, 1924. 2 v.

VENANCIO FILHO, Alberto. *Das Arcadas ao Bacharelismo: 150 anos de Ensino Jurídico no Brasil*. 2. ed. São Paulo: Perspectiva, 1982.

VANUCCI, Alessandra. (Org.). *Uma Amizade Revelada*. Correspondência entre o Imperador dom Pedro II e Adelaide Ristori, a maior atriz de seu tempo. Rio de Janeiro: Edições Biblioteca Nacional, 2004.

VERÍSSIMO, José. *História da Literatura Brasileira*. Rio de Janeiro: Francisco Alves, 1916.

_____. *Estudos de Literatura Brasileira*. Belo Horizonte: Itatiaia; São Paulo: Edusp; 1976. 7 v.

VIANA FILHO, Luís. *A Vida de Machado de Assis*. 3. ed. Rio de Janeiro: José Olympio, 1989. Coleção Documentos Brasileiros.

VILELA, Iracema Guimarães. *Luís Guimarães Júnior, Ensaio Biobibliográfico*. Rio de Janeiro: Academia Brasileira de Letras, 1934.

WEHRS, Carlos. *Machado de Assis e a Magia da Música*. 2. ed. Rio de Janeiro: Carlos Wehrs, 1997.

MANUSCRITOS ORIGINAIS

- *Arquivo Histórico*. Museu da República, Rio de Janeiro
- *Arquivo Machado de Assis*. Academia Brasileira de Letras
- *Arquivo Quintino Bocaiúva*. CPDOC, Fundação Getúlio Vargas, Rio de Janeiro
- *Coleção Adir Guimarães*. Fundação Biblioteca Nacional, Rio de Janeiro
- *Coleção Barão Loreto*. Instituto Histórico e Geográfico Brasileiro
- *Coleção Baronesa de Loreto*. Instituto Histórico e Geográfico Brasileiro
- *Coleção Ramos Paz*. Fundação Biblioteca Nacional, Rio de Janeiro

PERIÓDICOS CONSULTADOS

Originais

- *Imprensa Acadêmica*, 1864-1871, Fundação Biblioteca Nacional
- *Jornal da Sociedade Filomática*, 1859, Fundação Biblioteca Nacional
- *Semana Ilustrada*, 1860-1870, Fundação Casa de Rui Barbosa
- *Semanário Maranhense*, 1867-1868, Fundação Casa de Rui Barbosa
- *O Futuro*, 1862-1863, Fundação Casa de Rui Barbosa

Microfilmados

- *A Reforma*, 1869-1871, Fundação Biblioteca Nacional
- *A República*, 1871, Fundação Biblioteca Nacional
- *Almanaque Laemmert*, 1855-1870, Fundação Biblioteca Nacional
- *Correio Mercantil*, 1866-1868, Fundação Biblioteca Nacional
- *Diário do Rio de Janeiro*, 1860-1867, Fundação Biblioteca Nacional
- *Jornal do Comércio*, 1865-1868, Fundação Biblioteca Nacional
- *Jornal do Povo*, 1862, Fundação Biblioteca Nacional
- *O Futuro*, 1862-1863, Fundação Biblioteca Nacional

Caderno de imagens

Carta [17] de Sizenando Nabuco. Manuscrito Original, Arquivo ABL.

Carta [17] de Sizenando Nabuco. Manuscrito Original, Arquivo ABL.

Carta [21] de Luís Guimarães Júnior. Manuscrito Original, Arquivo ABL.

Carta [31] de Joaquim Nabuco. Manuscrito Original, Arquivo ABL.

Carta [31] de Joaquim Nabuco. Manuscrito Original, Arquivo ABL.

o poeta elle um dia concebeu.
É por isso que por ora dou azas á minha imaginação: mas um dia virá, e este dia talvez esteja perto, no qual me dedique completamente d'esse mundo visionarios, para ir tomar parte no gremio d'áquelles, que, mais chegados ás realidades da vida, encarão este mundo como elle realmente é. Feitas as duas considerações, que por ora julguei dever fazer ás linhas á meu respeito, disponha do pouco prestimo d'aquelle seu

Criado obrigado

Joaquim Nabuco

∾ Carta [31] de Joaquim Nabuco. Manuscrito Original, Arquivo ABL.

Meu caro Machadinho.

Estou capitalista. Já não saio da Praça do Commercio. As malditas Musas já me deram com o escondrijo, e começam a massar-me, com impertinencias que eu passo para ti. Ahi vae um livro de versos. Lê-o, e falla delle no <u>Diario</u>. Não te peço que dês safanões na consciencia; rogo-te só que tenhas em lembrança que o poeta Sá é intimo e antigo amigo.

Teu &c.
F. X. de Novaes.

Fever.º 17

Carta [33] de Faustino Xavier de Novais. Manuscrito Original, Arquivo ABL.

> Machadinho
>
> Julho 14.
>
> Tenho m.ta precisão de fallar comtigo, e, como és um Bohemio, incerto em toda a parte, ouso pedir-te que me procurasses na Praça, hoje, sem falta; melhor seria que lá chegasses antes de começares os teus trabalhos. Entra n'aquelle soberbo edificio, atravessa-o impavido, e encaras-te-lá p.ª uma escada de caracol que has-de encontrar adiante do nariz.
>
> Se não quizeres arriscar assim a tua pudicicia, pergunta p.r mim no escriptorio da entrada, á esquerda.
>
> Espera-te sem falta, o
>
> Tend.o C.
>
> F. X. de Novaes

~ Carta [42] de Faustino Xavier de Novais. Manuscrito Original, Arquivo ABL.

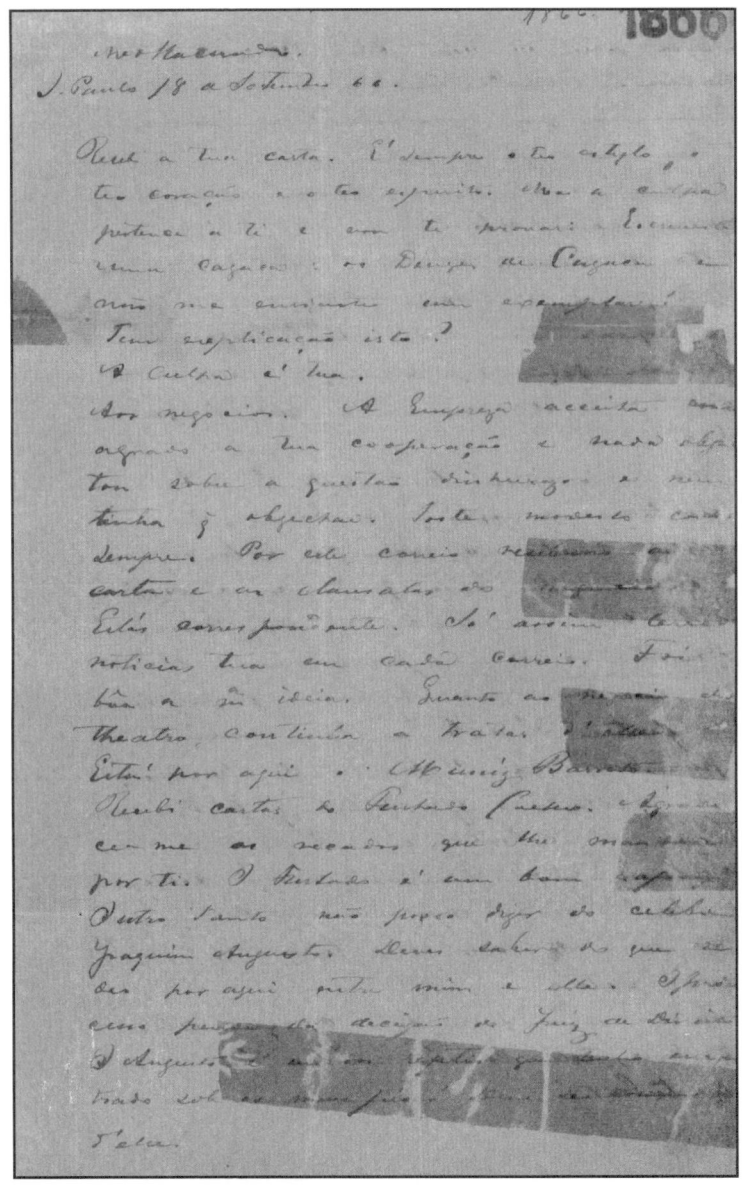

Carta [52] de Ferreira de Meneses. Manuscrito Original, Arquivo ABL.

  Carta [52] de Ferreira de Meneses. Manuscrito Original, Arquivo ABL.

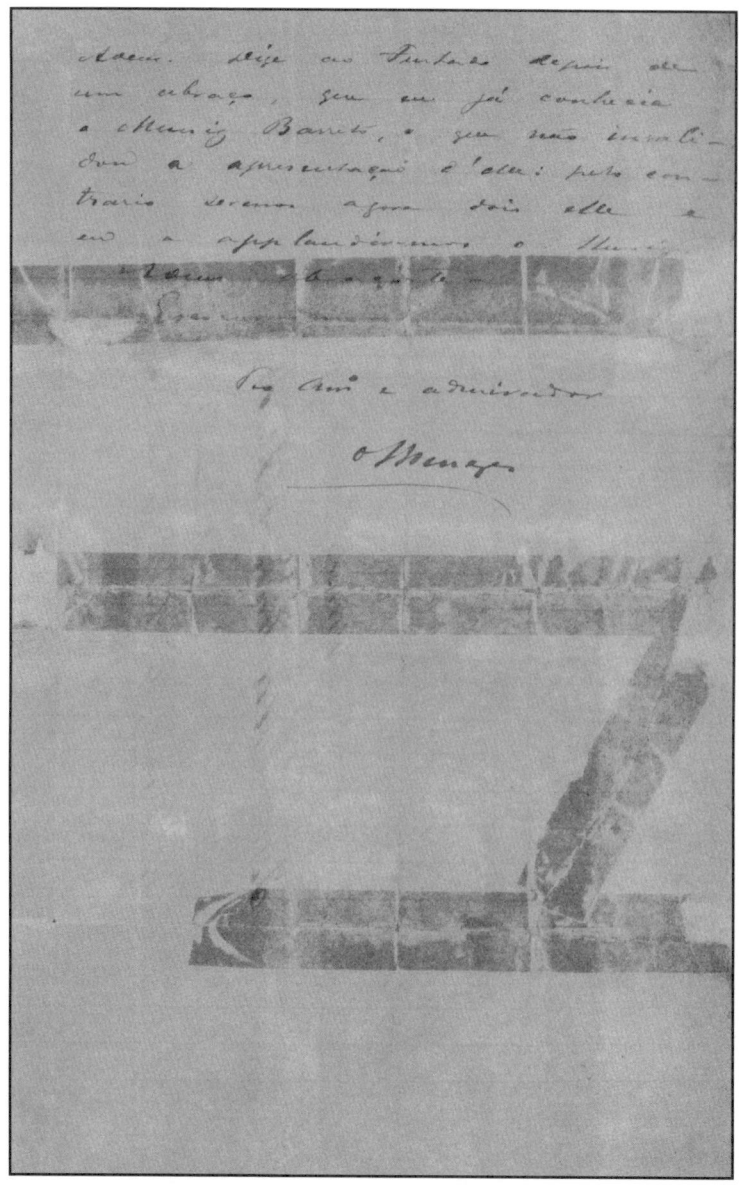

Carta [52] de Ferreira de Meneses. Manuscrito Original, Arquivo ABL.

Carta [59] de Machado de Assis a Quintino Bocaiúva. Fac-símile do Manuscrito Original, Arquivo ABL.

Carta [59] de Machado de Assis a Quintino Bocaiúva. Fac-símile do Manuscrito Original, Arquivo ABL.

Carta [59] de Machado de Assis a Quintino Bocaiúva. Fac-símile do Manuscrito Original, Arquivo ABL.

cv Carta [59] de Machado de Assis a Quintino Bocaiúva. Fac-símile do Manuscrito Original, Arquivo ABL.

Carta [60] de Henrique César Muzzio. Manuscrito Original, Arquivo ABL.

Leia também:

Machado de Assis — Um Autor em Perspectiva

A série *Um Autor em Perspectiva*, coeditada pela Global Editora em parceria com a Academia Brasileira de Letras, traz, em seu primeiro volume, este acurado estudo sobre Machado de Assis. A partir de um seminário realizado na Universidade de Salamanca, uma série de artigos de vários especialistas, brasileiros e espanhóis, lança novas luzes sobre a já vastamente estudada obra deste que é um dos maiores autores nacionais.

Machado foi talvez o mais eclético homem de letras do Brasil, atuando em todas as modalidades literárias, com maestria notável no romance e no conto, formas nas quais é simplesmente insuperável, mas também sem menor garbo na poesia, teatro, ensaio, crítica, crônica e mesmo sua epistolografia pessoal, que é estudada por um dos acadêmicos que contribui nesta coletânea de estudos.

Ana Maria Machado, responsável pela apresentação da obra, contribui com um interessante ensaio sobre os diálogos machadianos. Há também uma saborosa análise, por Antônio Maura, da personagem Capitu, do romance *Dom Casmurro*, correspondente direta e irmã literária de Ana Karenina, Emma Bovary e da Luísa de *O Primo Basílio*. O mais extravagante romance de Machado, *Memórias Póstumas de Brás Cubas*, é analisado por Javier Prado em estudo comparativo histórico que garimpa as influências de Sterne, Xavier de Maïstre, Fielding e Cervantes na obra do autor carioca.

Mesmo tantos anos passados de sua morte, a obra de Machado de Assis segue atual e imprescindível para se compreender a alma do povo brasileiro. Este livro, tanto para iniciados nos estudos sobre o bruxo do Cosme Velho quanto para neófitos, é obra de agradável leitura, didática e elucidativa, que lança um inusitado olhar ibérico sobre a obra de um de nossos melhores escritores.